합격 시그널

문제편

N5

저자 大阪YMCA

일본어능력시험
시사 JLPT 합격 시그널 문제편 N5

초판발행	2023년 3월 20일
1판 2쇄	2024년 2월 29일

저자	大阪YMCA(오사카YMCA)
편집	김성은, 조은형, 오은정, 무라야마 토시오
펴낸이	엄태상
디자인	권진희, 이건화
조판	김성은
콘텐츠 제작	김선웅, 장형진
마케팅	이승욱, 왕성석, 노원준, 조성민, 이선민
경영기획	조성근, 최성훈, 김다미, 최수진, 오희연
물류	정종진, 윤덕현, 신승진, 구윤주

펴낸곳	시사일본어사(시사북스)
주소	서울시 종로구 자하문로 300 시사빌딩
주문 및 교재 문의	1588-1582
팩스	0502-989-9592
홈페이지	www.sisabooks.com
이메일	book_japanese@sisadream.com
등록일자	1977년 12월 24일
등록번호	제 300-2014-31호

ISBN 978-89-402-9354-6 (13730)

머리말

일본어능력시험(JLPT)을 공부하는 목적은 학습자마다 다르지만, 최종 목표는 모두 '합격'일 것입니다. '시사 JLPT 합격 시그널' 시리즈는 JLPT 시험에 합격하고자 하는 학습자를 위한 독학용 종합 수험서입니다. 머리말을 읽으면서 '독학용 수험서가 따로 있나?'라고 생각하시는 분도 계실 것입니다.

'시사 JLPT 합격 시그널'은 혼자 공부하는 수험생을 위해 다음과 같이 교재를 구성했습니다.

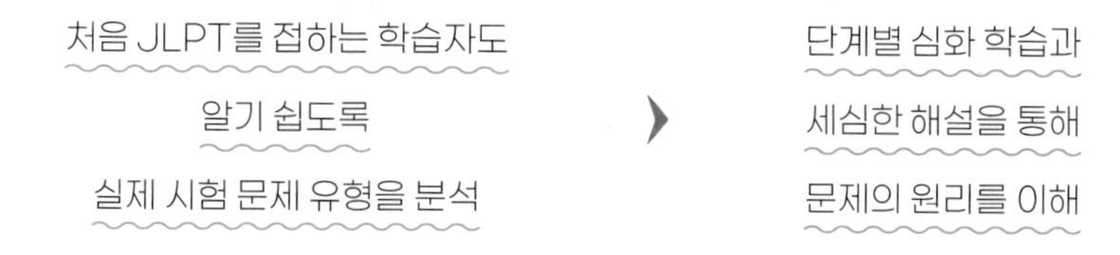

일본어의 '어휘력'과 '문법' 이해도를 측정하는 언어지식(문자·어휘·문법) 파트와 현지에서 출간된 인문·실용서 등의 지문을 사용하는 독해 파트, 일상생활에서 사용하는 회화력을 묻는 청해 파트까지, JLPT 시험은 결코 쉽지만은 않습니다. 따라서 대부분의 학습자는 JLPT 시험을 준비하는데 있어 무엇을, 어떻게 공부해야 할지 막연함을 느낄 것입니다.

'시사 JLPT 합격 시그널'을 통해 JLPT란 무엇인가를 이해하고, 어떻게 하면 시험을 공략할 수 있는지에 대한 해법을 찾고 자신감을 기를 수 있기를 바랍니다. 문제를 풀고 해설을 읽으며, 일본어 어휘가 어떻게 활용되는지와 일본어 문법의 활용 원리에 대해 이해하고, 시험 문제에서 학습자에게 요구하는 바가 무엇인지를 정확하게 답할 수 있게 되기를 바랍니다.

마지막 책장을 덮는 순간, 이 책과 함께 해 주신 모든 분들께 '합격의 시그널'이 감지되기를 진심으로 기원합니다.

저자 일동

이 책의 구성과 학습 방법

문자 · 어휘

- もんだい 1 한자 읽기
- もんだい 2 표기
- もんだい 3 문맥 규정
- もんだい 4 유의 표현

학습 순서

문제 유형 → 출제 예상 어휘 → 연습문제 → 실전문제

문제의 유형별로 문제 풀이 포인트를 정리하고 출제 예상 어휘 및 기출 어휘를 학습한 후, 연습문제와 실전문제를 통해 시험에 대비합니다.

어휘 기본기 갖추기

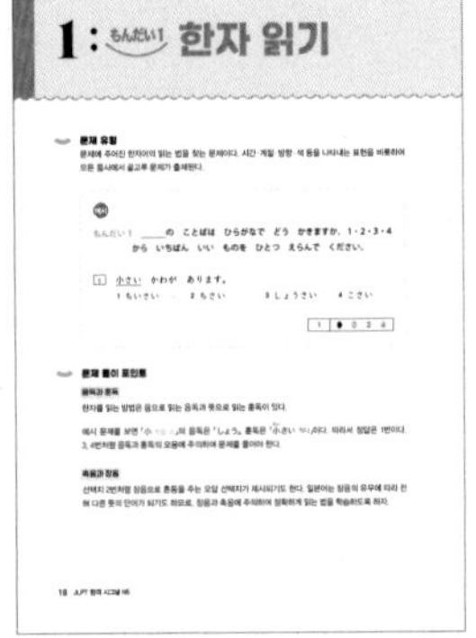
문제 유형 포인트

출제 예상 어휘

연습문제/실전문제

문법

- もんだい 1 문법형식 판단
- もんだい 2 문장 만들기
- もんだい 3 글의 문법

학습 순서

문법 기본기 갖추기 → 문제 유형 → 연습문제 → 실전문제

N5에서 알아야 할 필수 문법과 문제를 풀 때 반드시 필요한 기초 문법 및 경어 표현을 학습하고 각 유형별 문제 풀이 포인트를 학습한 후 연습문제와 실전문제를 통해 시험에 대비합니다.

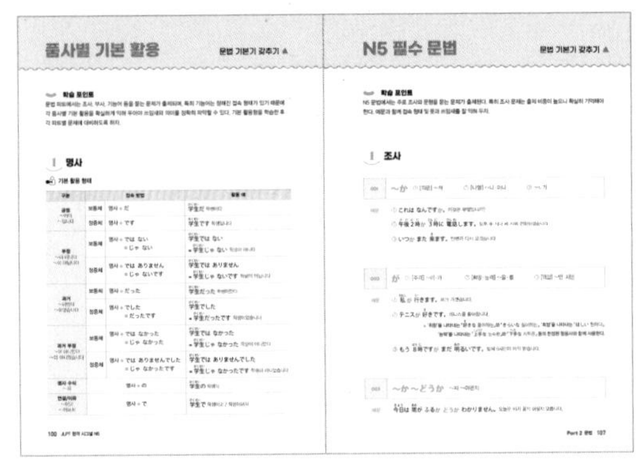
문법 기본기 갖추기

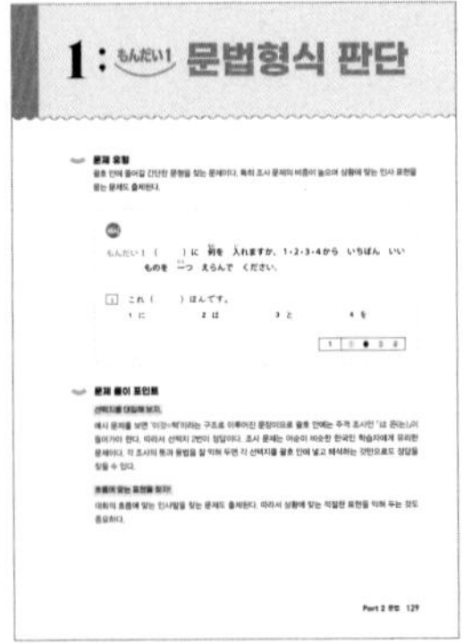
문제 유형 포인트

연습문제/실전문제

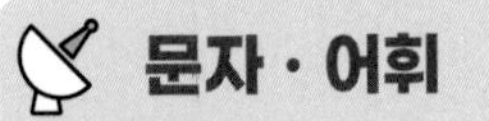

독해

• もんだい 4 내용 이해(단문) • もんだい 5 내용 이해(중문) • もんだい 6 정보 검색

학습 순서

문제 유형 → 연습문제 → 실전문제

문제의 유형별 출제 빈도가 높은 질문 형태와 문제 풀이 포인트를 학습한 후 연습문제와 실전문제를 통해 시험에 대비합니다.

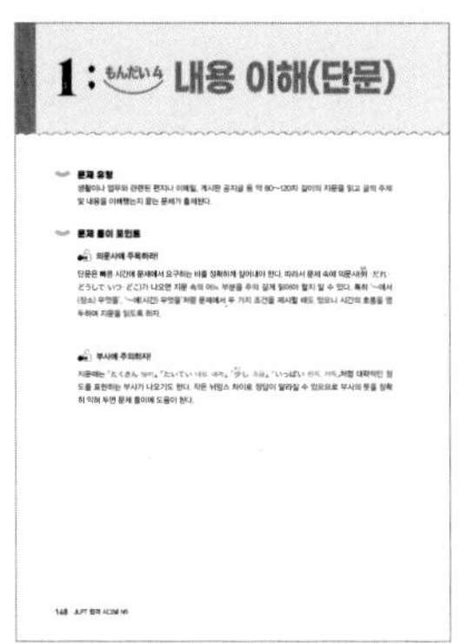

문제 유형 포인트

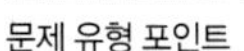

연습문제/실전문제

청해

• もんだい 1 과제 이해
• もんだい 2 포인트 이해
• もんだい 3 발화 표현
• もんだい 4 즉시 응답

학습 순서

청해 기본기 갖추기 → 문제 유형 → 연습문제 → 실전문제

기본적인 발음 연습부터 청해 문제에 자주 나오는 축약 표현과 경어 표현, 인사 표현을 정리하고, 각 유형별 문제 풀이 포인트를 학습한 후 연습문제와 실전문제를 통해 시험에 대비합니다.

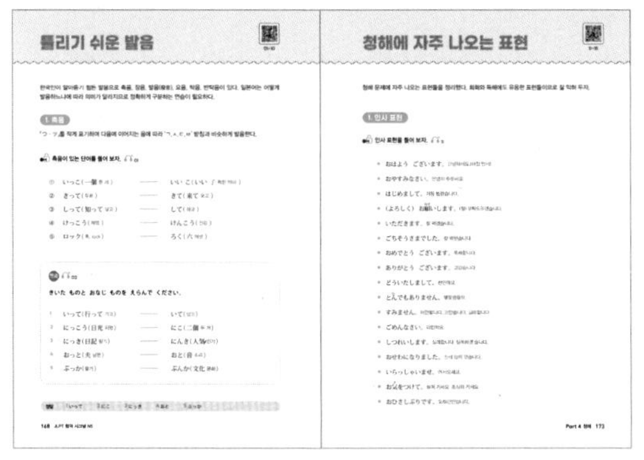

청해 기본기 갖추기

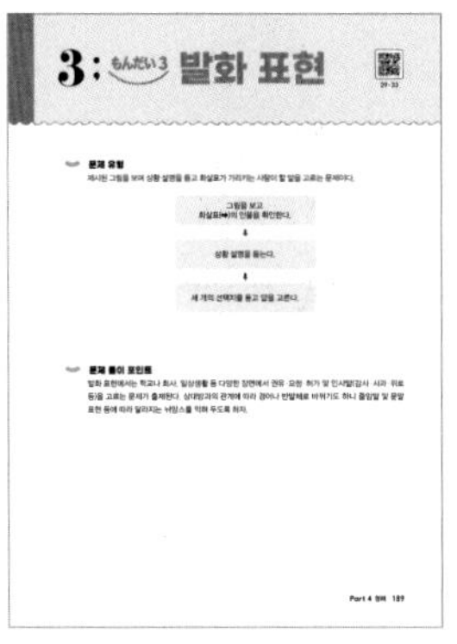

문제 유형 포인트

연습문제/실전문제

모의고사

● 최신 이슈와 출제 경향에 맞춘 실전 모의고사

최근 몇 년간의 기출 문제를 분석하여 난이도를 조정하고, 실제 신문 기사나 이슈를 반영한 최신 출제 경향의 모의고사를 통해 실전에 완벽하게 대비합니다.

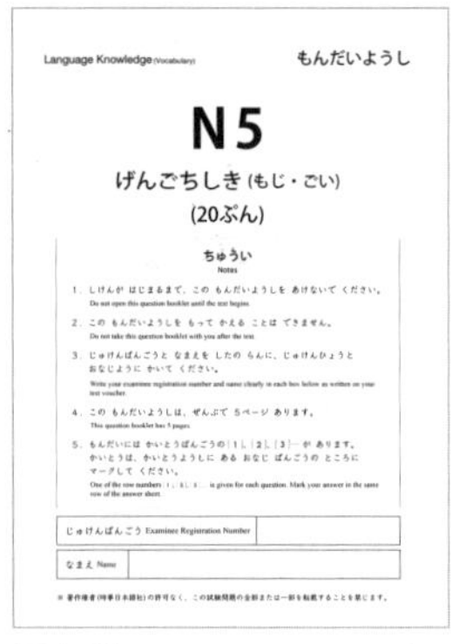

Language Knowledge (Vocabulary) もんだいようし

N5

げんごちしき(もじ・ごい)

(20ぷん)

ちゅうい

Notes

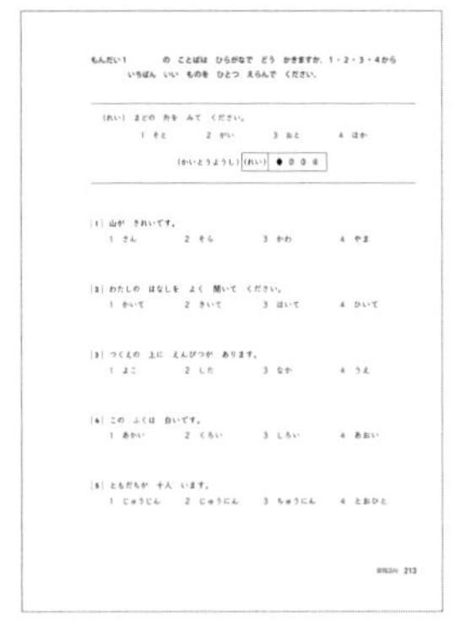

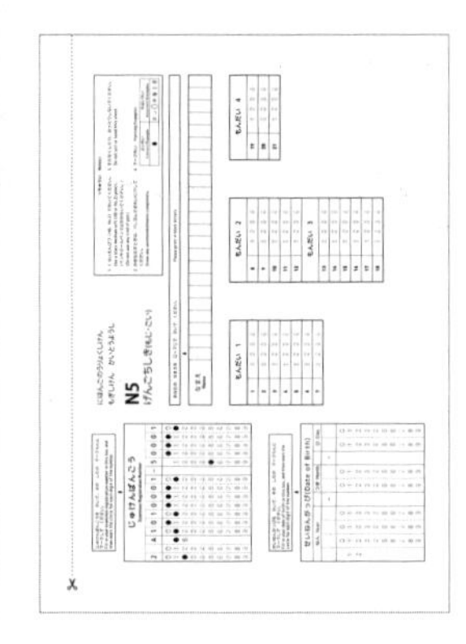

모의고사

무료 동영상 강의

● QR코드로 언제 어디서나! JLPT 전문 강사의 모의고사 해설 강의

시사일본어학원의 JLPT 전문 강사의 해설을 통해 유형별 문제 풀이 요령을 익힐 수 있습니다.

● 무료 해설 강의는 유튜브 시사북스 채널에서 확인할 수 있습니다.

영상 바로보기

데일리 퀴즈·막판 뒤집기

● 데일리 퀴즈로 학습 체크하고 막판 뒤집기로 시험 직전 최종 복습까지!

책에서 다룬 단어와 문법을 확인할 수 있는 데일리 퀴즈로 학습 상태를 체크하여 부족한 점을 보완합니다.

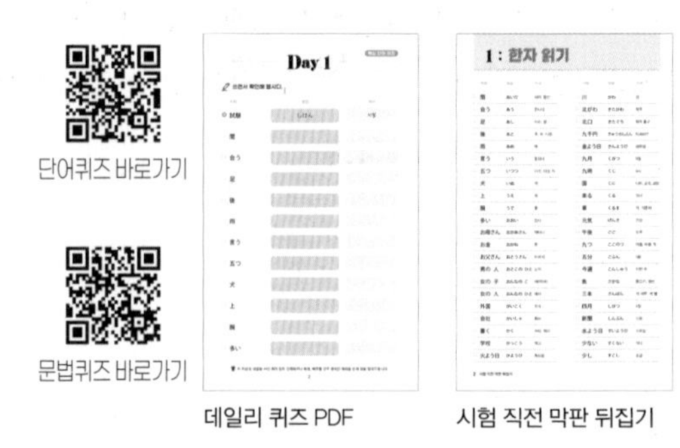

데일리 퀴즈 PDF　　시험 직전 막판 뒤집기

출제 빈도가 높은 중요 단어만을 정리한 막판 뒤집기로 시험장에서 문제를 풀기 직전에 최종 복습합니다.

목차

일본어능력시험 개요

1 ; 시험 과목 및 시험 시간

레벨	시험 과목 (시험 시간)		
N1	언어지식 (문자 • 어휘 • 문법) • 독해 (110분)		청해 (60분)
N2	언어지식 (문자 • 어휘 • 문법) • 독해 (105분)		청해 (55분)
N3	언어지식 (문자 • 어휘) (30분)	언어지식 (문법) • 독해 (70분)	청해 (45분)
N4	언어지식 (문자 • 어휘) (25분)	언어지식 (문법) • 독해 (55분)	청해 (40분)
N5	**언어지식 (문자 • 어휘) (20분)**	**언어지식 (문법) • 독해 (40분)**	**청해 (35분)**

2 ; 시험 점수

레벨	배점 구분	득점 범위
N1	언어지식(문자 • 어휘 • 문법)	0~60
	독해	0~60
	청해	0~60
	종합 배점	0~180
N2	언어지식(문자 • 어휘 • 문법)	0~60
	독해	0~60
	청해	0~60
	종합 배점	0~180
N3	언어지식(문자 • 어휘 • 문법)	0~60
	독해	0~60
	청해	0~60
	종합 배점	0~180
N4	언어지식(문자 • 어휘 • 문법) • 독해	0~120
	청해	0~60
	종합 배점	0~180
N5	**언어지식(문자 • 어휘 • 문법) • 독해**	**0~120**
	청해	**0~60**
	종합 배점	**0~180**

3 ; 합격점과 합격 기준점

레벨별 합격점은 N1 100점, N2 90점, N3 95점, N4 90점, N5 80점이며, 과목별 합격 기준점은 각 19점(N4, N5는 언어지식·독해 합해서 38점, 청해 19점)입니다.

4 ; N5 문제 유형

<table>
<tr><th colspan="2">시험 과목</th><th>문제</th><th>예상
문항 수</th><th>문제 내용</th><th>적정 예상
풀이 시간</th><th>파트별
소요 예상 시간</th><th>대책</th></tr>
<tr><td rowspan="4">언어
지식
(20분)</td><td rowspan="4">문자
·
어휘</td><td>문제 1</td><td>7</td><td>한자 읽기 문제</td><td>4분</td><td rowspan="4">문자 · 어휘
14분</td><td rowspan="4">문자 · 어휘 파트의 시험 시간은 20분으로 문제 푸는 시간을 15분 정도로 생각하면 시간은 충분하다. 나머지 5분 동안 마킹과 점검을 하면 된다.</td></tr>
<tr><td>문제 2</td><td>5</td><td>한자 표기 문제</td><td>2분</td></tr>
<tr><td>문제 3</td><td>6</td><td>문맥에 맞는 적절한 어휘를 고르는 문제</td><td>4분</td></tr>
<tr><td>문제 4</td><td>3</td><td>주어진 어휘와 비슷한 의미의 어휘를 찾는 문제</td><td>4분</td></tr>
<tr><td rowspan="6">언어
지식
(문법)
·
독해
(40분)</td><td rowspan="3">문법</td><td>문제 1</td><td>9</td><td>문장의 내용에 맞는 문형 표현 즉 기능어를 찾아서 넣는 문제</td><td>7분</td><td rowspan="3">문법
17분</td><td rowspan="6">총 40분 중 문법은 약 20분, 독해는 약 20분 정도가 소요될 것으로 예상되며, 문법을 먼저 본 후 해당 답안지를 회수하고 이어서 독해 시험을 실시하므로 중간에 쉬는 시간이 없이 두 영역을 한 번에 본다고 생각해야 한다.
문법은 예시 문제로 문제 유형을 확인한 후 문제 풀이로 들어갈 수 있으니 침착하게 문제를 풀도록 하자.</td></tr>
<tr><td>문제 2</td><td>4</td><td>나열된 단어를 의미에 맞게 조합하는 문제</td><td>4분</td></tr>
<tr><td>문제 3</td><td>4</td><td>글의 흐름에 맞는 문법을 찾는 문제</td><td>6분</td></tr>
<tr><td rowspan="3">독해</td><td>문제 4</td><td>2</td><td>단문(100~200자 정도) 이해</td><td>6분</td><td rowspan="3">독해
19분</td></tr>
<tr><td>문제 5</td><td>2</td><td>중문(250~400자 정도) 이해</td><td>6분</td></tr>
<tr><td>문제 6</td><td>1</td><td>200~300자 정도의 글을 읽고 필요한 정보 찾기</td><td>7분</td></tr>
<tr><td colspan="2" rowspan="4">청해
(35분)</td><td>문제 1</td><td>7</td><td>과제 해결에 필요한 정보를 듣고 나서 무엇을 해야 하는지 찾아내기</td><td>약 8분
(한 문항당
약 1분)</td><td colspan="2" rowspan="4">총 35분 중에서 문제 푸는 시간은 대략 20~27분 정도가 될 것으로 예상한다. 나머지 시간은 질문을 읽는 시간과 문제 설명이 될 것이다.
음성이 끝난 후 마킹 시간이 따로 주어지지 않으므로 문제가 끝날 때마다 정확하게 마킹해야 한다.</td></tr>
<tr><td>문제 2</td><td>6</td><td>대화나 혼자 말하는 내용을 듣고 포인트 파악하기</td><td>약 10분 30초
(한 문항당
약 1분 30초)</td></tr>
<tr><td>문제 3</td><td>5</td><td>그림을 보면서 상황 설명을 듣고 화살표가 가리키는 인물이 할 말 찾기</td><td>약 4분
(한 문항당
약 40초)</td></tr>
<tr><td>문제 4</td><td>6</td><td>짧은 문장을 듣고 그에 맞는 적절한 응답 찾기</td><td>약 3분 30초
(한 문항당
약 30초)</td></tr>
</table>

* 문제 수는 매회 시험에서 출제되는 대략적인 기준으로 실제 문제 수는 다소 달라질 수 있습니다.

Part 1

JLPT N5

Part 1

문자 · 어휘

I 문제 유형 파악하기

- 문자·어휘 기본기 갖추기

N5 기초 어휘

1 もんだい 1 한자 읽기
2 もんだい 2 표기
3 もんだい 3 문맥 규정
4 もんだい 4 유의 표현

N5 기초 어휘

1 지시사와 의문사

1. 지시사

	こ 이	そ 그	あ 저	ど 어느
사물	これ 이것	それ 그것	あれ 저것	どれ 어느 것
장소	ここ 여기	そこ 거기	あそこ 저기	どこ 어디
명사 수식	この～ 이～	その～ 그～	あの～ 저～	どの～ 어느～
방향	こちら 이쪽	そちら 그쪽	あちら 저쪽	どちら 어느 쪽
성질	こんな 이런	そんな 그런	あんな 저런	どんな 어떤

2. 의문사

- □ 何(なに) 무엇
- □ 何(なん) 무엇, 몇 ～
- □ だれ 누구
- □ どなた 어느 분, 누구(경어)
- □ どう 어떻게
- □ どうして 어째서, 왜
- □ なぜ 어째서, 왜
- □ いくつ 몇, 몇 개, 몇 살
- □ いくら 얼마
- □ いつ 언제

2 숫자 · 시간 · 날짜 · 시제 · 수량

1. 숫자

1	一(いち)	100	百(ひゃく)	1,000	千(せん)
2	二(に)	200	二百(にひゃく)	2,000	二千(にせん)
3	三(さん)	300	三百(さんびゃく)	3,000	三千(さんぜん)
4	四(し・よん)	400	四百(よんひゃく)	4,000	四千(よんせん)
5	五(ご)	500	五百(ごひゃく)	5,000	五千(ごせん)
6	六(ろく)	600	六百(ろっぴゃく)	6,000	六千(ろくせん)
7	七(しち・なな)	700	七百(ななひゃく)	7,000	七千(ななせん)
8	八(はち)	800	八百(はっぴゃく)	8,000	八千(はっせん)
9	九(く・きゅう)	900	九百(きゅうひゃく)	9,000	九千(きゅうせん)
10	十(じゅう)	1,000	千(せん)	10,000	一万(いちまん)

2. 시간

시 時(じ)			
1시	一時(いちじ)	7시	七時(しちじ)
2시	二時(にじ)	8시	八時(はちじ)
3시	三時(さんじ)	9시	九時(くじ)
4시	四時(よじ)	10시	十時(じゅうじ)
5시	五時(ごじ)	11시	十一時(じゅういちじ)
6시	六時(ろくじ)	12시	十二時(じゅうにじ)
몇 시	何時(なんじ)		

분 分(ふん・ぷん)					
1분	一分(いっぷん)	7분	七分(ななふん)	40분	四十分(よんじゅっぷん)
2분	二分(にふん)	8분	八分(はっぷん・はちふん)	50분	五十分(ごじゅっぷん)
3분	三分(さんぷん)	9분	九分(きゅうふん)	60분	六十分(ろくじゅっぷん)
4분	四分(よんぷん)	10분	十分(じゅっぷん)		
5분	五分(ごふん)	20분	二十分(にじゅっぷん)		
6분	六分(ろっぷん)	30분	三十分(さんじゅっぷん)		
몇 분	何分(なんぷん)	반	半(はん)		

3. 날짜

월 月(がつ)					
1월	2월	3월	4월	5월	6월
いちがつ 一月	に がつ 二月	さんがつ 三月	し がつ 四月	ご がつ 五月	ろくがつ 六月
7월	8월	9월	10월	11월	12월
しちがつ 七月	はちがつ 八月	く がつ 九月	じゅうがつ 十月	じゅういちがつ 十一月	じゅう に がつ 十二月

일 日(にち)						
1일	2일	3일	4일	5일	6일	7일
ついたち 一日	ふつ か 二日	みっ か 三日	よっ か 四日	いつ か 五日	むい か 六日	なの か 七日
8일	9일	10일	11일	12일	13일	14일
よう か 八日	ここの か 九日	とお か 十日	じゅういちにち 十一日	じゅう に にち 十二日	じゅうさんにち 十三日	じゅうよっ か 十四日
15일	16일	17일	18일	19일	20일	21일
じゅう ご にち 十五日	じゅうろくにち 十六日	じゅうしちにち 十七日	じゅうはちにち 十八日	じゅう く にち 十九日	はつか 二十日	に じゅういちにち 二十一日
22일	23일	24일	25일	26일	27일	28일
に じゅう に にち 二十二日	に じゅうさんにち 二十三日	に じゅうよっ か 二十四日	に じゅう ご にち 二十五日	に じゅうろくにち 二十六日	に じゅうしちにち 二十七日	に じゅうはちにち 二十八日
29일	30일	31일	몇 월	며칠		
に じゅう く にち 二十九日	さんじゅうにち 三十日	さんじゅういちにち 三十一日	なんがつ 何月	なんにち 何日		

★ 기간을 뜻하는 '하루'는 「一日(いちにち)」라고 읽음

요일 曜日(ようび)						
월요일	화요일	수요일	목요일	금요일	토요일	일요일
げつよう び 月曜日	か よう び 火曜日	すいよう び 水曜日	もくよう び 木曜日	きんよう び 金曜日	ど よう び 土曜日	にちよう び 日曜日

4. 시제

□ 昨日(きのう) 어제
□ 今日(きょう) 오늘
□ 明日(あした) 내일
□ 先週(せんしゅう) 지난주
□ 今週(こんしゅう) 이번 주
□ 来週(らいしゅう) 다음 주
□ 先月(せんげつ) 지난달
□ 今月(こんげつ) 이번 달
□ 来月(らいげつ) 다음 달
□ 去年(きょねん) 작년
□ 今年(ことし) 올해
□ 来年(らいねん) 내년
□ おととい 그저께
□ あさって 내일모레
□ おととし 재작년
□ 毎年(まいとし) 매년
□ 毎月(まいつき) 매월
□ 毎日(まいにち) 매일
□ 毎週(まいしゅう) 매주
□ 毎朝(まいあさ) 매일 아침, 아침마다
□ 毎晩(まいばん) 매일 밤, 밤마다
□ 今朝(けさ) 오늘 아침
□ 今晩(こんばん) 오늘 밤
□ 後(あと) 후, 뒤, 나중
□ 午前(ごぜん) 오전
□ 午後(ごご) 오후

5. 수량

사물	사람	음료	층	병·자루
一つ(ひとつ) 하나	一人(ひとり) 한 명	一杯(いっぱい) 한 잔	一階(いっかい) 1층	一本(いっぽん) 한 병/한 자루
二つ(ふたつ) 둘	二人(ふたり) 두 명	二杯(にはい) 두 잔	二階(にかい) 2층	二本(にほん) 두 병/두 자루
三つ(みっつ) 셋	三人(さんにん) 세 명	三杯(さんばい) 세 잔	三階(さんがい) 3층	三本(さんぼん) 세 병/세 자루
四つ(よっつ) 넷	四人(よにん) 네 명	四杯(よんはい) 네 잔	四階(よんかい) 4층	四本(よんほん) 네 병/네 자루
五つ(いつつ) 다섯	五人(ごにん) 다섯 명	五杯(ごはい) 다섯 잔	五階(ごかい) 5층	五本(ごほん) 다섯 병/다섯 자루
六つ(むっつ) 여섯	六人(ろくにん) 여섯 명	六杯(ろっぱい) 여섯 잔	六階(ろっかい) 6층	六本(ろっぽん) 여섯 병/여섯 자루
七つ(ななつ) 일곱	七人(しちにん/ななにん) 일곱 명	七杯(ななはい) 일곱 잔	七階(ななかい) 7층	七本(ななほん) 일곱 병/일곱 자루
八つ(やっつ) 여덟	八人(はちにん) 여덟 명	八杯(はっぱい) 여덟 잔	八階(はっかい) 8층	八本(はちほん/はっぽん) 여덟 병/여덟 자루
九つ(ここのつ) 아홉	九人(きゅうにん) 아홉 명	九杯(きゅうはい) 아홉 잔	九階(きゅうかい) 9층	九本(きゅうほん) 아홉 병/아홉 자루
十(とお) 열	十人(じゅうにん) 열 명	十杯(じゅっぱい) 열 잔	十階(じゅっかい) 10층	十本(じゅっぽん) 열 병/열 자루
いくつ 몇, 몇 개	何人(なんにん) 몇 명	何杯(なんばい) 몇 잔	何階(なんがい) 몇 층	何本(なんぼん) 몇 병/몇 자루

3 방향·위치 명사

□ 東(ひがし) 동쪽

□ 西(にし) 서쪽

□ 南(みなみ) 남쪽

□ 北(きた) 북쪽

□ 右(みぎ) 오른쪽

□ 左(ひだり) 왼쪽

□ 上(うえ) 위

□ 下(した) 아래, 밑

□ 前(まえ) 앞

□ 後(うし)ろ 뒤

□ 中(なか) 가운데, 속, 안

□ 外(そと) 밖, 겉

□ 横(よこ) 옆, 측면

□ 隣(となり) 바로 옆, 이웃

□ 側(そば) 옆, 곁

□ 側(がわ) 쪽, 측

よこ(横) · となり(隣) · そば(側)

- よこ : 좌우 방향으로 가까이에 위치한 것. 옆, 측면
- となり : 같은 종류로 이웃해 있는 것. 바로 옆, 이웃
- そば : 물리적 · 심리적 거리가 가까움을 나타냄. 옆, 곁

MEMO

1 : もんだい1 한자 읽기

문제 유형

문제에 주어진 한자어의 읽는 법을 찾는 문제이다. 시간·계절·방향·색 등을 나타내는 표현을 비롯하여 모든 품사에서 골고루 문제가 출제된다.

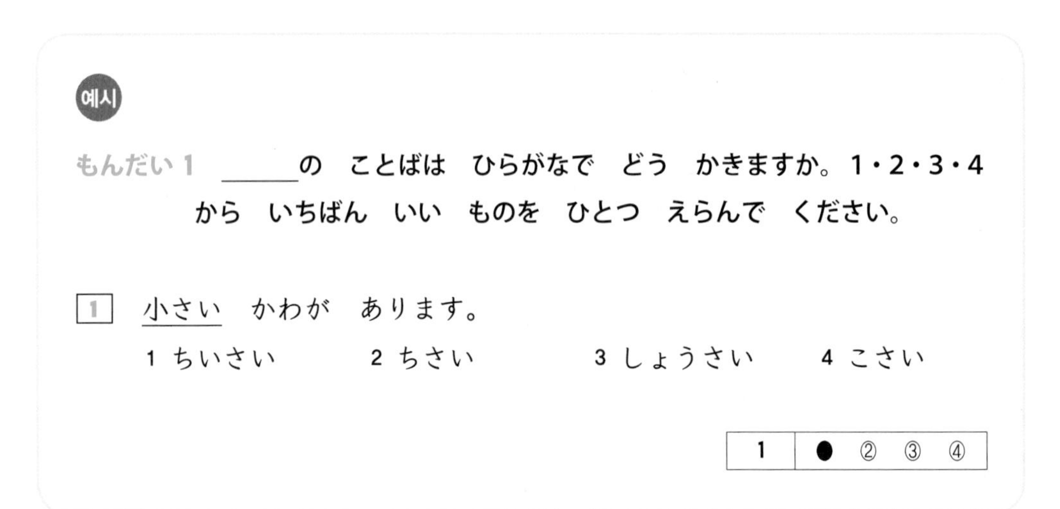

예시

もんだい 1 ＿＿＿の ことばは ひらがなで どう かきますか。1・2・3・4 から いちばん いい ものを ひとつ えらんで ください。

1 小さい かわが あります。

1 ちいさい　2 ちさい　3 しょうさい　4 こさい

1	● ② ③ ④

문제 풀이 포인트

음독과 훈독

한자를 읽는 방법은 음으로 읽는 음독과 뜻으로 읽는 훈독이 있다.

예시 문제를 보면 「小 작을 소」의 음독은 「しょう」, 훈독은 「小(ちい)さい 작다」이다. 따라서 정답은 1번이다. 3, 4번처럼 음독과 훈독의 오용에 주의하며 문제를 풀어야 한다.

촉음과 장음

선택지 2번처럼 장음으로 혼동을 주는 오답 선택지가 제시되기도 한다. 일본어는 장음의 유무에 따라 전혀 다른 뜻의 단어가 되기도 하므로, 장음과 촉음에 주의하여 정확하게 읽는 법을 학습하도록 하자.

2: もんだい 2 표기

문제 유형

히라가나로 주어진 단어를 한자나 가타카나로 바르게 표기한 것을 찾는 문제이다. 형태가 비슷한 한자 중에서 정답을 찾는 문제나 잘못된 한자 중에 바른 한자를 고르는 문제 등이 출제된다.

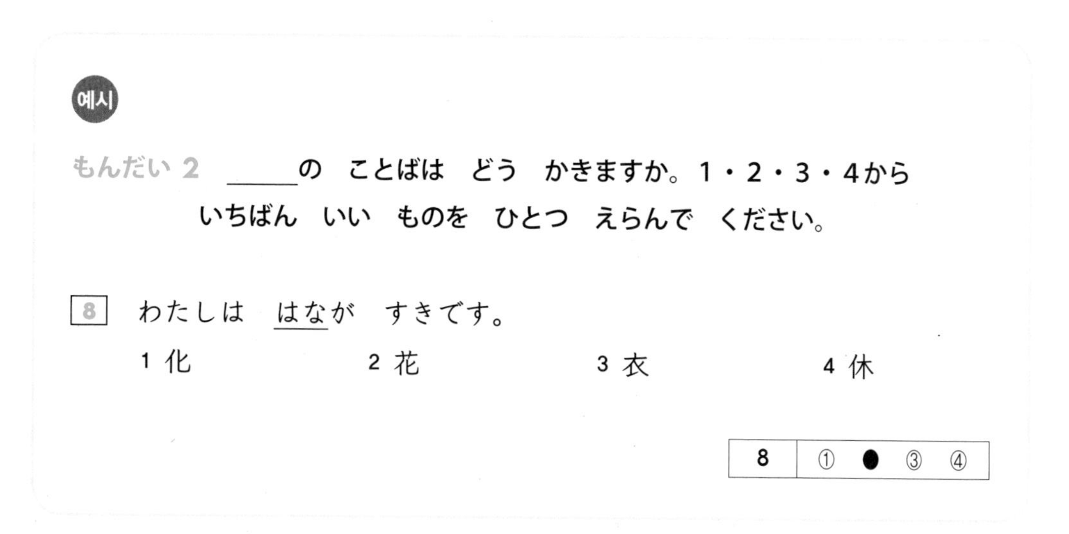

예시

もんだい 2 ＿＿＿の ことばは どう かきますか。1・2・3・4から いちばん いい ものを ひとつ えらんで ください。

8 わたしは <u>はなが</u> すきです。

1 化　　2 花　　3 衣　　4 休

8	① ● ③ ④

문제 풀이 포인트

한자의 부수를 확인!

예시 문제를 보면, 「はな」라고 읽는 한자는 선택지 2번의 「花(はな) 꽃」이다. 선택지 1번은 형태가 비슷하지만 위쪽 부수(艹)가 없는 「化 될 화」이다.

비슷한 형태의 한자에 주의!

선택지 3번의 「衣 옷 의」의 음독은 「い」이며 4번 「休 쉴 휴」의 음독은 「きゅう」, 훈독은 「休(やす)む 쉬다」이다.

발음이 같은 동음이의어에 주의!

선택지에는 없지만 발음이 같으며 다른 한자를 사용하는 「鼻(はな) 코」도 함께 기억해 두면 도움이 된다.

もんだい 1·2 **한자 읽기 · 표기 출제 예상 어휘**

학습 포인트

N5의 〈한자 읽기〉 및 〈표기〉에서 알아야 하는 한자의 수는 약 300자 정도이다. 출제 예상 어휘를 품사별로 정리했다. 또한 기본적으로 익혀야 하는 숫자, 시간, 요일, 방향과 관련된 표현도 복습해 두자.

1: 명사

(あ)

- □ 間(あいだ) 사이, 동안
- □ 秋(あき) 가을
- □ 朝(あさ)ごはん 아침밥
- □ 足(あし) 발, 다리
- □ 味(あじ) 맛
- □ 頭(あたま) 머리
- □ 兄(あに) (나의) 형, 오빠
- □ 姉(あね) (나의) 누나, 언니
- □ 雨(あめ) 비
- □ 家(いえ) 집
- □ 池(いけ) 연못
- □ 石(いし) 돌
- □ 医者(いしゃ) 의사
- □ 椅子(いす) 의자
- □ 一番(いちばん) 가장, 제일
- □ 犬(いぬ) 개
- □ 意味(いみ) 의미, 뜻
- □ 妹(いもうと) 여동생
- □ 入口(いりぐち) 입구
- □ 色(いろ) 색
- □ 歌(うた) 노래
- □ 海(うみ) 바다
- □ 上着(うわぎ) 겉옷, 윗도리(윗옷)
- □ 絵(え) 그림
- □ 映画(えいが) 영화
- □ 英語(えいご) 영어
- □ 駅(えき) 역
- □ 円(えん) 엔(화폐 단위)
- □ 鉛筆(えんぴつ) 연필
- □ お母(かあ)さん 어머니
- □ お菓子(かし) 과자
- □ お金(かね) 돈
- □ 奥(おく)さん 부인, 사모님, 아주머니
- □ お酒(さけ) 술
- □ お皿(さら) 접시, 그릇
- □ お茶(ちゃ) 차
- □ お父(とう)さん 아버지
- □ 弟(おとうと) 남동생
- □ 男(おとこ) 남자
- □ 男(おとこ)の子(こ) 남자아이
- □ 大人(おとな) 어른, 성인
- □ お腹(なか) 배(신체)
- □ お兄(にい)さん 형, 오빠
- □ お姉(ねえ)さん 누나, 언니
- □ お風呂(ふろ) 목욕, 목욕탕

□ お弁当(べんとう) 도시락
□ 音楽(おんがく) 음악
□ 女(おんな) 여자
□ 女の子(おんなのこ) 여자아이

(か)

□ 外国(がいこく) 외국
□ 会社(かいしゃ) 회사
□ 階段(かいだん) 계단
□ 買い物(かいもの) 물건을 삼, 쇼핑, 장보기
□ 顔(かお) 얼굴
□ 鍵(かぎ) 열쇠
□ 学生(がくせい) 학생
□ 傘(かさ) 우산
□ 風(かぜ) 바람
□ 風邪(かぜ) 감기
□ 家族(かぞく) 가족
□ 学校(がっこう) 학교
□ 角(かど) 구석, 모서리, 길모퉁이
□ 鞄(かばん) 가방
□ 花びん(かびん) 화병, 꽃병
□ 紙(かみ) 종이
□ 髪の毛(かみのけ) 머리카락
□ 体(からだ) 몸
□ 川(かわ) 강
□ 漢字(かんじ) 한자
□ 木(き) 나무
□ 喫茶店(きっさてん) 찻집, 카페
□ 切手(きって) 우표
□ 切符(きっぷ) 표
□ 牛肉(ぎゅうにく) 쇠고기
□ 牛乳(ぎゅうにゅう) 우유
□ 教室(きょうしつ) 교실
□ 兄弟(きょうだい) 형제
□ 銀行(ぎんこう) 은행
□ 薬(くすり) 약
□ 果物(くだもの) 과일
□ 口(くち) 입
□ 靴(くつ) 신발, 구두
□ 靴下(くつした) 양말
□ 国(くに) 나라, 고국, 본국
□ 車(くるま) 차, 자동차
□ 警官(けいかん) 경찰, 경찰관
□ 結婚(けっこん) 결혼
□ 公園(こうえん) 공원
□ 紅茶(こうちゃ) 홍차
□ 交番(こうばん) 파출소
□ 声(こえ) 소리
□ 言葉(ことば) 말, 언어
□ 子ども(こども) 아이, 자식
□ ご飯(ごはん) 밥, 식사

□ (さ)

□ 財布(さいふ) 지갑
□ 魚(さかな) 물고기, 생선
□ 先(さき) 앞부분, 선두, 먼저
□ 作文(さくぶん) 작문
□ 雑誌(ざっし) 잡지
□ 砂糖(さとう) 설탕

- □ 散歩(さんぽ) 산책
- □ 塩(しお) 소금
- □ 時間(じかん) 시간
- □ 仕事(しごと) 일, 업무
- □ 辞書(じしょ) 사전
- □ 写真(しゃしん) 사진
- □ 授業(じゅぎょう) 수업
- □ 宿題(しゅくだい) 숙제
- □ 趣味(しゅみ) 취미
- □ 食堂(しょくどう) 식당
- □ 信号(しんごう) 신호, 신호등
- □ 新聞(しんぶん) 신문
- □ 背(せ) 키
- □ 生徒(せいと) (초 · 중 · 고등)학생
- □ 先生(せんせい) 선생님
- □ 空(そら) 하늘

(た)

- □ 大学(だいがく) 대학
- □ 台所(だいどころ) 부엌
- □ 建物(たてもの) 건물
- □ 食(た)べ物(もの) 먹을 것, 음식물
- □ 卵(たまご) 달걀, 계란
- □ 誕生日(たんじょうび) 생일
- □ 地下鉄(ちかてつ) 지하철
- □ 父(ちち) (나의) 아버지
- □ 次(つぎ) 다음
- □ 机(つくえ) 책상
- □ 手(て) 손
- □ 手紙(てがみ) 편지
- □ 出口(でぐち) 출구
- □ 天気(てんき) 날씨
- □ 電気(でんき) 전기, 전깃불
- □ 電車(でんしゃ) 전철
- □ 電話(でんわ) 전화
- □ 動物(どうぶつ) 동물
- □ 時計(とけい) 시계
- □ 所(ところ) 곳, 장소
- □ 年(とし) 해, 나이
- □ 図書館(としょかん) 도서관
- □ 隣(となり) 이웃, 옆
- □ 友(とも)だち 친구
- □ 鳥(とり) 새
- □ とり肉(にく) 닭고기

(な)

- □ 夏(なつ) 여름
- □ 夏休(なつやす)み 여름 방학, 여름휴가
- □ 名前(なまえ) 이름
- □ 肉(にく) 고기
- □ 庭(にわ) 정원, 뜰, 마당
- □ 猫(ねこ) 고양이
- □ 飲(の)み物(もの) 마실 것, 음료

(は)

- □ 葉書(はがき) 엽서
- □ 二十歳(はたち) 스무살
- □ 鼻(はな) 코
- □ 花(はな) 꽃
- □ 話(はなし) 이야기
- □ 母(はは) (나의) 어머니
- □ 春(はる) 봄
- □ 番号(ばんごう) 번호
- □ 晩(ばん)ご飯(はん) 저녁밥
- □ 飛行機(ひこうき) 비행기
- □ 人(ひと) 사람
- □ 病院(びょういん) 병원
- □ 病気(びょうき) 병
- □ 昼(ひる)ご飯(はん) 점심밥
- □ 服(ふく) 옷, 양복
- □ 豚肉(ぶたにく) 돼지고기
- □ 冬(ふゆ) 겨울
- □ 冬休(ふゆやす)み 겨울 방학
- □ 部屋(へや) 방
- □ 勉強(べんきょう) 공부
- □ 方(ほう) 쪽, 방면, 방향
- □ 帽子(ぼうし) 모자
- □ 他(ほか) 다른 것, 딴 것
- □ 本(ほん) 책

(ま)

- □ 町(まち) 동네, 동, 시내
- □ 窓(まど) 창, 창문
- □ 水(みず) 물
- □ 店(みせ) 가게
- □ 道(みち) 길
- □ 緑(みどり) 녹색
- □ 皆(みな)さん 여러분
- □ 耳(みみ) 귀
- □ 向(む)こう 맞은편, 건너편
- □ 目(め) 눈(신체)
- □ 眼鏡(めがね) 안경
- □ 物(もの) 물건, ~것
- □ 門(もん) 문, 대문
- □ 問題(もんだい) 문제

(や)

- □ 八百屋(やおや) 채소 가게
- □ 野菜(やさい) 채소, 야채
- □ 休(やす)み 휴식, 쉬는 시간, 휴일, 휴가
- □ 山(やま) 산
- □ 夕(ゆう)ご飯(はん) 저녁밥(=夕飯(ゆうはん))
- □ 郵便局(ゆうびんきょく) 우체국
- □ 雪(ゆき) 눈
- □ 洋服(ようふく) 양복
- □ 予定(よてい) 예정
- □ 予約(よやく) 예약

もんだい1·2 한자 읽기 · 표기 출제 예상 어휘

(ら)

- □ 留学生(りゅうがくせい) 유학생
- □ 両親(りょうしん) 부모
- □ 料理(りょうり) 요리
- □ 練習(れんしゅう) 연습

(わ)

- □ 私(わたし) 나, 저

2 : 동사

★은 예외 1그룹 동사

(あ)

- □ 会(あ)う 만나다
- □ 開(あ)く 열리다
- □ 開(あ)ける 열다
- □ 遊(あそ)ぶ 놀다
- □ 浴(あ)びる 뒤집어쓰다, (샤워를) 하다
- □ 洗(あら)う 씻다
- □ 歩(ある)く 걷다
- □ 言(い)う 말하다
- □ 行(い)く 가다
- □ 急(いそ)ぐ 서두르다
- □ 要(い)る 필요하다 ★
- □ 入(い)れる 넣다
- □ 歌(うた)う 노래하다
- □ 生(う)まれる 태어나다
- □ 売(う)る 팔다
- □ 起(お)きる 일어나다
- □ 置(お)く 두다, 놓다
- □ 遅(おく)れる 늦다, 늦어지다
- □ 教(おし)える 가르치다
- □ 押(お)す 밀다, 누르다

□ 覚(おぼ)える 외우다, 기억하다

□ 泳(およ)ぐ 헤엄치다, 수영을 하다

□ 終(お)わる 끝나다, 마치다

□ 思(おも)う 생각하다

□ 降(お)りる (차에서) 내리다

(か)

□ 買(か)う 사다, 구입하다

□ 帰(かえ)る 돌아가다, 돌아오다 ★

□ 貸(か)す 빌려주다

□ 借(か)りる 빌리다

□ 聞(き)く 듣다, 묻다

□ 来(く)る 오다

□ 答(こた)える 대답하다

□ 返(かえ)す 돌려주다

□ 書(か)く 쓰다, 적다

□ かぶる (모자를) 쓰다

□ 消(き)える 사라지다, 지워지다, (불이) 꺼지다

□ 着(き)る (옷을·상의를) 입다

□ 消(け)す 끄다, 지우다

□ 困(こま)る 곤란하다, 난처하다

(さ)

□ 咲(さ)く (꽃이) 피다

□ 閉(し)まる 닫히다

□ 締(し)める (넥타이를) 매다, 죄다, 졸라매다

□ 吸(す)う (담배를) 피우다, 들이마시다, 빨아들이다

□ 座(すわ)る 앉다

□ 死(し)ぬ 죽다

□ 閉(し)める 닫다

□ 知(し)る (지식으로) 알다 ★

□ 住(す)む 살다

(た)

□ 出(だ)す 내다, 꺼내다, 내놓다

□ 食(た)べる 먹다

□ 立(た)つ 서다

□ 違(ちが)う 다르다, 틀리다

もんだい 1·2 한자 읽기 · 표기 출제 예상 어휘

□ 使(つか)う 쓰다, 사용하다
□ 疲(つか)れる 지치다, 피곤해지다
□ 作(つく)る 만들다
□ 出(で)る 나가다, 나오다, (전화를) 받다
□ 飛(と)ぶ 날다
□ 撮(と)る (사진을) 찍다

(な)

□ 習(なら)う 배우다
□ 寝(ね)る 자다
□ 残(のこ)る 남다
□ 登(のぼ)る (산에) 올라가다
□ 飲(の)む 마시다, (약을) 먹다
□ 乗(の)る (탈 것 · 교통수단을) 타다

(は)

□ 入(はい)る 들어가다, 들어오다 ★
□ 履(は)く (바지·치마를) 입다, (신발을) 신다
□ 始(はじ)まる 시작되다
□ 働(はたら)く 일하다, 근무하다
□ 話(はな)す 이야기하다
□ 吹(ふ)く (바람이) 불다
□ 降(ふ)る (비가) 내리다

(ま)

□ 曲(ま)がる 구부러지다, (우측·좌측으로) 돌다
□ 待(ま)つ 기다리다
□ 磨(みが)く 닦다
□ 見(み)せる 보이다, 보여 주다
□ 見(み)る 보다
□ 持(も)つ 들다, 가지다, 쥐다

(や)

□ 休(やす)む 쉬다
□ 呼(よ)ぶ 부르다
□ 読(よ)む 읽다

(わ)

- □ 分(わ)かる 알다, 이해하다
- □ 忘(わす)れる 잊다, 잊어버리다

3 : い형용사

(あ)

- □ 青(あお)い 푸르다, 파랗다
- □ 赤(あか)い 붉다, 빨갛다
- □ 明(あか)るい 밝다
- □ 暖(あたた)かい 따뜻하다(기온)
- □ 温(あたた)かい 따뜻하다(온도)
- □ 新(あたら)しい 새롭다
- □ 暑(あつ)い 덥다
- □ 熱(あつ)い 뜨겁다
- □ 厚(あつ)い 두껍다
- □ 危(あぶ)ない 위험하다
- □ 甘(あま)い 달다, 달콤하다
- □ 忙(いそが)しい 바쁘다
- □ 痛(いた)い 아프다
- □ 多(おお)い 많다
- □ 大(おお)きい 크다
- □ 遅(おそ)い 늦다, 느리다
- □ 重(おも)い 무겁다

(か)

- □ 辛(から)い 맵다
- □ 軽(かる)い 가볍다
- □ 黄色(きいろ)い 노랗다
- □ 汚(きたな)い 더럽다
- □ 暗(くら)い 어둡다
- □ 黒(くろ)い 검다, 까맣다

(さ)

- □ 寒(さむ)い 춥다
- □ 白(しろ)い 희다, 하얗다
- □ 少(すく)ない 적다
- □ 涼(すず)しい 시원하다
- □ 狭(せま)い 좁다

もんだい1·2 한자 읽기 · 표기 출제 예상 어휘

(た)

□ 高(たか)い 높다, 비싸다
□ 楽(たの)しい 즐겁다
□ 小(ちい)さい 작다
□ 近(ちか)い 가깝다
□ 冷(つめ)たい 차갑다
□ 強(つよ)い 강하다, 세다
□ 遠(とお)い 멀다

(な)

□ 長(なが)い 길다, 오래다

(は)

□ 早(はや)い 이르다(시간)
□ 速(はや)い 빠르다(속도)
□ 低(ひく)い 낮다
□ 広(ひろ)い 넓다
□ 古(ふる)い 오래되다, 낡다
□ 欲(ほ)しい 갖고 싶다

(ま)

□ 丸(まる)い 둥글다
□ 短(みじか)い 짧다
□ 難(むずか)しい 어렵다

(や)

□ 易(やさ)しい 쉽다
□ 優(やさ)しい 상냥하다, 다정하다
□ 安(やす)い 싸다
□ 良(よ)い 좋다(=いい)
□ 弱(よわ)い 약하다

(わ)

□ 悪(わる)い 나쁘다

4: な형용사

(あ)

□ 嫌(いや)だ 싫다
□ 同(おな)じだ 같다, 동일하다 ★

★「同(おな)じだ」의 명사 수식형은 「同(おな)じ」이다. 「同(おな)じな」로 쓰지 않도록 주의하자.
예) 同(おな)じ クラス 같은 반

(か)

□ 簡単(かんたん)だ 간단하다
□ 嫌(きら)いだ 싫어하다
□ 元気(げんき)だ 건강하다

(さ)

□ 静(しず)かだ 조용하다
□ 上手(じょうず)だ 잘하다, 능숙하다
□ 丈夫(じょうぶ)だ 튼튼하다
□ 好(す)きだ 좋아하다

(た)

□ 大丈夫(だいじょうぶ)だ 괜찮다
□ 大好(だいす)きだ 매우 좋아하다
□ 大切(たいせつ)だ 소중하다, 중요하다
□ 大変(たいへん)だ 힘들다, 큰일이다

(は)

□ ハンサムだ 잘생기다, 미남이다
□ 暇(ひま)だ 한가하다
□ 下手(へた)だ 못하다, 서투르다
□ 便利(べんり)だ 편리하다

(ゆ)

□ 有名(ゆうめい)だ 유명하다

5: 가타카나어(외래어)

- □ アパート 아파트
- □ アルバイト 아르바이트
- □ カメラ 카메라
- □ カレンダー 캘린더, 달력
- □ クラス 클래스, 반, 학급
- □ コーヒー 커피
- □ コピー 복사
- □ シャツ 셔츠
- □ スカート 치마
- □ スプーン 스푼, 숟가락
- □ ズボン 바지
- □ セーター 스웨터
- □ タクシー 택시
- □ テープ 테이프
- □ テスト 테스트, 검사, 시험
- □ テレビ 텔레비전
- □ トイレ 화장실
- □ ネクタイ 넥타이
- □ バス 버스
- □ ハンカチ 손수건
- □ アメリカ 미국
- □ エレベーター 엘리베이터
- □ カレー 카레
- □ ギター 기타(악기)
- □ コート 코트
- □ コップ 컵
- □ コンビニ 편의점
- □ シャワー 샤워
- □ ストーブ 스토브, 난로
- □ スポーツ 스포츠
- □ スマホ 스마트폰
- □ ゼロ 제로, 숫자 0
- □ タバコ 담배
- □ テーブル 테이블
- □ デパート 백화점
- □ ドア 도어, 문
- □ ナイフ 나이프, 칼
- □ ノート 노트
- □ パン 빵
- □ ペン 펜

- □ ボールペン 볼펜
- □ ポケット 포켓, 호주머니
- □ ボタン 단추, 버튼
- □ ホテル 호텔
- □ ラーメン 라면
- □ ラジオ 라디오
- □ レストラン 레스토랑

もんだい1 한자 읽기 기출 어휘

학습 포인트

2010년부터 최근까지 출제된 기출 어휘로, N5에 나오는 어휘의 수준을 가늠할 수 있는 필수 어휘이다. N5에서는 주요 어휘가 반복 출제되는 경향이 있으므로 기출 어휘는 반드시 암기하도록 하자.

あ

- □ 間(あいだ) 사이, 동안
- □ 会(あ)う 만나다
- □ 足(あし) 다리, 발
- □ 後(あと) 후, 뒤, 나중
- □ 雨(あめ) 비
- □ 言(い)う 말하다
- □ 五(いつ)つ 다섯, 다섯 개
- □ 犬(いぬ) 개
- □ 上(うえ) 위
- □ 腕(うで) 팔
- □ 多(おお)い 많다
- □ お母(かあ)さん 어머니
- □ お金(かね) 돈
- □ お父(とう)さん 아버지
- □ 男(おとこ)の 人(ひと) 남자
- □ 女(おんな)の 子(こ) 여자아이
- □ 女(おんな)の 人(ひと) 여자

か

- □ 外国(がいこく) 외국
- □ 会社(かいしゃ) 회사
- □ 買(か)う 사다, 구입하다
- □ 書(か)く 쓰다, 적다
- □ 学校(がっこう) 학교
- □ 火(か)よう日(び) 화요일
- □ 川(かわ) 강
- □ 北(きた)がわ 북쪽
- □ 北口(きたぐち) 북쪽 출구
- □ 九千円(きゅうせんえん) 9,000엔
- □ 金(きん)よう日(び) 금요일
- □ 九月(くがつ) 9월
- □ 九時(くじ) 9시
- □ 国(くに) 나라, 고국, 고향
- □ 来(く)る 오다
- □ 車(くるま) 차, 자동차
- □ 元気(げんき) 건강
- □ 午後(ごご) 오후

- 九つ(ここの) 아홉, 아홉 개
- 五千円(ごせんえん) 5천 엔
- 五分(ごふん) 5분
- 今週(こんしゅう) 이번 주

さ

- 魚(さかな) 물고기, 생선
- 三本(さんぼん) 세 자루, 세 병
- 四月(しがつ) 4월
- 七時(しちじ) 7시
- 新聞(しんぶん) 신문
- 水よう日(すいようび) 수요일
- 少ない(すくない) 적다
- 少し(すこし) 조금
- 千円(せんえん) 천 엔
- 先月(せんげつ) 지난달
- 先週(せんしゅう) 지난주
- 先生(せんせい) 선생님
- 外(そと) 밖
- 空(そら) 하늘

た

- 高い(たかい) 높다, 비싸다
- 出す(だす) 내다, 내놓다, 제출하다
- 立つ(たつ) 서다
- 小さい(ちいさい) 작다
- 父(ちち) (나의) 아버지
- 手(て) 손
- 出口(でぐち) 출구
- 出る(でる) 나가다, 나오다
- 天気(てんき) 날씨
- 電車(でんしゃ) 전철
- 友だち(ともだち) 친구
- 土よう日(どようび) 토요일

もんだい1 한자 읽기 기출 어휘

な

□ 中(なか) 가운데, 속, 안	□ 何か月(なんかげつ) 몇 개월	□ 何人(なんにん) 몇 명
□ 西がわ(にしがわ) 서쪽	□ 二万円(にまんえん) 2만 엔	□ 飲む(のむ) 마시다, (약을) 먹다

は

□ 入る(はいる) 들어가다, 들어오다	□ 八百円(はっぴゃくえん) 팔백 엔	□ 花(はな) 꽃
□ 話(はなし) 이야기	□ 話す(はなす) 이야기하다	□ 半分(はんぶん) 반, 절반
□ 東がわ(ひがしがわ) 동쪽	□ 左(ひだり) 왼쪽	□ 百人(ひゃくにん) 백 명
□ 古い(ふるい) 낡다, 오래되다		

ま

□ 毎月(まいつき) 매월	□ 毎週(まいしゅう) 매주	□ 毎日(まいにち) 매일
□ 前(まえ) 전(시간), 앞(공간)	□ 右(みぎ) 오른쪽	□ 右がわ(みぎがわ) 우측, 오른쪽
□ 水(みず) 물	□ 店(みせ) 가게	□ 三つ(みっつ) 셋, 세 개
□ 南がわ(みなみがわ) 남측, 남쪽	□ 耳(みみ) 귀	□ 見る(みる) 보다
□ 六つ(むっつ) 여섯 개	□ 目(め) 눈	□ 木よう日(もくようび) 목요일

や

□ 安い(やすい) 싸다, 저렴하다	□ 休む(やすむ) 쉬다	□ 八つ(やっつ) 여덟 개
□ 山(やま) 산	□ 四時(よじ) 네 시	□ 読む(よむ) 읽다

ら

□ 来年(らいねん) 내년	□ 六万円(ろくまんえん) 6만 엔	□ 六本(ろっぽん) 여섯 자루, 여섯 병

표기 기출 어휘

あ

- □ 間(あいだ) 사이, 동안
- □ 会(あ)う 만나다
- □ 新(あたら)しい 새롭다
- □ 雨(あめ) 비
- □ 言(い)う 말하다
- □ 五日(いつか) 5일
- □ 上(うえ) 위
- □ 生(う)まれる 태어나다
- □ 英語(えいご) 영어
- □ エレベーター 엘리베이터
- □ 多(おお)い 많다
- □ 大(おお)きい 크다
- □ 男(おとこ)の人(ひと) 남자
- □ 降(お)りる (탈 것에서) 내리다
- □ 同(おな)じだ 같다

か

- □ 会社(かいしゃ) 회사
- □ 買(か)う 사다, 구입하다
- □ 書(か)く 쓰다, 적다
- □ 学校(がっこう) 학교
- □ 火(か)よう日(び) 화요일
- □ 川(かわ) 강
- □ 聞(き)く 듣다, 묻다
- □ 北(きた)がわ 북측, 북쪽
- □ 金(きん)よう日(び) 금요일
- □ 来(く)る 오다
- □ 車(くるま) 차, 자동차
- □ 午後(ごご) 오후
- □ 九(ここの)つ 아홉 개
- □ 午前(ごぜん) 오전
- □ 今週(こんしゅう) 이번 주

さ

- □ 下(した) 아래, 밑
- □ シャワー 샤워
- □ 新聞(しんぶん) 신문
- □ 水(すい)よう日(び) 수요일
- □ 千円(せんえん) 천 엔
- □ 先生(せんせい) 선생님

た

□ 高い(たか) 높다, 비싸다	□ タクシー 택시	□ 食べる(た) 먹다
□ 小さい(ちい) 작다	□ 父(ちち) (나의) 아버지	□ チョコレート 초콜렛
□ 手(て) 손	□ 天気(てんき) 날씨	□ 電車(でんしゃ) 전철
□ 電話(でんわ) 전화	□ 友だち(とも) 친구	

な

□ ナイフ 나이프, 칼	□ 七千円(ななせんえん) 7천 엔	□ 七万円(ななまんえん) 7만 엔
□ 名前(なまえ) 이름	□ 西口(にしぐち) 서쪽 출구	□ 飲む(の) 마시다, (약을) 먹다

は

□ 八時(はちじ) 여덟 시	□ 花(はな) 꽃	□ 話す(はな) 이야기하다
□ 母(はは) (나의) 어머니	□ 半分(はんぶん) 반, 절반	□ 東がわ(ひがし) 동쪽
□ 東口(ひがしぐち) 동쪽 출구	□ 左(ひだり) 왼쪽	□ 古い(ふる) 낡다, 오래되다

もんだい2 표기 기출 어휘

ま

- □ 右(みぎ) 오른쪽
- □ 店(みせ) 가게
- □ 三つ(みっつ) 세 개
- □ 耳(みみ) 귀
- □ 見る(みる) 보다
- □ 目(め) 눈(신체)
- □ メートル 미터(단위 m)
- □ 木よう日(もくようび) 목요일

や

- □ 安い(やすい) 싸다, 저렴하다
- □ 休み(やすみ) 휴식, 휴일
- □ 山(やま) 산
- □ 読む(よむ) 읽다

ら

- □ ラーメン 라면
- □ 来月(らいげつ) 다음 달
- □ 来年(らいねん) 내년
- □ レストラン 레스토랑
- □ 六番(ろくばん) 6번
- □ 六分(ろっぷん) 6분

わ

- □ ワイシャツ 와이셔츠

MEMO

 もんだい 1 한자 읽기 연습문제 ①

해설편 8p

もんだい 1 ＿＿＿の ことばは ひらがなで どう かきますか。1・2・3・4から いちばん いい ものを ひとつ えらんで ください。

1 ぎんこうは あの デパートの 前に ありますよ。
1 そば　2 よこ　3 まえ　4 うえ

2 でんしゃが おくれて やくそくの 時間に いけなかったです。
1 しかん　2 しがん　3 じかん　4 じがん

3 あさ 5じは そとが まだ 暗いです。
1 くらい　2 からい　3 くろい　4 わるい

4 きのうは 土よう日でした。
1 かようび　2 げつようび　3 にちようび　4 どようび

5 きょうは いい 天気ですね。
1 でんき　2 てんき　3 げんき　4 でんち

6 ともだちと がっこうの まえで 会いました。
1 あいました　2 かいました　3 うたいました　4 もらいました

7 母は えいごの せんせいです。
1 あに　2 あね　3 ちち　4 はは

8 この ギターは 高いです。
1 たかい　2 おもい　3 ひくい　4 かるい

9 こどもは 1しゅうかんに 2かい ピアノを 習っています。
1 はらって　2 ならって　3 はいって　4 もらって

10 かれは うたが 上手です。
1 すき　2 じょうず　3 へた　4 いや

もんだい1 한자 읽기 연습문제 ②

해설편 10p

もんだい1 ＿＿＿＿の ことばは ひらがなで どう かきますか。1・2・3・4から いちばん いい ものを ひとつ えらんで ください。

1 この 道を まっすぐ いきましょう。
1 そと 2 やま 3 みち 4 あいだ

2 わたしの たんじょうびは 三月 はつかです。
1 さんがつ 2 みがつ 3 さんげつ 4 みげつ

3 銀行は えきと スーパーの あいだに あります。
1 きんこう 2 ぎんこう 3 きんぎょう 4 ぎんぎょう

4 5かいに 上がる ときは エレベーターに のります。
1 さがる 2 まがる 3 あがる 4 うがる

5 きょうは 暖かくて てんきが いいです。
1 わかくて 2 みじかくて 3 ちかくて 4 あたたかくて

6 日よう日は がっこうへ いきません。
1 もくようび 2 きんようび 3 どようび 4 にちようび

7 にほんごの じゅぎょうで かぞくの ことを 話しました。
1 かえしました 2 はなしました 3 なおしました 4 なくしました

8 かれは にほんでは 有名な ひとです。
1 しんせつな 2 たいせつな 3 しんせんな 4 ゆうめいな

9 がっこうの 授業は すこし むずかしいです。
1 しょうきょう 2 しょきょう 3 じゅうぎょう 4 じゅぎょう

10 きのうの パーティーは とても 楽しかったです。
1 あたらしかった 2 たのしかった 3 かなしかった 4 うれしかった

もんだい 2 표기 연습문제 ①

해설편 12p

もんだい 2 ＿＿＿の ことばは どう かきますか。1・2・3・4から いちばん いい ものを ひとつ えらんで ください。

1 れすとらんで ばんごはんを たべました。

1 レヌトラソ　2 レヌトラン　3 レストラソ　4 レストラン

2 かれは だいがく 1ねんせいですが ことし 21さいです。

1 来年　2 去年　3 昨年　4 今年

3 ながい じかん あるいたから あしが いたく なりました。

1 足　2 頭　3 体　4 手

4 ともだちに かりた かさを かえしました。

1 帰しました　2 返しました　3 貸しました　4 直しました

5 にちようびの デパートは ひとが とても おおく なります。

1 大く　2 強く　3 多く　4 高く

6 あの ふたりは きょうだいですか。

1 兄男　2 姉女　3 兄弟　4 姉娘

7 えきは とおいので バスで いきましょう。

1 近い　2 遠い　3 低い　4 偉い

8 この ごろ まいにち よる おそくまで しごとを して います。

1 士事　2 仕事　3 任事　4 土事

9 テニスの れんしゅうは ごご 2じから はじめます。

1 決めます　2 飲めます　3 閉めます　4 始めます

10 これと おなじ いろの ものが ほしいです。

1 同じ　2 国じ　3 回じ　4 洞じ

もんだい 2 표기 연습문제 ②

해설편 14p

もんだい 2 ＿＿＿の　ことばは　どう　かきますか。1・2・3・4から　いちばん　いい　ものを　ひとつ　えらんで　ください。

1　ふゆやすみは　かぞくりょこうに　いきました。

1 春　2 夏　3 秋　4 冬

2　とうきょうには　こどもの　ときから　すんで　います。

1 往んで　2 注んで　3 住んで　4 主んで

3　しんぶんの　にゅーすは　むずかしい　ことばが　おおいです。

1 ニュース　2 ニコース　3 ニューマ　4 ニコーマ

4　マリアさんと　たなかさんが　はなして　います。

1 言して　2 話して　3 読して　4 語して

5　この　たてものの　8かいには　レストランが　あります。

1 建物　2 書物　3 津物　4 律物

6　エアコンを　よわく　したから　あまり　すずしく　ないです。

1 軽く　2 短く　3 低く　4 弱く

7　あおい　かさが　ほしいです。

1 青い　2 古い　3 安い　4 長い

8　ゆうびんきょくで　きってを　かって　きて　ください。

1 切手　2 取手　2 切天　4 取天

9　わたしの　しゅみは　りょうりの　しゃしんを　とる　ことです。

1 社真　2 写真　3 社心　4 写心

10　この　プールは　こどもも　おとなも　500えんです。

1 上人　2 大人　3 多人　4 土人

3: もんだい 3 문맥 규정

문제 유형

괄호 안에 들어갈 알맞은 어휘를 문장 흐름에 맞게 고르는 문제이다.

예시

もんだい 3　(　　　)に　なにが　はいりますか。1・2・3・4から　いちばん　いい　ものを　ひとつ　えらんで　ください。

13　ごはんの　あとで　くすりを（　　　）ください。

1 たべて　　2 のんで

3 よんで　　4 とって

13	① ● ③ ④

문제 풀이 포인트

선택지에는 의미가 비슷하거나 같은 품사인 단어가 제시되므로 문맥에 맞는 어휘를 찾아야 한다.

문맥을 파악하자!

예시 문제를 보면 '밥을 먹은 후에 약을 먹으세요'라는 문맥이므로 괄호 안에는 '먹다'라는 의미를 가진 동사가 들어가야 한다. 하지만 단순히 '먹다'라는 뜻만 생각하고 1번을 정답으로 선택하지 말아야 한다. 괄호 앞의「くすり」는 '약' 이라는 의미인데, 일본어로 '약을 먹다, 복용하다'라고 할 때에는「食(た)べる 먹다」가 아닌「飲(の)む 마시다」를 써서「くすりを 飲(の)む」라고 해야 한다. 따라서 정답은 2번이다.

숙어 표현을 주의 깊게!

문맥 규정 파트에서는 동사나 형용사처럼 서술어를 묻는 문제의 비중이 크다. 예시 문제와 같이 함께 사용하는 명사 및 조사가 정해져 있는 숙어 표현은 문제 풀이의 큰 힌트가 되므로 문장을 통해 단어의 사용 예를 알아 두는 것이 도움이 된다.

もんだい3 문맥 규정 출제 예상 어휘

학습 포인트

문맥 규정 파트에서는 명사, 형용사, 동사, 부사가 골고루 출제된다. 이번 파트에서는 품사별 단어가 문장에서 어떻게 사용되는지 예문을 통해 학습하도록 하자.

1: 동사

□ 会(あ)う 만나다	これから 友(とも)だちに 会(あ)います。 이제부터 친구를 만납니다.
□ 開(あ)く 열리다	銀行(ぎんこう)は 午前(ごぜん) 9時(くじ)に 開(あ)きます。 은행은 오전 9시에 열립니다(문을 엽니다).
□ 開(あ)ける 열다	暑(あつ)くて まどを 開(あ)けました。 더워서 창문을 열었습니다.
□ 遊(あそ)ぶ 놀다	子(こ)どもが 一人(ひとり)で 遊(あそ)んで います。 어린이가 혼자서 놀고 있습니다.
□ 浴(あ)びる 뒤집어쓰다, (샤워를) 하다	シャワーを 浴(あ)びてから 寝(ね)た。 샤워를 하고 잤다.
□ 洗(あら)う 씻다	白(しろ)い シャツも 家(いえ)で 洗(あら)います。 하얀 셔츠도 집에서 빱니다.
□ ある 있다(사물·식물)	公園(こうえん)には 花(はな)が たくさん あります。 공원에는 꽃이 많이 있습니다. 私(わたし)の 家(いえ)には テレビが ありません。 우리집에는 텔레비전이 없습니다.
□ 歩(ある)く 걷다	学校(がっこう)まで 歩(ある)いて 行(い)きます。 학교까지 걸어서 갑니다.
□ 言(い)う 말하다	大(おお)きな 声(こえ)で 名前(なまえ)を 言(い)って ください。 큰 소리로 이름을 말해 주세요.
□ 行(い)く 가다	日(にち)よう日(び)は どこにも 行(い)かなかった。 일요일에는 어디에도 가지 않았다.
□ 急(いそ)ぐ 서두르다	まだ 時間(じかん)が あるから 急(いそ)ぎません。 아직 시간이 있으니 서두르지 않습니다.

もんだい 3 문맥 규정 출제 예상 어휘

□ 要(い)る 필요하다	お金(かね)は いくら 要(い)りますか。 돈은 얼마 필요합니까?
□ 入(い)れる 넣다	かばんに 本(ほん)と ノートを 入(い)れました。 가방에 책과 공책을 넣었습니다.
□ 歌(うた)う 노래하다	おふろの 中(なか)で よく 歌(うた)を 歌(うた)います。 목욕탕 안에서 자주 노래를 부릅니다.
□ 生(う)まれる 태어나다	ジョンさんは 日本(にほん)で 生(う)まれました。 존 씨는 일본에서 태어났습니다.
□ 売(う)る 팔다	その ぼうしは どこで 売(う)って いますか。 그 모자는 어디에서 팔고 있습니까?
□ 起(お)きる 일어나다	毎朝(まいあさ)、6時(ろくじ)に 起(お)きて 運動(うんどう)します。 매일 아침 여섯 시에 일어나서 운동합니다.
□ 置(お)く 두다, 놓다	大(おお)きい かばんは そこに 置(お)いて ください。 큰 가방은 거기에 놓아 주세요.
□ 遅(おく)れる 늦다, 늦어지다	やくそくの 時間(じかん)に 少(すこ)し 遅(おく)れました。 약속 시간에 조금 늦었습니다.
□ 教(おし)える 가르치다	日本語(にほんご)は 田中先生(たなかせんせい)が 教(おし)えます。 일본어는 다나카 선생님이 가르칩니다.
□ 押(お)す 밀다, 누르다	エレベーターで 「閉(し)める」の ボタンを 押(お)しました。 엘리베이터에서 '닫힘' 버튼을 눌렀습니다.
□ 覚(おぼ)える 외우다, 기억하다	友(とも)だちの 電話番号(でんわばんごう)は 覚(おぼ)えて いません。 친구의 전화번호는 외우고 있지 않습니다.
□ 思(おも)う 생각하다, 헤아리다, 느끼다	その 本(ほん)は とても おもしろいと 思(おも)います。 그 책은 매우 재미있다고 생각합니다.
□ 泳(およ)ぐ 수영을 하다, 헤엄치다	今日(きょう)は 友(とも)だちと 海(うみ)で 泳(およ)ぎます。 오늘은 친구와 바다에서 수영할 것입니다.
□ 降(お)りる (탈 것에서) 내리다	バスを 降(お)りて 地下(ちか)てつに 乗(の)りました。 버스에서 내려서 지하철을 탔습니다.

□ 終(お)わる 끝나다, 마치다	まだ 仕事(しごと)が 終(お)わって いません。 아직 일이 끝나지 않고 있습니다(끝나지 않았습니다).
□ 買(か)う 사다, 구입하다	デパートで 秋(あき)の 服(ふく)を 買(か)った。 백화점에서 가을 옷을 샀다.
□ 返(かえ)す 돌려주다	友(とも)だちに 借(か)りた 本(ほん)を 返(かえ)しました。 친구에게 빌린 책을 돌려주었습니다.
□ 帰(かえ)る 돌아가다, 돌아오다	時間(じかん)が 遅(おそ)いから タクシーで 帰(かえ)ります。 시간이 늦었으니 택시로 돌아가겠습니다.
□ かかる (병에) 걸리다, (비용이) 들다, (시간이) 걸리다	父(ちち)は 重(おも)い 病気(びょうき)に かかって います。 아버지는 위중한 병(중병)에 걸려 있습니다(걸렸습니다). タクシーで 3,000円(さんぜんえん) かかりました。 택시로 3천 엔이 들었습니다. 東京(とうきょう)まで 3時間(さんじかん) かかります。 도쿄까지 세 시간 걸립니다.
□ 書(か)く 쓰다, 적다	名前(なまえ)は 英語(えいご)で 書(か)いて ください。 이름은 영어로 써 주십시오.
□ かける (전화를) 걸다, (안경을) 쓰다,	もう一度(いちど) 家(いえ)に 電話(でんわ)を かけました。 다시 한번 집에 전화를 걸었습니다. あの めがねを かけて いる 人(ひと)が 先生(せんせい)です。 저 안경을 쓰고 있는 사람이 선생님입니다.
□ 貸(か)す 빌려주다	友(とも)だちに 授業(じゅぎょう)の ノートを 貸(か)した。 친구에게 수업 노트를 빌려주었다.
□ かぶる (모자를) 쓰다	外(そと)に 出(で)る ときは ぼうしを かぶります。 밖에 나갈 때는 모자를 씁니다.
□ 借(か)りる 빌리다	図書館(としょかん)で 本(ほん)を 5(ご)さつ 借(か)りました。 도서관에서 책을 다섯 권 빌렸습니다.
□ 消(き)える 사라지다, (불이) 꺼지다	家(いえ)の 電気(でんき)が ぜんぶ 消(き)えました。 집의 전깃불이 전부 꺼졌습니다.

もんだい3 문맥 규정 출제 예상 어휘

□ 聞(き)く 듣다, 묻다	先生(せんせい)に 動物(どうぶつ)の 話(はなし)を 聞(き)きました。 선생님에게 동물 이야기를 들었습니다. わからない ことは いつでも 聞(き)いて ください。 모르는 것은 언제든지 물어보세요.
□ 着(き)る (옷을·상의를) 입다	冬(ふゆ)は セーターの 上(うえ)に コートを 着(き)る。 겨울에는 스웨터 위에 코트를 입는다.
□ 来(く)る 오다	休(やす)みの 日(ひ)は 学校(がっこう)に だれも 来(こ)ない。 쉬는 날은 학교에 아무도 오지 않는다.
□ 消(け)す (불을) 끄다, 지우다	家(いえ)を 出(で)る 時(とき)は 電気(でんき)を 消(け)します。 집을 나올 때는 전깃불을 끕니다. 消(け)しゴムで きれいに 消(け)して ください。 지우개로 깨끗이 지워 주세요.
□ 答(こた)える 대답하다	この 問題(もんだい)は 本(ほん)を 見(み)ないで 答(こた)えましょう。 이 문제는 책을 보지 않고 대답합시다(대답해 봅시다).
□ 困(こま)る 난처하다, 곤란하다	雨(あめ)の 日(ひ)に かさが なくて 困(こま)りました。 비오는 날에 우산이 없어서 난처했습니다.
□ 咲(さ)く (꽃이) 피다	3月(さんがつ)には 春(はる)の 花(はな)が 咲(さ)きます。 3월에는 봄꽃이 핍니다.
□ さす (우산을) 쓰다	風(かぜ)が 強(つよ)くて かさを さす ことが できない。 바람이 강해서 우산을 쓸 수가 없다.
□ 死(し)ぬ 죽다	人(ひと)は だれでも 死(し)にます。 사람은 누구나 죽습니다.
□ 閉(し)まる 닫히다	店(みせ)は 夜(よる) 11時(じゅういちじ)に 閉(し)まります。 가게는 밤 11시에 닫힙니다(문을 닫습니다).
□ 締(し)める (넥타이를) 매다, 죄다	赤(あか)い ネクタイを 締(し)めた 人(ひと)が 林(はやし)さんです。 빨간 넥타이를 맨 사람이 하야시 씨입니다.
□ 閉(し)める 닫다	風(かぜ)が 強(つよ)くて まどを 閉(し)めました。 바람이 강해서 창문을 닫았습니다.

□ 知(し)る 알다	顔(かお)は 知(し)って いますが 名前(なまえ)は 知(し)りません。 얼굴은 알고 있지만 이름은 모릅니다.
□ 吸(す)う (담배를) 피우다, 들이마시다	ここで だれかが タバコを 吸(す)いました。 여기서 누군가가 담배를 피웠습니다.
□ 住(す)む 살다	今(いま)は 東京(とうきょう)に 住(す)んで います。 지금은 도쿄에 살고 있습니다.
□ 座(すわ)る 앉다	バスで 先生(せんせい)の となりに 座(すわ)りました。 버스에서 선생님 옆에 앉았습니다.
□ 出(だ)す 내다, 꺼내다, 내놓다, (편지를) 보내다, 부치다	かばんから さいふを 出(だ)した。 가방에서 지갑을 꺼냈다. 郵便局(ゆうびんきょく)で 手紙(てがみ)を 出(だ)しました。 우체국에서 편지를 부쳤습니다.
□ 立(た)つ 서다	学校(がっこう)の 前(まえ)には 大(おお)きな 木(き)が 立(た)って います。 학교 앞에는 커다란 나무가 서 있습니다.
□ 食(た)べる 먹다	時間(じかん)が なくて 朝(あさ)ごはんは 食(た)べませんでした。 시간이 없어서 아침밥은 먹지 않았습니다.
□ 使(つか)う 쓰다, 사용하다	明日(あした)の 授業(じゅぎょう)は 教科書(きょうかしょ)を 使(つか)わない。 내일 수업은 교과서를 쓰지 않는다.
□ 疲(つか)れる 지치다	休(やす)まないで 働(はたら)いたから 疲(つか)れました。 쉬지 않고 일해서 지쳤습니다.
□ 着(つ)く 도착하다	駅(えき)に 何時(なんじ)ごろ 着(つ)きますか。 역에 몇 시쯤 도착합니까?
□ 作(つく)る 만들다	この 料理(りょうり)は 一人(ひとり)で 作(つく)りました。 이 요리는 혼자서 만들었습니다.
□ つける (불을) 켜다	暗(くら)く なったから 電気(でんき)を つけましょうか。 어두워졌으니 (전깃)불을 켤까요?
□ できる 할 수 있다	この ゲームは 子(こ)どもでも できます。 이 게임은 어린이라도 할 수 있습니다.

もんだい3 문맥 규정 출제 예상 어휘

□ 出る(でる) 나오다, 나가다 (전화를) 받다	会社(かいしゃ)を 出る(でる) ときに 友(とも)だちに 会(あ)いました。 회사를 나올 때 친구를 만났습니다. 電車(でんしゃ)の 中(なか)だから 電話(でんわ)に 出る(でる) ことが できませんでした。 전철 안이라서 전화를 받을 수 없었습니다.
□ 飛ぶ(とぶ) 날다	高(たか)い 空(そら)を ひこうきが 飛(と)んで いる。 높은 하늘을 비행기가 날고 있다.
□ 撮る(とる) (사진을) 찍다	どこで 写真(しゃしん)を 撮(と)りましょうか。 어디에서 사진을 찍을까요?
□ なく 울다, (동물이) 짖다	赤(あか)ちゃんが ないて います。 아기가 울고 있습니다.
□ 習う(ならう) 배우다	漢字(かんじ)は 小学校(しょうがっこう)で 習(なら)います。 한자는 초등학교에서 배웁니다.
□ なる 되다	医者(いしゃ)に なりたいです。 의사가 되고 싶습니다.
□ ぬぐ (옷을) 벗다	家(いえ)の 中(なか)では コートを ぬいで ください。 집 안에서는 코트를 벗어 주세요.
□ 寝る(ねる) 자다	昨日(きのう)は 早(はや)く 寝(ね)ました。 어제는 빨리 잤습니다.
□ 残る(のこる) 남다	さいふに 2,000円(にせんえん) 残(のこ)って います。 지갑에 2천 엔 남아 있습니다.
□ 登る(のぼる) (산에) 오르다, 올라가다	冬(ふゆ)、富士山(ふじさん)に 登(のぼ)るのは あぶない。 겨울에 후지산에 오르는 것은 위험하다.
□ 飲む(のむ) 마시다, (약을) 먹다, 복용하다	ごはんの あと コーヒーを 飲(の)みました。 밥을 먹은 후 커피를 마셨습니다. 一日(いちにち) 3回(さんかい) 薬(くすり)を 飲(の)みます。 하루에 세 번 약을 먹습니다.
□ 乗る(のる) (탈 것·교통수단을) 타다	バスに 乗(の)って 学校(がっこう)へ 行(い)きます。 버스를 타고 학교에 갑니다.

□ 入(はい)る 들다, 들어가(오)다, (목욕을) 하다	さとうが 入(はい)って いるから 甘(あま)いです。 설탕이 들어 있어서 달콤합니다. ごはんの 前(まえ)に おふろに 入(はい)ります。 밥 먹기 전에 목욕을 합니다.
□ 履(は)く (신발을) 신다 (바지·치마를) 입다	外国(がいこく)では へやの 中(なか)でも くつを 履(は)きます。 외국에서는 방 안에서도 신발을 신습니다.
□ 走(はし)る 달리다	天気(てんき)が いい 日(ひ)は 公園(こうえん)で 走(はし)ります。 날씨가 좋은 날은 공원에서 달립니다.
□ 始(はじ)まる 시작되다	夏休(なつやす)みは 7月(しちがつ)20日(はつか)から 始(はじ)まります。 여름 방학은 7월 20일부터 시작됩니다.
□ 働(はたら)く 일하다, 근무하다	今(いま)の 会社(かいしゃ)では 一週間(いっしゅうかん)に 5日(いつか) 働(はたら)く。 지금의 회사에서는 일주일에 5일 일한다.
□ 話(はな)す 이야기하다	その 人(ひと)は 家族(かぞく)の ことを 何(なに)も 話(はな)さなかった。 그 사람은 가족 일을(가족에 대해서) 아무 것도 말하지 않았다.
□ ひく (악기를) 연주하다, 치다	兄(あに)は ギターを 上手(じょうず)に ひきます。 형은(오빠는) 기타를 능숙하게 연주합니다.
□ 吹(ふ)く 불다	西(にし)から 強(つよ)い 風(かぜ)が 吹(ふ)いて いる。 서쪽에서부터 강한 바람이 불고 있다.
□ 降(ふ)る (눈·비가) 내리다	昨日(きのう)の 夜(よる) 雨(あめ)が 降(ふ)りました。 어젯밤 비가 내렸습니다.
□ 曲(ま)がる (우측·좌측으로) 돌다, 구부러지다	病院(びょういん)は そこを 右(みぎ)に 曲(ま)がって すぐです。 병원은 그곳을 오른쪽으로 돌면 바로입니다.
□ 待(ま)つ 기다리다	駅(えき)で 電車(でんしゃ)を 1時間(いちじかん) 待(ま)ちました。 역에서 전철을 한 시간 기다렸습니다.
□ 磨(みが)く 닦다	私(わたし)は 一日(いちにち) 3回(さんかい) 歯(は)を 磨(みが)きます。 나는 하루 세 번 이를 닦습니다.
□ 見(み)せる 보이다, 보여 주다	友(とも)だちに 妹(いもうと)の 写真(しゃしん)を 見(み)せました。 친구에게 여동생 사진을 보여 주었습니다.

□ 見る(み) 보다	その 映画(えいが)は また 見たい(み)です。 그 영화는 또 보고 싶습니다.
□ 持つ(も) 가지다, 들다, 쥐다	田中(たなか)さんは 車(くるま)を 2台(にだい) 持って(も) いる。 다나카 씨는 차를 두 대 가지고 있다.
□ 休む(やす) 쉬다	少し(すこ) 休んで(やす) いきましょう。 조금 쉬었다 갑시다.
□ やる 하다	せんたくは あとで 私(わたし)が やります。 빨래는 나중에 제가 하겠습니다.
□ 呼ぶ(よ) 부르다	だれかが 私(わたし)の 名前(なまえ)を 呼んで(よ) いる。 누군가가 내 이름을 부르고 있다.
□ 読む(よ) 읽다	宿題(しゅくだい)は 本(ほん)を 1(いっ)さつ 読む(よ) ことです。 숙제는 책을 한 권 읽는 것입니다.
□ 分かる(わ) 알다, 이해하다	日本語(にほんご)は どのくらい 分かります(わ)か。 일본어는 어느 정도 압니까(이해합니까)?
□ 忘れる(わす) 잊다, 잊어버리다	電車(でんしゃ)の 中(なか)に かばんを 忘れました(わす)。 전철 안에 가방을 잊어버렸습니다(두고 내렸습니다).

2 : い형용사

□ 青い(あお) 푸르다, 파랗다	青い(あお) 空(そら)が きれいです。 파란 하늘이 예쁩니다.
□ 赤い(あか) 붉다, 빨갛다	庭(にわ)に 赤い(あか) 花(はな)が 咲いて(さ) いる。 정원에 빨간 꽃이 피어 있다.
□ 明るい(あか) 환하다, 밝다	夏(なつ)は 夜(よる)の 7時(しちじ)でも 明るい(あか)です。 여름에는 밤 7시여도 환합니다.
□ 暖かい(あたた) 따뜻하다(기온)	今週(こんしゅう)は 暖かい(あたた) 日(ひ)が 続く(つづ)でしょう。 이번 주는 따뜻한 날이 이어질 것입니다.

□ 温(あたた)かい 따뜻하다(온도)	寒(さむ)い ときは 温(あたた)かい ものが 食(た)べたいです。 추울 때에는 따뜻한 것이 먹고 싶습니다.
□ 新(あたら)しい 새롭다	駅(えき)の 前(まえ)に 新(あたら)しい 食堂(しょくどう)が できました。 역 앞에 새로운 식당이 생겼습니다.
□ 暑(あつ)い 덥다(기온)	今日(きょう)は 朝(あさ)から 暑(あつ)いですね。 오늘은 아침부터 덥군요.
□ 熱(あつ)い 뜨겁다(온도)	熱(あつ)い おふろに 入(はい)りたい。 뜨거운 욕탕에 들어가고 싶다.
□ 厚(あつ)い 두껍다	こんなに 厚(あつ)い 本(ほん)を 3日(みっか)で ぜんぶ 読(よ)んだ。 이렇게 두꺼운 책을 3일에 전부 읽었다.
□ 危(あぶ)ない 위험하다	車(くるま)の 近(ちか)くで 遊(あそ)ぶのは 危(あぶ)ないです。 자동차 근처에서 노는 것은 위험합니다.
□ 甘(あま)い 달콤하다, 달다	さとうを たくさん 入(い)れた 甘(あま)い コーヒーが 好(す)きだ。 설탕을 많이 넣은 달콤한 커피를 좋아한다.
□ 忙(いそが)しい 바쁘다	今日(きょう)は お客(きゃく)さんが 多(おお)くて 忙(いそが)しかった。 오늘은 손님이 많아서 바빴다.
□ 痛(いた)い 아프다	5時間(ごじかん) 立(た)って いて 足(あし)が 痛(いた)いです。 다섯 시간 서 있어서 다리가 아픕니다.
□ 薄(うす)い 얇다(두께), 연하다(맛)	薄(うす)い シャツだけで 出(で)かけて かぜを ひきました。 얇은 셔츠만 입고 외출해서 감기에 걸렸습니다. 味(あじ)が 薄(うす)いから しおを 入(い)れました。 맛이 싱거워서 소금을 넣었습니다.
□ うまい 맛있다, 잘하다	秋(あき)は 野菜(やさい)も くだものも みんな うまい。 가을에는 채소도 과일도 모두 맛있다.
□ おいしい 맛있다	先生(せんせい)が 作(つく)る 料理(りょうり)は 本当(ほんとう)に おいしいです。 선생님이 만드는 요리는 정말로 맛있습니다.
□ 多(おお)い 많다	このごろ かぜを ひく 人(ひと)が 多(おお)いです。 요즘 감기에 걸리는 사람이 많습니다.

もんだい3 문맥 규정 출제 예상 어휘

□ 大(おお)きい 크다	もっと 大(おお)きい 家(いえ)に 住(す)みたいです。 더 큰 집에 살고 싶습니다.
□ 遅(おそ)い 늦다, 느리다	もう 遅(おそ)いから 早(はや)く 家(いえ)に 帰(かえ)りましょう。 이제 늦었으니 어서 집에 돌아갑시다.
□ 重(おも)い 무겁다	重(おも)い かばんは ホテルの 人(ひと)に お願(ねが)いしました。 무거운 가방은 호텔 사람에게 부탁했습니다.
□ おもしろい 재미있다	山本先生(やまもとせんせい)の 授業(じゅぎょう)は いつも おもしろいです。 야마모토 선생님의 수업은 언제나 재미있습니다.
□ 辛(から)い 맵다	あの 店(みせ)の カレーは ほんとうに 辛(から)かった。 저 가게의 카레는 정말로 매웠다.
□ 軽(かる)い 가볍다	この パソコンは かばんより 軽(かる)いです。 이 컴퓨터는 가방보다 가볍습니다.
□ かわいい 귀엽다	いすの うえに かわいい 猫(ねこ)が います。 의자 위에 귀여운 고양이가 있습니다.
□ 黄色(きいろ)い 노랗다	黄色(きいろ)い 信号(しんごう)では 止(と)まって ください。 노란 신호(노란불)에서는 멈추세요.
□ 汚(きたな)い 더럽다	汚(きたな)い 服(ふく)は すぐ せんたくします。 더러운 옷은 바로 세탁합니다.
□ 暗(くら)い 어둡다	夜(よる)の 道(みち)は 暗(くら)くて あぶないです。 밤길은 어둡고 위험합니다.
□ 黒(くろ)い 검다, 까맣다	彼(かれ)は いつも 黒(くろ)い 服(ふく)を 着(き)て います。 그는 항상 검은 옷을 입고 있습니다.
□ 寒(さむ)い 춥다	今年(ことし)より 去年(きょねん)の ほうが 寒(さむ)かったです。 올해보다 작년이 더 추웠습니다.
□ 白(しろ)い 희다, 하얗다	白(しろ)い 猫(ねこ)が 寝(ね)て います。 하얀 고양이가 자고 있습니다.
□ 少(すく)ない 적다	今年(ことし)の 冬(ふゆ)は 雪(ゆき)が 少(すく)なかった。 올해 겨울은 눈이 적었다(적게 내렸다).

□ 涼(すず)しい 시원하다	まどから 風(かぜ)が 入(はい)って きて 涼(すず)しいです。 창문에서 바람이 들어와서 시원합니다.
□ 狭(せま)い 좁다	へやが 狭(せま)くて 大(おお)きい ベッドは 入(はい)りません。 방이 좁아서 커다란 침대는 들어가지 않습니다.
□ 高(たか)い 비싸다, 높다	高(たか)くても おいしい ものが 食(た)べたい。 비싸도 맛있는 게 먹고 싶다.
□ 楽(たの)しい 즐겁다	楽(たの)しかった ことは よく 覚(おぼ)えて います。 즐거웠던 일은 잘 기억하고 있습니다.
□ 小(ちい)さい 작다	子(こ)どもが 大(おお)きく なって 服(ふく)が 小(ちい)さく なりました。 아이가 자라서 옷이 작아졌습니다.
□ 近(ちか)い 가깝다	ここから 一番(いちばん) 近(ちか)い 駅(えき)は どこですか。 여기에서 가장 가까운 역은 어디인가요?
□ 冷(つめ)たい 차갑다	秋(あき)は 海(うみ)の 水(みず)が 冷(つめ)たくて 泳(およ)ぐ ことが できない。 가을에는 바닷물이 차가워서 수영할 수 없다.
□ 強(つよ)い 세다, 강하다	強(つよ)い 風(かぜ)が 吹(ふ)いて います。 거센 바람이 불고 있습니다.
□ 遠(とお)い 멀다	まだ 着(つ)きませんか。遠(とお)いですね。 아직 도착하지 않았나요? 멀군요.
□ ない 없다	教室(きょうしつ)に パソコンは ありますが、テレビは ないです。 교실에 컴퓨터는 있지만 텔레비전은 없습니다.
□ 長(なが)い 길다, 오래다	もっと 長(なが)い スカートは ありませんか。 좀 더 긴 치마는 없습니까?
□ 早(はや)い 이르다(시간)	まだ 早(はや)い 時間(じかん)だから 駅(えき)には だれも いません。 아직 이른 시간이라서 역에는 아무도 없습니다.
□ 速(はや)い 빠르다(속도)	3人(さんにん)の 中(なか)で ひろしくんが いちばん 速(はや)い。 세 명 중에서 히로시 군이 가장 빠르다.
□ 低(ひく)い 낮다, (키가) 작다	私(わたし)は 妹(いもうと)より 背(せ)が 低(ひく)いです。 나는 여동생보다 키가 작습니다.

もんだい3 문맥 규정 출제 예상 어휘

ひろ □ 広い 넓다	駅が 広くて 出口が わかりません。 역이 넓어서 출구를 모르겠습니다.
ふる □ 古い 오래되다, 낡다	京都には 古い 店や 建物が たくさん ある。 교토에는 오래된 가게나 건물이 많이 있다.
□ ほしい 갖고 싶다, 원하다	冬に なる 前に 暖かい コートが ほしい。 겨울이 되기 전에 따뜻한 코트가 갖고 싶다.
□ まずい 맛없다	安い 肉は まずかったです。 저렴한 고기는 맛이 없었습니다.
まる □ 丸い 둥글다	ねこの 顔は 丸くて かわいいです。 고양이의 얼굴은 둥글고 귀엽습니다.
みじか □ 短い 짧다	テストの 時間が 短くて ぜんぶ できなかった。 시험 시간이 짧아서 전부 하지 못했다.
むずか □ 難しい 어렵다	中国の 漢字は 難しいです。 중국 한자는 어렵습니다.
やさ □ 易しい 쉽다	その 問題は 高校生には 易しかった。 그 문제는 고등학생에게는 쉬웠다.
やさ □ 優しい 다정하다, 상냥하다	お母さんが 優しい 声で 歌いました。 어머니가 다정한 목소리로 노래했습니다.
やす □ 安い 싸다	店が 終わる 時間には 安く なります。 가게가 끝나는 시간에는 저렴해집니다.
よ □ 良い(=いい) 좋다	子どもの 時 良い 本を 読む ことが 大事です。 어릴 때 좋은 책을 읽는 것이 중요합니다.
よわ □ 弱い 약하다	エアコンが 弱くて 涼しく ない。 에어컨이 약해서 시원하지 않다.
わる □ 悪い 나쁘다	目が 悪いから いちばん 前に 座りました。 눈이 나빠서 제일 앞에 앉았습니다.

3: な형용사

□ 嫌(いや)だ 싫다	明日(あした)は 嫌(いや)でも 病院(びょういん)に 行(い)きましょう。 내일은 싫어도 병원에 갑시다.
□ いろいろだ 여러 가지이다, 다양하다	日本(にほん)では いろいろな ところに 行(い)きました。 일본에서는 다양한 곳에 갔습니다.
□ 同(おな)じだ 같다, 동일하다	日本(にほん)には 同(おな)じ 名前(なまえ)の 人(ひと)は そんなに 多(おお)くない。 일본에는 같은 이름의(같은 이름을 가진) 사람은 그렇게 많지 않다.
□ 簡単(かんたん)だ 간단하다	英語(えいご)で 簡単(かんたん)な 話(はなし)が できます。 영어로 간단한 이야기를 할 수 있습니다.
□ 嫌(きら)いだ 싫어하다	このごろ ごはんが 嫌(きら)いな 子(こ)どもが 多(おお)いです。 요즘 밥을 싫어하는 아이가 많습니다.
□ きれいだ 예쁘다, 깨끗하다	姉(あね)は きれいな 服(ふく)を たくさん 持(も)って います。 언니(누나)는 예쁜 옷을 많이 가지고 있습니다.
□ 元気(げんき)だ 건강하다	元気(げんき)な 人(ひと)は 運動(うんどう)を よく します。 건강한 사람은 운동을 자주 합니다.
□ 静(しず)かだ 조용하다	旅行(りょこう)は 静(しず)かな ところに 行(い)きたい。 여행은 조용한 곳으로 가고 싶다.
□ 上手(じょうず)だ 잘하다, 능숙하다	これは 絵(え)が 上手(じょうず)な 友(とも)だちが かきました。 이건 그림을 잘 그리는 친구가 그렸습니다.
□ 丈夫(じょうぶ)だ 튼튼하다	この かばんは 丈夫(じょうぶ)ですが 少(すこ)し 重(おも)いです。 이 가방은 튼튼하지만 조금 무겁습니다.
□ 好(す)きだ 좋아하다	好(す)きな ことは 音楽(おんがく)と スポーツです。 좋아하는 것은 음악과 스포츠입니다.
□ 大丈夫(だいじょうぶ)だ 괜찮다	雨(あめ)の 日(ひ)でも 大丈夫(だいじょうぶ)な くつを 買(か)いました。 비가 오는 날에도 괜찮은 신발을 샀습니다.
□ 大好(だいす)きだ 매우 좋아하다	子(こ)どもが 大好(だいす)きな 動物(どうぶつ)が たくさん います。 어린이가 매우 좋아하는 동물이 많이 있습니다.

□ 大切だ(たいせつ) 소중하다, 중요하다	家(いえ)で 大切(たいせつ)な 家族(かぞく)が 待(ま)って いる。 집에서 소중한 가족이 기다리고 있다.
□ 大変だ(たいへん) 힘들다, 큰일이다	毎日(まいにち) べんとうを 作(つく)るのは 大変(たいへん)です。 매일 도시락을 만드는 것은 힘듭니다.
□ にぎやかだ 떠들썩하다, 번화하다	にぎやかな 音楽(おんがく)が 好(す)きだ。 떠들썩한 음악이 좋다.
□ ハンサムだ 잘생기다, 미남이다	あの ハンサムな 人(ひと)が 日本語(にほんご)の 先生(せんせい)です。 저 잘생긴 사람이 일본어 선생님입니다.
□ 暇だ(ひま) 한가하다	暇(ひま)な ときは 何(なに)を しますか。 한가할 때는 무엇을 합니까?
□ 下手だ(へた) 서툴다, 잘 못하다	下手(へた)な 歌(うた)でも 聞(き)いて ください。 서툰 노래지만 들어 주세요.
□ 便利だ(べんり) 편리하다	これは 何回(なんかい)でも 使(つか)う ことが できる 便利(べんり)な きっぷです。 이건 몇 번이고 쓸 수 있는 편리한 표입니다.
□ 有名だ(ゆうめい) 유명하다	今日(きょう)は 有名(ゆうめい)な 歌手(かしゅ)の コンサートが あります。 오늘은 유명한 가수의 콘서트가 있습니다.

4 : 부사

□ あまり 별로, 그다지	その 映画(えいが)は あまり おもしろく なかったです。 그 영화는 별로 재미있지 않았습니다.
□ 一番(いちばん) 가장, 제일	日本(にほん)で 一番(いちばん) 高(たか)い 山(やま)は 富士山(ふじさん)です。 일본에서 가장 높은 산은 후지산입니다.
□ 一生懸命(いっしょうけんめい) 열심히	今週(こんしゅう)は 一生懸命(いっしょうけんめい) 勉強(べんきょう)しました。 이번 주는 열심히 공부했습니다.
□ 一緒に(いっしょ) 함께, 같이	母(はは)と 一緒(いっしょ)に 買(か)い物(もの)を します。 어머니와 함께 쇼핑을 합니다.

□ いっぱい 잔뜩, 가득	夏休(なつやす)みに 宿題(しゅくだい)が いっぱい 出(で)ました。 여름 방학에 숙제가 잔뜩 나왔습니다.
□ いつも 늘, 언제나	午後(ごご)は いつも 図書館(としょかん)で 本(ほん)を 読(よ)む。 오후에는 늘 도서관에서 책을 읽는다.
□ すぐ(に) 바로, 곧	家(いえ)に 帰(かえ)って すぐに また 出(で)て 行(い)きました。 집에 돌아가서 바로 다시 나갔습니다.
□ 少(すこ)し 조금, 약간, 좀	スープに しおを 少(すこ)し 入(い)れて ください。 수프에 소금을 조금 넣어 주세요.
□ 大変(たいへん) 대단히, 무척	へやが 大変(たいへん) きれいに なりました。 방이 무척 깨끗해졌습니다.
□ たくさん 많이	デパートには 人(ひと)が たくさん いました。 백화점에는 사람이 많이 있었습니다.
□ たぶん 아마도	今日(きょう)は たぶん 雨(あめ)は 降(ふ)らないでしょう。 오늘은 아마도 비는 오지 않을 겁니다.
□ だんだん 점점, 차차	若(わか)い 人(ひと)が だんだん 少(すく)なく なって いる。 젊은 사람이 점점 적어지고 있다.
□ ちょっと 조금, 좀, 잠깐	この カレーは ちょっと 辛(から)いです。 이 카레는 조금 맵습니다.
□ どうぞ 아무쪼록, 부디	これからも どうぞ よろしく お願(ねが)いします。 앞으로도 아무쪼록 잘 부탁드립니다.
□ 時(とき)どき 때때로, 가끔	寒(さむ)くて 朝(あさ)は 時(とき)どき 雪(ゆき)が 降(ふ)った。 추워서 아침에는 때때로 눈이 내렸다.
□ とても 매우, 아주	とても おいしい ケーキを 作(つく)りました。 매우 맛있는 케이크를 만들었습니다.
□ 本当(ほんとう)に 정말로	日本語(にほんご)の 漢字(かんじ)は 本当(ほんとう)に 難(むずか)しいです。 일본어 한자는 정말로 어렵습니다.
□ また 또, 다시	では、明日(あした) また 来(き)ます。 그럼, 내일 또 오겠습니다.

□ まだ 아직	もう 10時(じゅうじ)ですが まだ 帰(かえ)って いません。 벌써 10시인데 아직 돌아오지 않았습니다.
□ まっすぐ 똑바로, 곧장	この 道(みち)を まっすぐ 5分(ごふん)ぐらい 歩(ある)きます。 이 길을 똑바로 5분 정도 걷습니다.
□ もう 이미, 벌써	子(こ)どもは 疲(つか)れて もう 寝(ね)ました。 아이는 지쳐서 이미 잠들었습니다.
□ もう一度(いちど) 다시 한번, 한번 더	すみませんが もう一度(いちど) 言(い)って ください。 죄송합니다만 다시 한번 말씀해 주세요.
□ もっと 더, 좀 더, 더욱	もっと 安(やす)い ものは ありませんか。 좀 더 저렴한 것은 없나요?
□ ゆっくり 천천히, 푹	外国人(がいこくじん)には 少(すこ)し ゆっくり 話(はな)します。 외국인에게는 조금 천천히 말합니다.
□ よく 자주(빈도), 잘(정도)	夏(なつ)は よく 海(うみ)に 行(い)きます。 여름에는 자주 바다에 갑니다.

5 : 접미어

N5의 접미어 문제에는 의미를 더하는 접미어 외에 수량을 세는 단위도 많이 출제된다. 단위의 경우 앞에 오는 숫자에 따라 발음이 탁음이나 촉음으로 변하기도 하니 주의해야 한다.

★은 기본기 갖추기의 수량 항목(p.15)을 참조

~円(えん) ~엔(화폐 단위)	350円(さんびゃくごじゅうえん) 350엔	一万円(いちまんえん) 만 엔
~階(かい) ~층 ★	一階(いっかい) 1층	五階(ごかい) 5층
~か月(げつ) ~개월	一か月(いっかげつ) 1개월 八か月(はち·はっかげつ) 8개월	七か月(ななかげつ) 7개월 何か月(なんかげつ) 몇 개월
~側(がわ) ~측, ~방향	東(ひがし)がわ 동쪽 南(みなみ)がわ 남쪽	西(にし)がわ 서쪽 北(きた)がわ 북쪽

~語(ご) ~어(언어)	韓国語(かんこくご) 한국어 英語(えいご) 영어 タイ語(ご) 태국어	日本語(にほんご) 일본어 中国語(ちゅうごくご) 중국어
~頃(ごろ(ころ)) ~쯤, ~경	八時頃(はちじごろ) 8시쯤 いつ頃(ごろ) 언제쯤	昼頃(ひるごろ) 낮 무렵
~歳(さい) ~살, ~세 ★	三歳(さんさい) 세 살	十歳(じゅっさい) 열 살
~冊(さつ) ~권	四冊(よんさつ) 네 권	二十冊(にじゅっさつ) 스무 권
~人(じん) ~인(국적, 인종)	日本人(にほんじん) 일본인	アメリカ人(じん) 미국인
~週間(しゅうかん) ~주일	一週間(いっしゅうかん) 일주일	三週間(さんしゅうかん) 3주일
~ずつ ~씩	三(みっ)つずつ 세 개씩	二人(ふたり)ずつ 두 명씩
~台(だい) ~대 (차·기계를 세는 단위)	六台(ろくだい) 여섯 대	十台(じゅうだい) 열 대
~人(にん) ~명(인원) ★	五人(ごにん) 다섯 명	九人(きゅうにん) 아홉 명
~杯(はい·ばい·ぱい) ~잔 ★	二杯(にはい) 두 잔	三杯(さんばい) 세 잔
~本(ほん·ぼん·ぽん) ~병, ~자루(길이가 긴 물건을 세는 단위) ★	一本(いっぽん) 한 병/한 자루 七本(ななほん) 일곱 병/일곱 자루	三本(さんぼん) 세 병/세 자루 何本(なんぼん) 몇 병/몇 자루
~番(ばん) ~번	七番(ななばん) 7번	九番(きゅうばん) 9번
~匹(ひき·びき·ぴき) ~마리	三匹(さんびき) 세 마리 九匹(きゅうひき) 아홉 마리	八匹(はっぴき) 여덟 마리 何匹(なんびき) 몇 마리
~枚(まい) ~장(종이를 세는 단위)	四枚(よんまい) 네 장	何枚(なんまい) 몇 장

もんだい3 문맥 규정 기출 어휘

あ

□ 明(あか)るい 밝다	□ 開(あ)ける 열다	□ アパート 아파트
□ あびる (샤워를) 하다	□ 甘(あま)い 달다	□ 雨(あめ) 비
□ 五(いつ)つ 다섯, 다섯 개	□ いつか 언젠가	□ いっぱいだ 가득 차다, (배가) 부르다
□ 上(うえ) 위	□ 薄(うす)い 얇다(두께), 연하다(맛)	□ 生(う)まれる 태어나다
□ エアコン 에어컨	□ 駅(えき) 역	□ エレベーター 엘리베이터
□ 置(お)く 두다, 놓다	□ 覚(おぼ)える 기억하다	□ 重(おも)い 무겁다
□ 泳(およ)ぐ 수영하다, 헤엄치다		

か

□ ～階(かい・がい) ～층	□ 階段(かいだん) 계단	□ かかる (시간이) 걸리다, (병에) 걸리다
□ かぎ 열쇠	□ かける (전화를) 걸다, (안경을) 쓰다	□ 家族(かぞく) 가족
□ 角(かど) 모퉁이, 구석	□ かるい 가볍다	□ 切(き)る 자르다, 끊다
□ きれいだ 예쁘다, 깨끗하다	□ 薬(くすり) 약	□ 暗(くら)い 어둡다
□ 消(け)す 지우다, 제거하다	□ 困(こま)る 곤란하다, 난처하다	

さ

- □ さいふ 지갑
- □ さく (꽃이) 피다
- □ ～冊(さつ) ～권(책을 세는 단위)
- □ 砂糖(さとう) 설탕
- □ 寒(さむ)い 춥다
- □ 散歩(さんぽ)する 산책하다
- □ 辞書(じしょ) 사전
- □ 質問(しつもん) 질문
- □ 閉(し)まる 닫히다
- □ 写真(しゃしん) 사진
- □ 宿題(しゅくだい) 숙제
- □ 上手(じょうず)だ 능숙하다, 잘하다
- □ 丈夫(じょうぶ)だ 튼튼하다
- □ 信号(しんごう) 신호
- □ 新聞(しんぶん) 신문
- □ 吸(す)う (담배를) 피다
- □ 少(すこ)し 조금
- □ スーパー 슈퍼(마켓)
- □ 洗濯(せんたく) 세탁, 빨래
- □ そうじ 청소

た

- □ ～台(だい) ～대(차량·기계를 세는 단위)
- □ 大変(たいへん)だ 힘들다, 큰일이다
- □ 高(たか)い 높다, 비싸다
- □ 食(た)べもの 먹을 것, 음식
- □ 近(ちか)い 가깝다
- □ チケット 티켓, 표
- □ 地図(ちず) 지도
- □ 疲(つか)れる 지치다, 피곤해지다
- □ 冷(つめ)たい 차갑다
- □ 強(つよ)い 강하다, 세다
- □ 手紙(てがみ) 편지
- □ 出(で)る 나가(오)다, 출발하다
- □ 天気(てんき) 날씨
- □ ドア 도어, 문
- □ 遠(とお)い 멀다
- □ 時計(とけい) 시계
- □ とる (사진을) 찍다

もんだい3 문맥 규정 기출 어휘

な

- □ 長い(ながい) 길다
- □ 習う(ならう) 배우다, 익히다
- □ 並べる(ならべる) 나열하다, 늘어놓다
- □ にぎやかだ 번화하다, 활기차다
- □ ぬぐ (옷을) 벗다
- □ のぼる 오르다, 올라가다
- □ 飲む(のむ) 마시다, (약을) 먹다, 복용하다

は

- □ 歯(は) 이, 이빨, 치아
- □ ～杯(はい·ばい·ぱい) ～잔
- □ 入る(はいる) 들어가(오)다
- □ 履く(はく) (치마·바지를) 입다, (신발을) 신다
- □ パスポート 패스포트, 여권
- □ ～匹(ひき·びき·ぴき) ～마리
- □ ひく (악기를) 치다, 연주하다
- □ 病院(びょういん) 병원
- □ プール 수영장
- □ ふく (바람이) 불다
- □ 下手だ(へただ) 잘 못하다, 서투르다
- □ 便利だ(べんりだ) 편리하다
- □ 帽子(ぼうし) 모자
- □ ポケット 포켓, 주머니
- □ ～本(ほん·ぼん·ぽん) ～병, ～자루

ま

- □ ～枚(まい) ～장 (종이 등 얇은 것을 세는 단위)
- □ 毎朝(まいあさ) 매일 아침
- □ まがる 꺾다, (방향을) 돌리다
- □ まっすぐ 쭉, 똑바로, 일직선으로
- □ みがく 닦다, 연마하다
- □ 道(みち) 길
- □ メートル 미터(단위 m)

や

□ 雪(ゆき) 눈

ら

□ 旅行(りょこう) 여행

わ

□ 忘(わす)れる 잊다

MEMO

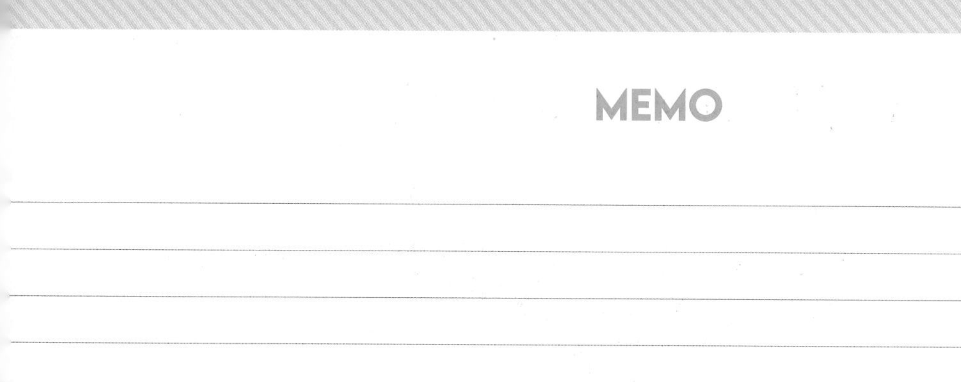
MEMO

もんだい 3 문맥 규정 연습문제 ①

해설편 16p

もんだい 3 （　　　）に　なにが　はいりますか。1・2・3・4から　いちばん　いい　ものを　ひとつ　えらんで　ください。

1 いけの　なかに　さかなが　5（　　　）います。

1 ほん　　2 まい　　3 とう　　4 ひき

2 A「すきな（　　　）は　なんですか。」
B「オレンジジュースと　おちゃが　すきです。」

1 やさい　　2 さかな　　3 のみもの　　4 たべもの

3 4がつに　なってから　あたたかく（　　　）。

1 しました　　2 きました　　3 みました　　4 なりました

4 シャワーの　あとは　つめたい　ビールが（　　　）です。

1 のみたい　　2 たべたい　　3 かりたい　　4 ききたい

5 この　りょうりは（　　　）　やすいですね。

1 つよくて　　2 おいしくて　　3 おもくて　　4 とおくて

6 でんわに　でる　ことが　できないから（　　　）を　おくって　ください。

1 ゲーム　　2 テープ　　3 ノート　　4 メール

7 とりが（　　　）いますね。

1 ないて　　2 さいて　　3 あいて　　4 ふいて

8 （　　　）で　かりた　ほんを　かえしに　いきます。

1 こうばん　　2 びょういん　　3 ゆうびんきょく　　4 としょかん

9 うるさいから　おとを（　　　）ちいさく　して　ください。

1 たくさん　　2 とても　　3 すこし　　4 すぐ

10 しゅくだいを（　　　）ください。

1 いわないで　　2 ならないで　　3 わすれないで　　4 やすまないで

もんだい 3 （　　　）に　なにが　はいりますか。1・2・3・4から　いちばん　いい　ものを　ひとつ　えらんで　ください。

1 インターネットで（　　　）を　かえば　やすく　なります。

1 カード　2 パスポート　3 カタログ　4 チケット

2 A「ぜんぶで　いくらですか。」
B「580（　　　）です。」

1 にん　2 ご　3 えん　4 ばん

3 おおさかから　とうきょうまで　2じかん　はん（　　　）。

1 のりました　2 あるきました　3 かかりました　4 まちました

4 ごはんを　たべる　まえに　おふろに（　　　）。

1 つけます　2 あらいます　3 はいります　4 おきます

5 えいがが（　　　）から　たくさん　わらいました。

1 かわいかった　2 おいしかった　3 おもしろかった　4 つまらなかった

6 きょうと　あしたは　いそがしいから　かいものは（　　　）いく　つもりです。

1 きのう　2 けさ　3 あさって　4 おととい

7 ここは　みんなが　よく　しっている（　　　）レストランです。

1 じょうずな　2 げんきな　3 たいへんな　4 ゆうめいな

8 じゅぎょうは　9じに（　　　）。

1 はじまります　2 おきます　3 あけます　4 でます

9 にほんは　かんこくの　みなみ（　　　）に　あります。

1 そば　2 がわ　3 ずつ　4 かい

10 むずかしくて　よく　わかりません。（　　　）いって　ください。

1 もういちど　2 すぐ　3 はやく　4 ちょっと

4 : もんだい 4 유의 표현

문제 유형

문제에서 주어진 어휘와 서로 바꿔 쓸 수 있는 표현을 찾는 문제이다.

もんだい 4 ＿＿＿の ぶんと だいたい おなじ いみの ぶんが あります。1・2・3・4から いちばん いい ものを ひとつ えらんで ください。

19 きょうは にちようびです。あしたは げつようびです。

1 きのうは かようびでした。
2 きのうは もくようびでした。
3 きのうは きんようびでした。
4 きのうは どようびでした。

19	① ② ③ ●

문제 풀이 포인트

N5에서는 비슷한 의미의 단어보다는 어휘를 쉽게 풀어 쓴 표현이 제시되는 경우가 많다.

예시 문제를 보면 오늘은 「日曜日(にちようび) 일요일」, 내일은 「月曜日(げつようび) 월요일」이라고 하고 있으며 선택지는 모두 「きのうは~ 어제는」으로 문장이 시작되고 있다. 따라서 일요일(오늘)의 전날, 즉 「土曜日(どようび) 토요일」이 어제였다고 한 4번이 정답이다.

이처럼 날짜나 요일을 바꾸어 문장을 제시하기도 하며, 주어나 조사, 동사를 바꾼 문장, 반의어의 부정 표현을 사용한 문장 등이 제시되기도 하므로 문장의 내용에 주의하며 문장을 읽는 연습이 필요하다.

もんだい 4 유의 표현 출제 예상 어휘

학습 포인트

유의 표현 파트에서는 한자 읽기나 문맥 규정에서 정리한 어휘가 활용되어 나오므로 앞 파트의 어휘를 충분히 익힌 후 이를 달리 표현하는 방식과 요령을 파악하는 것이 중요하다. 또한 기출 어휘 역시 반복 출제되는 경향이 있으니 기출 어휘도 반드시 확인하도록 하자.

1: 명사

쉬운 어휘로 풀어서 설명한 표현이나 가타카나어로 바꾼 어휘가 제시된다.

□ おてあらい 화장실 ≒ トイレ 화장실	おてあらいは えきの なかに あります。 화장실은 역 안에 있습니다. ≒ トイレは えきの なかに あります。 화장실은 역 안에 있습니다.
□ おととい 그저께 ≒ 二日前(ふつかまえ) 이틀 전	おととい メールを おくりました。 그저께 메일을 보냈습니다. ≒ 二日前(ふつかまえ)に メールを おくりました。 이틀 전에 메일을 보냈습니다.
□ おととし 재작년 ≒ 二年前(にねんまえ) 2년 전	日本(にほん)に 来(き)たのは おととしです。 일본에 온 것은 재작년입니다. ≒ 日本(にほん)に 来(き)たのは 二年前(にねんまえ)です。 일본에 온 것은 2년 전입니다.
□ きっぷ 표, 티켓 ≒ チケット 티켓, 표	映画(えいが)の きっぷを 買(か)いました。 영화 표를 샀습니다. ≒ 映画(えいが)の チケットを 買(か)いました。 영화 티켓을 샀습니다.
□ 兄弟(きょうだい) 형제 ≒ お兄(にい)さんや お姉(ねえ)さん 형이나 누나(오빠나 언니) ≒ 弟(おとうと) や 妹(いもうと) 남동생이나 여동생	兄弟(きょうだい)は 何人(なんにん) いますか。 형제는 몇 명 있나요? ≒ お兄(にい)さんや お姉(ねえ)さんは 何人(なんにん) いますか。 형이나(오빠나) 누나(언니)는 몇 명 있나요? ≒ 弟(おとうと)(さん)や 妹(いもうと)(さん)は 何人(なんにん) いますか。 남동생이나 여동생은 몇 명 있나요?

もんだい4 유의 표현 출제 예상 어휘

<table>
<tr><td>□ くだもの 과일
≒ りんごや バナナ 사과나 바나나
≒ りんごや みかん 사과나 귤
≒ りんごや いちご 사과나 딸기</td><td>私は くだものが 好きです。
나는 과일을 좋아합니다.
≒ 私は りんごや バナナが 好きです。
나는 사과나 바나나를 좋아합니다.
≒ 私は りんごや みかんが 好きです。
나는 사과나 귤을 좋아합니다.
≒ 私は りんごや いちごが 好きです。
나는 사과나 딸기를 좋아합니다.</td></tr>
<tr><td>□ 車 자동차
≒ バスや タクシー 버스나 택시</td><td>この 道は 車が 多くて あぶないです。
이 길은 자동차가 많아서 위험합니다.
≒ この 道は バスや タクシーが 多くて あぶないです。
이 길은 버스나 택시가 많아서 위험합니다.</td></tr>
<tr><td>□ 今朝 오늘 아침
≒ 今日の 朝 오늘 아침</td><td>今朝は はやく 起きて さんぽしました。
오늘 아침은 빨리 일어나서 산책했습니다.
≒ 今日の 朝は はやく 起きて さんぽしました。
오늘 아침은 빨리 일어나서 산책했습니다.</td></tr>
<tr><td>□ 食堂 식당
≒ ごはんを 食べる ところ
밥을 먹는 곳</td><td>会社の 近くに 食堂が たくさん ある。
회사 근처에 식당이 많이 있다.
≒ 会社の 近くに ごはんを 食べる ところが たくさん ある。
회사 근처에 밥는 먹을 곳이 많이 있다.</td></tr>
<tr><td>□ スポーツ 스포츠
≒ サッカーや テニス 축구나 테니스</td><td>スポーツは あまり 上手では ない。
스포츠는 별로 잘하지 않는다.
≒ サッカーや テニスは あまり 上手では ない。
축구나 테니스는 별로 잘하지 않는다.</td></tr>
<tr><td>□ 祖父 조부, 할아버지
≒ 母(父)の 父 어머니(아버지)의 아버지
≒ おじいさん 할아버지</td><td>祖父が おもしろい 話を して くれました。
할아버지가 재미있는 이야기를 해 주었습니다.
≒ 母の 父が おもしろい 話を して くれました。
어머니의 아버지가 재미있는 이야기를 해 주었습니다.
≒ おじいさんが おもしろい 話を して くれました。
할아버지가 재미있는 이야기를 해 주었습니다.</td></tr>
</table>

□ 祖母(そぼ) 조모, 할머니 ≒ 父(母)の 母(ちち(はは)の はは) 아버지(어머니)의 어머니 ≒ おばあさん 할머니	祖母(そぼ)には 子(こ)どもが 5人(ごにん) います。 할머니에게는 아이가 다섯 명 있습니다. ≒ 父(ちち)の 母(はは)には 子(こ)どもが 5人(ごにん) います。 아버지의 어머니에게는 아이가 다섯 명 있습니다. ≒ おばあさんには 子(こ)どもが 5人(ごにん) います。 할머니에게는 아이가 다섯 명 있습니다.
□ 台(だい)どころ 부엌 ≒ ごはんを 作(つく)る ところ 밥을 만드는 곳 ≒ 料理(りょうり)を する ところ 요리를 하는 곳	台(だい)どころが とても 広(ひろ)いです。 부엌이 굉장히 넓습니다. ≒ ごはんを 作(つく)る ところが とても 広(ひろ)いです。 밥을 만드는 곳이 굉장히 넓습니다. ≒ 料理(りょうり)を する ところが とても 広(ひろ)いです。 요리를 하는 곳이 굉장히 넓습니다.
□ たてもの 건물 ≒ ビル 빌딩, 건물	レストランは この たてものの 5(ご)かいです。 레스토랑은 이 건물의 5층입니다. ≒ レストランは この ビルの 5(ご)かいです。 레스토랑은 이 빌딩의 5층입니다.
□ 食(た)べ物(もの) 먹을 것, 음식 ≒ 肉(にく)や 魚(さかな) 고기나 생선 ≒ パンや お菓子(かし) 빵이나 과자	食(た)べ物(もの)は いつも あの 店(みせ)で 買(か)う。 음식은 항상 저 가게에서 산다. ≒ 肉(にく)や 魚(さかな)は いつも あの 店(みせ)で 買(か)う。 고기나 생선은 항상 저 가게에서 산다. ≒ パンや お菓子(かし)は いつも あの 店(みせ)で 買(か)う。 빵이나 과자는 항상 저 가게에서 산다.
□ 誕生日(たんじょうび) 생일 ≒ 生(う)まれた 日(ひ) 태어난 날 ≒ ~に 生(う)まれる ~에 태어나다	私(わたし)の 誕生日(たんじょうび)は 子(こ)どもの 日(ひ)と 同(おな)じです。 내 생일은 어린이날과 같습니다. ≒ 私(わたし)が 生(う)まれた 日(ひ)は 子(こ)どもの 日(ひ)と 同(おな)じです。 내가 태어난 날은 어린이날과 같습니다. ≒ 私(わたし)は 子(こ)どもの 日(ひ)に 生(う)まれました。 나는 어린이날에 태어났습니다.
□ 動物(どうぶつ) 동물 ≒ 犬(いぬ)や 猫(ねこ) 개나 고양이	家(いえ)に 動物(どうぶつ)は いません。 집에 동물은 없습니다. ≒ 家(いえ)に 犬(いぬ)や 猫(ねこ)は いません。 집에 개나 고양이는 없습니다.

もんだい 4 유의 표현 출제 예상 어휘

□ 図書館(としょかん) 도서관 ≒ 本(ほん)や ざっしを 読(よ)む ところ 책이나 잡지를 읽는 곳 ≒ 本(ほん)や ざっしを 借(か)りる ところ 책이나 잡지를 빌리는 곳	図書館(としょかん)に 行(い)って きます。 도서관에 다녀오겠습니다. ≒ 本(ほん)や ざっしを 読(よ)む ところに 行(い)って きます。 책이나 잡지를 읽는 곳에 다녀오겠습니다. ≒ 本(ほん)や ざっしを 借(か)りる ところに 行(い)って きます。 책이나 잡지를 빌리는 곳에 다녀오겠습니다.
□ 飲(の)み物(もの) 마실 것, 음료 ≒ コーヒーや ジュース 커피나 주스 ≒ お茶(ちゃ)や ぎゅうにゅう 차나 우유	あそこで 飲(の)み物(もの)を 買(か)いましょうか。 저기에서 음료를 살까요? ≒ あそこで コーヒーや ジュースを 買(か)いましょうか。 저기에서 커피나 주스를 살까요? ≒ あそこで お茶(ちゃ)や ぎゅうにゅうを 買(か)いましょうか。 저기에서 차나 우유를 살까요?
□ 毎晩(まいばん) 매일밤 ≒ 夜(よる)は いつも 밤에는 항상	テストの 前(まえ)には 毎晩(まいばん) 勉強(べんきょう)します。 시험 전에는 매일 밤 공부합니다. ≒ テストの 前(まえ)には 夜(よる)は いつも 勉強(べんきょう)します。 시험 전에는 밤에는 늘 공부합니다.
□ 八百屋(やおや) 채소 가게 ≒ 野菜(やさい)を 売(う)る ところ 채소를 파는 곳	八百屋(やおや)には 肉(にく)や 魚(さかな)は ない。 채소 가게에는 고기나 생선은 없다. ≒ 野菜(やさい)を 売(う)る ところには 肉(にく)や 魚(さかな)は ない。 채소를 파는 곳에는 고기나 생선은 없다.
□ 郵便局(ゆうびんきょく) 우체국 ≒ きってや はがきを 売(う)って いる ところ 우표나 엽서를 파는 곳	郵便局(ゆうびんきょく)は どこですか。 우체국은 어디입니까? ≒ きってや はがきを 売(う)って いる ところは どこですか。 우표나 엽서를 팔고 있는 곳은 어디입니까?
□ 両親(りょうしん) 양친, 부모님 ≒ 父(ちち)と 母(はは) 아버지와 어머니	両親(りょうしん)は いっしょに 旅行(りょこう)に 行(い)きました。 부모님은 함께 여행 갔습니다. ≒ 父(ちち)と 母(はは)は いっしょに 旅行(りょこう)に 行(い)きました。 아버지와 어머니는 함께 여행 갔습니다.

2: い·な형용사

비슷한 어휘나 반의어의 부정 표현이 제시된다.

□ 明(あか)るい 밝다 ≒ 暗(くら)く ない 어둡지 않다	本(ほん)は 明(あか)るい ところで 読(よ)みます。 책은 밝은 곳에서 읽습니다. ≒ 本(ほん)は 暗(くら)く ない ところで 読(よ)みます。 책은 어둡지 않은 곳에서 읽습니다.
□ 忙(いそが)しい 바쁘다 ≒ 暇(ひま)では ない 한가하지 않다 ≒ 時間(じかん)が ない 시간이 없다	この ごろ 忙(いそが)しくて 友(とも)だちに 会(あ)えなかった。 요즘 바빠서 친구를 만나지 못했다. ≒ この ごろ 暇(ひま)では なくて 友(とも)だちに 会(あ)えなかった。 요즘 한가하지 않아서 친구를 만나지 못했다. ≒ この ごろ 時間(じかん)が なくて 友(とも)だちに 会(あ)えなかった。 요즘 시간이 없어서 친구를 만나지 못했다.
□ うるさい 시끄럽다 ≒ しずかでは ない 조용하지 않다	駅(えき)の 近(ちか)くは 夜遅(よるおそ)くまで うるさいです。 역 근처는 밤 늦게까지 시끄럽습니다. ≒ 駅(えき)の 近(ちか)くは 夜遅(よるおそ)くまで しずかじゃ ありません。 역 근처는 밤늦게까지 조용하지 않습니다.
□ 大(おお)きい 크다 ≒ 広(ひろ)い 넓다	子(こ)どもたちは 大(おお)きい 公園(こうえん)で 遊(あそ)んで います。 아이들은 큰 공원에서 놀고 있습니다. ≒ 子(こ)どもたちは 広(ひろ)い 公園(こうえん)で 遊(あそ)んで います。 아이들은 넓은 공원에서 놀고 있습니다.
□ 重(おも)い 무겁다 ≒ 軽(かる)く ない 가볍지 않다 ≒ 一人(ひとり)では 持(も)てない 혼자서는 들 수 없다	その かばんは 重(おも)いです。 그 가방은 무겁습니다. ≒ その かばんは 軽(かる)く ないです。 그 가방은 가볍지 않습니다. ≒ その かばんは 一人(ひとり)では 持(も)てません。 그 가방은 혼자서는 들 수 없습니다.
□ 汚(きたな)い 더럽다 ≒ きれいでは ない 깨끗하지 않다	汚(きたな)い へやを そうじした。 더러운 방을 청소했다. ≒ きれいでは ない へやを そうじした。 깨끗하지 않은 방을 청소했다.

もんだい 4 유의 표현 출제 예상 어휘

□ 好(す)きだ 좋아하다 ≒ きらいでは ない 싫지 않다	果物(くだもの)は 好(す)きですが 野菜(やさい)は 好(す)きじゃ ないです。 과일은 좋아하지만 채소는 좋아하지 않습니다. ≒ 果物(くだもの)は きらいじゃ ないですが 野菜(やさい)は きらいです。 과일은 싫어하지 않지만 채소는 싫어합니다.
□ つまらない 재미없다, 지루하다, 따분하다 ≒ おもしろく ない 재미있지 않다	つまらない 映画(えいが)は 見(み)たく ないです。 따분한 영화는 보고 싶지 않습니다. ≒ おもしろく ない 映画(えいが)は 見(み)たく ないです。 재미없는 영화는 보고 싶지 않습니다.
□ にぎやかだ 떠들썩하다, 번화하다, 북적이다 ≒ 人(ひと)が たくさん いる 사람이 많이 있다	日(にち)よう日(び)の デパートは にぎやかです。 일요일의 백화점은 북적입니다. ≒ 日(にち)よう日(び)の デパートは 人(ひと)が たくさん います。 일요일의 백화점은 사람이 많이 있습니다.
□ 下手(へた)だ 잘 못하다 ≒ 上手(じょうず)では ない 잘하지는 못하다 ≒ うまく ない 잘하지 못하다	サッカーは 下手(へた)でも 好(す)きです。 축구는 잘 못해도 좋아합니다. ≒ サッカーは 上手(じょうず)では なくても 好(す)きです。 축구는 잘하지는 못해도 좋아합니다. ≒ サッカーは うまく なくても 好(す)きです。 축구는 잘하지 못해도 좋아합니다.
□ まずい 맛없다 ≒ おいしく ない 맛있지 않다	まずくて 食(た)べたく ないです。 맛없어서 먹고 싶지 않습니다. ≒ おいしく ないから 食(た)べたく ないです。 맛있지 않아서 먹고 싶지 않습니다.
□ やさしい 쉽다 ≒ かんたんだ 간단하다 ≒ 難(むずか)しく ない 어렵지 않다	昨日(きのう)の テストは やさしかったです。 어제의 시험은 쉬웠습니다. ≒ 昨日(きのう)の テストは かんたんでした。 어제의 시험은 간단했습니다. ≒ 昨日(きのう)の テストは 難(むずか)しく なかったです。 어제의 시험은 어렵지 않았습니다.

3: 동사

다른 동사를 사용한 문장을 제시하거나 「~する ~하다」 형태의 표현이 제시된다.

□ Aは Bに ○○を 教(おし)える A는 B에게 ○○를 가르친다 ≒ Bは Aに ○○を 習(なら)う B는 A에게 ○○를 배운다	山田(やまだ)さんは シンさんに ピアノを 教(おし)えます。 야마다 씨는 신 씨에게 피아노를 가르칩니다. ≒ シンさんは 山田(やまだ)さんに ピアノを 習(なら)います。 신 씨는 야마다 씨에게 피아노를 배웁니다.
□ Aは Bに ○○をあげる A는 B에게 ○○를 준다 ≒ Bは Aに ○○を もらう B는 A에게 ○○를 받는다	父(ちち)は 弟(おとうと)に 時計(とけい)を あげました。 아버지는 남동생에게 시계를 주었습니다. ≒ 弟(おとうと)は 父(ちち)に 時計(とけい)を もらいました。 남동생은 아버지에게 시계를 받았습니다.
□ Aは Bに ○○を借(か)りる A는 B에게 ○○를 빌린다 ≒ Bは Aに ○○を 貸(か)す B는 A에게 ○○를 빌려준다	私(わたし)は 友(とも)だちに じてんしゃを 借(か)りました。 나는 친구에게 자전거를 빌렸습니다. ≒ 友(とも)だちは 私(わたし)に じてんしゃを 貸(か)しました。 친구는 나에게 자전거를 빌려주었습니다.
□ 歩(ある)く 걷다 ≒ 散歩(さんぽ)する 산책하다	朝(あさ) はやく 公園(こうえん)を 歩(ある)きました。 아침 일찍 공원을 걸었습니다. ≒ 朝(あさ) はやく 公園(こうえん)を 散歩(さんぽ)しました。 아침 일찍 공원을 산책했습니다.
□ 急(いそ)ぐ 서두르다 ≒ 早(はや)く する 빨리 하다	時間(じかん)が ないから 急(いそ)いで ください。 시간이 없으니 서둘러 주세요. ≒ 時間(じかん)が ないから 早(はや)く して ください。 시간이 없으니 빨리 해 주세요.
□ 洗濯(せんたく)する 세탁하다, 빨래하다 ≒ 服(ふく)を 洗(あら)う 옷을 빨다	家(いえ)に 帰(かえ)って 洗濯(せんたく)しました。 집에 돌아와서 빨래했습니다. ≒ 家(いえ)に 帰(かえ)って 服(ふく)を 洗(あら)いました。 집에 돌아와서 옷을 빨았습니다.
□ そうじする 청소하다 ≒ きれいに する 깨끗하게 하다	今(いま)から へやを そうじします。 지금부터 방을 청소하겠습니다. ≒ 今(いま)から へやを きれいに します。 지금부터 방을 깨끗하게 하겠습니다.

もんだい4 유의 표현 출제 예상 어휘

□ 出(で)かけた 외출했다 ≒ 家(いえ)に いない 집에 없다	母(はは)は 少(すこ)し 前(まえ)に 出(で)かけました。 어머니는 조금 전에 외출했습니다. ≒ 母(はは)は 今(いま) 家(いえ)に いません。 어머니는 지금 집에 없습니다.
□ 電気(でんき)を 消(け)す 전깃불을 끄다 ≒ 暗(くら)く する 어둡게 하다	寝(ね)る 時(とき)は へやの 電気(でんき)を 消(け)します。 잘 때는 방의 전깃불을 끕니다. ≒ 寝(ね)る 時(とき)は へやを 暗(くら)く します。 잘 때는 방을 어둡게 합니다.
□ 電気(でんき)を つける 전깃불을 켜다 ≒ 明(あか)るく する 밝게 하다	電気(でんき)を つけて テレビを 見(み)ましょう。 불을 켜고 텔레비전을 봅시다. ≒ 明(あか)るく して テレビを 見(み)ましょう。 밝게 하고 텔레비전을 봅시다.
□ 電話(でんわ)する 전화하다 ≒ 電話(でんわ)を かける 전화를 걸다	今日(きょう)、両親(りょうしん)に 電話(でんわ)しました。 오늘 부모님께 전화했습니다. ≒ 今日(きょう)、両親(りょうしん)に 電話(でんわ)を かけました。 오늘 부모님께 전화를 걸었습니다.
□ 習(なら)う 배우다, 익히다 ≒ 勉強(べんきょう)する 공부하다	授業(じゅぎょう)で 作文(さくぶん)と 漢字(かんじ)を 習(なら)いました。 수업에서 작문과 한자를 배웠습니다. ≒ 授業(じゅぎょう)で 作文(さくぶん)と 漢字(かんじ)を 勉強(べんきょう)しました。 수업에서 작문과 한자를 공부했습니다.
□ 働(はたら)く 일하다 ≒ 仕事(しごと)を する 일을 하다	今(いま)、銀行(ぎんこう)で 働(はたら)いて います。 지금 은행에서 일하고 있습니다. ≒ 今(いま)、銀行(ぎんこう)で 仕事(しごと)を して います。 지금 은행에서 일을 하고 있습니다.
□ ふろに 入(はい)る 목욕을 하다 ≒ シャワーを 浴(あ)びる 샤워를 하다	ごはんより 先(さき)に ふろに 入(はい)った。 식사보다 먼저 목욕을 했다. ≒ ごはんより 先(さき)に シャワーを 浴(あ)びた。 식사보다 먼저 샤워를 했다.

□ 休(やす)む 쉬다 ≒ 仕事(しごと)を しない 일을 하지 않다 ≒ 学校(がっこう)に 行(い)かない 학교에 가지 않다 ≒ 何(なに)も しない 아무것도 하지 않다	頭(あたま)が 痛(いた)くて 休(やす)みました。 머리가 아파서 쉬었습니다. ≒ 頭(あたま)が 痛(いた)くて 仕事(しごと)を しませんでした。 머리가 아파서 일을 하지 않았습니다. ≒ 頭(あたま)が 痛(いた)くて 学校(がっこう)に 行(い)きませんでした。 머리가 아파서 학교에 가지 않았습니다. ≒ 頭(あたま)が 痛(いた)くて 何(なに)も しませんでした。 머리가 아파서 아무것도 하지 않았습니다.

もんだい 4 유의 표현 기출 어휘

あ

- □ いい 天気(てんき)です 좋은 날씨입니다 ≒ 晴(は)れです 맑습니다
- □ いすの そば 의자 옆 ≒ いすの よこ 의자 옆
- □ うるさい 시끄럽다 ≒ しずかじゃ ない 조용하지 않다
- □ お手洗(てあら)い 화장실 ≒ トイレ 화장실
- □ おもしろく なかった 재미있지 않았다 ≒ つまらなかった 따분했다, 재미없었다

か

- □ 学校(がっこう)を 休(やす)みました 학교를 쉬었습니다 ≒ 学校(がっこう)へ 行(い)きませんでした 학교에 가지 않았습니다
- □ 軽(かる)いです 가볍습니다 ≒ 重(おも)く ありません 무겁지 않습니다
- □ きたないです 더럽습니다 ≒ きれいじゃ ありません 깨끗하지 않습니다
- □ きっさてんに 行(い)きました 찻집에 갔습니다 ≒ コーヒーを 飲(の)みに 行(い)きました 커피를 마시러 갔습니다
- □ 今日(きょう)は 五日(いつか)です。あさってから 学校(がっこう)は 休(やす)みです 오늘은 5일입니다. 내일모레부터 학교는 휴일입니다 ≒ 休(やす)みは 七日(なのか)からです 휴일은 7일부터입니다
- □ くだもの 과일 ≒ りんごや バナナ 사과나 바나나 / りんごや みかん 사과나 귤
- □ 暗(くら)いです 어둡습니다 ≒ 明(あか)るく ないです 밝지 않습니다

□ 今朝(けさ) 오늘 아침 ≒ 今日(きょう)の 朝(あさ) 오늘 아침

□ ご飯(はん) 밥 ≒ 料理(りょうり) 요리

さ

□ 散歩(さんぽ)して います 산책하고 있습니다 ≒ 歩(ある)いて います 걷고 있습니다

□ しずかじゃ ありませんでした 조용하지 않았습니다 ≒ うるさかったです 시끄러웠습니다

□ 洗濯(せんたく)しました 세탁(빨래)했습니다 ≒ 服(ふく)を 洗(あら)いました 옷을 빨았습니다

□ そうじしました 청소했습니다 ≒ 部屋(へや)が きれいです 방이 깨끗합니다

□ 祖父(そふ) 조부, 할아버지 ≒ 父(ちち)の 父(ちち) 아버지의 아버지

□ 祖母(そぼ) 조모, 할머니 ≒ おばあさん 할머니 / 父(ちち)の 母(はは) 아버지의 어머니

た

□ 台(だい)どころ 부엌 ≒ 料理(りょうり)を する ところ 요리를 하는 곳

□ たてもの 건물 ≒ ビル 빌딩

□ 田中(たなか)さんは リーさんに 作文(さくぶん)を 教(おし)えました 다나카 씨는 리 씨에게 작문을 가르쳤습니다 ≒ リーさんは 田中(たなか)さんに 作文(さくぶん)を 習(なら)いました 리 씨는 다나카 씨에게 작문을 배웠습니다

もんだい 4 유의 표현 기출 어휘

□ 誕生日(たんじょうび)は 6月15日(ろくがつじゅうごにち)です 생일은 6월 15일입니다	≒ 6月15日(ろくがつじゅうごにち)に 生(う)まれました 6월 15일에 태어났습니다
□ ちょっと 조금	≒ 少(すこ)し 조금
□ つまらない 재미없다, 따분하다	≒ おもしろく ない 재미있지 않다
□ 動物(どうぶつ) 동물	≒ 犬(いぬ)や 猫(ねこ) 개나 고양이
□ 図書館(としょかん) 도서관	≒ 本(ほん)や 雑誌(ざっし)を かりる ところ 책이나 잡지를 빌리는 곳 本(ほん)を 借(か)りる ところ 책을 빌리는 곳

な

□ 習(なら)いました 배웠습니다	≒ 勉強(べんきょう)しました 공부했습니다
□ 二年前(にねんまえ) 2년 전	≒ おととし 재작년
□ 飲(の)み物(もの) 마실 것, 음료	≒ ジュースや ぎゅうにゅう 주스나 우유

は

□ 働(はたら)いて いる 일하고 있다	≒ 仕事(しごと)を して いる 일을 하고 있다
□ ひまでした 한가했습니다	≒ いそがしく なかったです 바쁘지 않았습니다
□ 広(ひろ)い 넓다	≒ 大(おお)きい 크다

□ 二日前(ふつかまえ) 이틀 전 ≒ おととい 그저께

□ 下手(へた)だ 서툴다, 잘 못하다 ≒ 上手(じょうず)じゃ ない 능숙하지 않다

ま

□ 毎晩(まいばん) 매일 밤 ≒ 毎日(まいにち) 夜(よる) 매일 밤

夜(よる)は いつも 밤에는 항상

□ まずい 맛없다 ≒ おいしく ない 맛있지 않다

や

□ やさしいです 쉽습니다 ≒ かんたんです 간단합니다

□ 郵便局(ゆうびんきょく) 우체국 ≒ きってや はがきを 売(う)って いる ところ 우표나 엽서를 팔고 있는 곳

□ 有名(ゆうめい)です 유명합니다 ≒ みんな 知(し)って います 모두 알고 있습니다

ら

□ リーさんは もりさんに ペンを 貸(か)しました
리 씨는 모리 씨에게 펜을 빌려주었습니다
≒ もりさんは リーさんに ペンを 借(か)りました
모리 씨는 리 씨에게 펜을 빌렸습니다

□ 両親(りょうしん) 양친, 부모님 ≒ 父(ちち)と 母(はは) 아버지와 어머니

もんだい 4 유의 표현 연습문제 ①

해설편 21p

もんだい 4　＿＿＿の　ぶんと　だいたい　おなじ　いみの　ぶんが　あります。1・2・3・4 から　いちばん　いい　ものを　ひとつ　えらんで　ください。

1　けさ　ゆきが　ふりました。

1 きょうの　あさ　ゆきが　ふりました。
2 きょうの　ひる　ゆきが　ふりました。
3 きのうの　あさ　ゆきが　ふりました。
4 きのうの　ひる　ゆきが　ふりました。

2　かんじの　しけんは　むずかしく　なかったです。

1 かんじの　しけんは　やすかったです。
2 かんじの　しけんは　やすく　なかったです。
3 かんじの　しけんは　やさしかったです。
4 かんじの　しけんは　やさしく　なかったです。

3　さとうさんは　リサさんに　にほんごを　おしえます。

1 さとうさんに　にほんごを　おしえます。
2 さとうさんは　にほんごを　ならいます。
3 さとうさんに　にほんごを　ならいます。
4 さとうさんは　にほんごを　べんきょうします。

4　めがねを　かけて　はなして　いる　ひとが　せんせいです。

1 せんせいは　めがねを　もって　いる　ひとです。
2 せんせいは　めがねを　さわって　いる　ひとです。
3 せんせいは　めがねを　みて　いる　ひとです。
4 せんせいは　めがねを　つかって　いる　ひとです。

もんだい 4 유의 표현 연습문제 ②

해설편 22p

もんだい 4　＿＿＿の　ぶんと　だいたい　おなじ　いみの　ぶんが　あります。1・2・3・4 から　いちばん　いい　ものを　ひとつ　えらんで　ください。

1　へやを　そうじしました。

1　へやを　おおきく　しました。

2　へやを　きれいに　しました。

3　へやを　ひろく　しました。

4　へやを　あかるく　しました。

2　はらださんは　でかけました。

1　はらださんは　ねて　います。

2　はらださんは　やすんで　います。

3　はらださんは　いえに　いません。

4　はらださんは　としょかんに　いません。

3　じかんが　ないから　いそいで　ください。

1　じかんが　ないから　やめて　ください。

2　じかんが　ないから　かえって　ください。

3　じかんが　ないから　はやく　して　ください。

4　じかんが　ないから　あとに　して　ください。

4　おんがくを　ききながら　りょうりします。

1　りょうりする　とき　おんがくを　ききます。

2　りょうりしてから　おんがくを　ききます。

3　おんがくを　きいてから　りょうりします。

4　おんがくを　きいたり　りょうりしたり　します。

Ⅱ 실전문제 익히기

もんだい 1　한자 읽기
もんだい 2　표기
もんだい 3　문맥 규정
もんだい 4　유의 표현

もんだい1 한자 읽기 실전문제 ①

해설편 24p

もんだい1 ＿＿＿の ことばは ひらがなで どう かきますか。1・2・3・4から いちばん いい ものを ひとつ えらんで ください。

1 頭が いたくて びょういんに いきました。

1 かお 2 あたま 3 はな 4 おなか

2 でんしゃは 11じに とうきょう駅に つきます。

1 えき 2 みち 3 みせ 4 まど

3 おなかが 痛い ときは くすりを のんで はやく ねます。

1 いたい 2 おもい 3 わるい 4 よわい

4 あの 信号で みぎに まがります。

1 じんごう 2 じんこう 3 しんごう 4 しんこう

5 午後は プールで およぎます。

1 ごぜん 2 ごご 3 ごごう 4 ごあと

6 あきは 果物が おいしく なります。

1 かもの 2 くだもの 3 かじつ 4 くだじつ

7 もう 10じだから いえに 帰ります。

1 おくります 2 かえります 3 はいります 4 わかります

8 この しゃしんの ひとたちは わたしの 大切な かぞくです。

1 にぎやかな 2 べんりな 3 しんせつな 4 たいせつな

9 おばあさんは うちの 隣に すんで います。

1 みぎ 2 ひだり 3 となり 4 そば

10 テストは しちがつ 六日からです。

1 ろくにち 2 ろっか 3 むっか 4 むいか

もんだい 1 ＿＿＿の ことばは ひらがなで どう かきますか。1・2・3・4から いちばん いい ものを ひとつ えらんで ください。

1 スーパーで 魚が とても やすかったです。
1 にく 2 ふく 3 さかな 4 さしみ

2 両親は いなかで すんで います。
1 そうしん 2 そうおや 3 りょうしん 4 りょうおや

3 ちちが たんじょうびの プレゼントに 時計を くれました。
1 じけい 2 とけい 3 じしん 4 としん

4 やさいを 買って かえります。
1 あらって 2 もって 3 つかって 4 かって

5 さかなは あまり 好きじゃ ないです。
1 すき 2 げんき 3 いき 4 さき

6 ここには 古い おてらが あります。
1 まるい 2 たかい 3 ながい 4 ふるい

7 この おべんとうは 六百円です。
1 ろくひゃくえん 2 ろっひゃくえん
3 ろっぴゃくえん 4 ろっびゃくえん

8 あさ 早く おきて こうえんで うんどうを します。
1 からく 2 あまく 3 おそく 4 はやく

9 にわに 赤い はなが さいて います。
1 しろい 2 くろい 3 あかい 4 あおい

10 学校の となりに びょういんが あります。
1 がっこう 2 かっこう 3 がこう 4 かこう

もんだい 2 표기 실전문제 ①

해설편 28p

もんだい 2 ＿＿＿の ことばは どう かきますか。1・2・3・4から いちばん いい ものを ひとつ えらんで ください。

1 この みせの らーめんは とても おいしいです。

1 ラーメソ　2 ラーメン　3 ラーヌソ　4 ラーヌン

2 チンさんの かいしゃは どこですか。

1 会社　2 会杜　3 公社　4 公杜

3 デパートより スーパーの ほうが やすく かえます。

1 広く　2 守く　3 宮く　4 安く

4 レストランは ごぜん 10じまでは あきません。

1 空きません　2 引きません　3 開きません　4 置きません

5 たなかさんの へやは あたらしくて とても きれいです。

1 楽しくて　2 涼しくて　3 新しくて　4 忙しくて

6 きのうは しごとが いそがしくて たいへんでした。

1 元気　2 大変　3 大切　4 丈夫

7 りゅうがくする ために べんきょうを して います。

1 修学　2 入学　3 進学　4 留学

8 ここから えきまで あるいて 5ふんぐらいです。

1 歩いて　2 書いて　3 置いて　4 着いて

9 この くるまは でんきでも はしる ことが できます。

1 電来　2 電気　3 伝来　4 伝気

10 わたしは えいごが へたですから あまり すきでは ありません。

1 小手　2 大手　3 上手　4 下手

もんだい 2 표기 실전문제 ②

해설편 30p

もんだい 2 ＿＿＿の ことばは どう かきますか。1・2・3・4から いちばん いい ものを ひとつ えらんで ください。

1 あめりかに いった ことが ありますか。

1 アヌリカ　2 アメリカ　3 アマリカ　4 アフリカ

2 しごとが いそがしくて へやの そうじは 1しゅうかんに 1かいです。

1 会屋　2 外屋　3 部屋　4 中屋

3 しがつから えいごの がっこうに かよって います。

1 過って　2 道って　3 通って　4 送って

4 あさから つよい あめが ふって います。

1 強い　2 長い　3 弱い　4 遅い

5 ひるごはんは まいにち あの しょくどうで たべます。

1 植道　2 食道　3 植堂　4 食堂

6 この ことばは かんじで どう かきますか。

1 間字　2 漢字　3 感字　4 韓字

7 からい ものは からだに よく ないです。

1 速い　2 早い　3 辛い　4 甘い

8 ここでは たばこを すわないで ください。

1 使わないで　2 言わないで　3 会わないで　4 吸わないで

9 せまい いえの なかより そとで あそびたいです。

1 狭い　2 長い　3 暗い　4 遠い

10 わたしの あには せんせいで おとうとは かいしゃいんです。

1 回社員　2 会社員　3 回社貝　4 会社貝

もんだい 3 문맥 규정 실전문제 ①

해설편 32p

もんだい 3 （　　　）に　なにが　はいりますか。1・2・3・4から　いちばん　いい　ものを　ひとつ　えらんで　ください。

1 えんぴつを　1（　　　）かして　ください。

1 ぼん　2 ぽん　3 ばい　4 ぱい

2 1かいから　30かいまで（　　　）で　1ぷんも　かかりませんでした。

1 タクシー　2 バス　3 エレベーター　4 インターネット

3 これから　いっしょに　えいがを（　　　）。

1 はいりませんか　2 かいませんか　3 みませんか　4 とりませんか

4 スマホも（　　　）も　なくて　じかんが　わかりません。

1 かぎ　2 じしょ　3 つくえ　4 とけい

5 きょうの　テストは（　　　）もんだいが　おおかったです。

1 うつくしい　2 まるい　3 むずかしい　4 おそい

6 わたしは（　　　）とき　えを　かきます。

1 ひまな　2 へたな　3 しずかな　4 にぎやかな

7 A「きょうは　あめは（　　　）ですね。」
B「はい、とても　いい　てんきですよ。」

1 こない　2 あびない　3 さかない　4 ふらない

8 めがねを（　　　）テレビを　みます。

1 しめて　2 かけて　3 ぬいで　4 はいて

9 あしたは　テストですから（　　　）に　べんきょうします。

1 いっしょうけんめい　2 すぐ　3 まっすぐ　4 すこし

10 この　にくを（　　　）きって　ください。

1 あまく　2 にがく　3 からく　4 うすく

もんだい 3 문맥 규정 실전문제 ②

해설편 34p

もんだい 3 （　　　）に　なにが　はいりますか。1・2・3・4から　いちばん　いい　ものを　ひとつ　えらんで　ください。

1 いえの　ちかくに（　　　）が　あって　べんりです。

1 トイレ　2 コンビニ　3 アパート　4 ロビー

2 これを　10（　　　）コピーして　ください。

1 かい　2 だい　3 ひき　4 まい

3 こうえんに　さんぽして　いる　ひとが（　　　）いました。

1 ちょうど　2 たくさん　3 たいへん　4 もっと

4 きのうの　ごごは　としょかんで（　　　）いました。

1 うんどうして　2 りゅうがくして
3 べんきょうして　4 りょこうして

5 あたらしく　できた　カフェは（　　　）しずかです。

1 すくなくて　2 ひろくて　3 ながくて　4 ふるくて

6 がいこくに　すむ　ともだちが　にほんに（　　　）きました。

1 あるきに　2 なおりに　3 あそびに　4 がんばりに

7 みちが　わからないから（　　　）で　ききました。

1 たてもの　2 だいどころ　3 こうえん　4 こうばん

8 テストは　えんぴつで　かきます。ボールペンは（　　　）ください。

1 つくらないで　2 かかないで　3 つかわないで　4 けさないで

9 しゅうまつは（　　　）やすみたいです。

1 ゆっくり　2 あまり　3 だんだん　4 まだ

10 ぼうしを（　　　）いる　ひとが　わたしの　あねです。

1 かけて　2 かえって　3 かかって　4 かぶって

もんだい 4 유의 표현 실전문제 ①

해설편 36p

もんだい 4 ＿＿＿の　ぶんと　だいたい　おなじ　いみの　ぶんが　あります。1・2・3・4 から　いちばん　いい　ものを　ひとつ　えらんで　ください。

1 りょうしんは　えいごの　せんせいです。

1 あにと　おとうとは　えいごの　せんせいです。

2 ちちと　ははは　えいごの　せんせいです。

3 おじさんと　おばさんは　えいごの　せんせいです。

4 ともだちは　えいごの　せんせいです。

2 あの、おてあらいは　どこでしょうか。

1 あの、おふろは　どこに　ありますか。

2 あの、トイレは　どこに　ありますか。

3 あの、でる　ところは　どこに　ありますか。

4 あの、はいる　ところは　どこに　ありますか。

3 つくえの　うえは　きたないです。

1 つくえの　うえは　あまり　つかわないです。

2 つくえの　うえは　せまく　ないです。

3 つくえの　うえは　なにも　ないです。

4 つくえの　うえは　きれいじゃ　ないです。

4 いえを　でる　とき　かぎを　かけませんでした。

1 いえの　ドアが　あいて　います。

2 いえの　ドアが　しまって　います。

3 いえの　でんきが　ついて　います。

4 いえの　でんきが　ついて　いません。

もんだい 4 유의 표현 실전문제 ②

해설편 37p

もんだい 4 ＿＿＿の ぶんと だいたい おなじ いみの ぶんが あります。1・2・3・4 から いちばん いい ものを ひとつ えらんで ください。

1 くだものを かって きました。

1 たまごを かって きました。

2 コーヒーを かって きました。

3 いちごを かって きました。

4 おかしを かって きました。

2 まいあさ こうえんを さんぽします。

1 きょうの あさ こうえんを さんぽします。

2 あしたの あさ こうえんを さんぽします。

3 あさは すぐに こうえんを さんぽします。

4 あさは いつも こうえんを さんぽします。

3 あしたまで かいしゃは やすみです。

1 あしたまで しごとは しません。

2 あしたまで しごとを して います。

3 あしたまで しごとが いそがしいです。

4 あしたまで しごとは おわりません。

4 おふろに はいった あと ごはんを たべます。

1 トイレに いってから ごはんを たべます。

2 トイレに いく まえに ごはんを たべます。

3 シャワーを あびてから ごはんを たべます。

4 シャワーを あびる まえに ごはんを たべます。

Part 2

JLPT N5

Part 2

문법

Ⅰ 문제 유형 파악하기

품사별 기본 활용

학습 포인트

문법 파트에서는 조사, 부사, 기능어 등을 묻는 문제가 출제되며, 특히 기능어는 정해진 접속 형태가 있기 때문에 각 품사별 기본 활용을 확실하게 익혀 두어야 쓰임새와 의미를 정확히 파악할 수 있다. 기본 활용형을 학습한 후 각 파트별 문제에 대비하도록 하자.

1 명사

기본 활용 형태

구분	접속 방법		활용 예
긍정 ~이다 ~입니다	보통체	명사 + だ	学生(がくせい)だ 학생이다
	정중체	명사 + です	学生(がくせい)です 학생입니다
부정 ~이 아니다 ~이 아닙니다	보통체	명사 + では ない = じゃ ない	学生(がくせい)では ない = 学生(がくせい)じゃ ない 학생이 아니다
	정중체	명사 + では ありません = じゃ ないです	学生(がくせい)では ありません = 学生(がくせい)じゃ ないです 학생이 아닙니다
과거 ~이었다 ~이었습니다	보통체	명사 + だった	学生(がくせい)だった 학생이었다
	정중체	명사 + でした = だったです	学生(がくせい)でした = 学生(がくせい)だったです 학생이었습니다
과거 부정 ~이 아니었다 ~이 아니었습니다	보통체	명사 + では なかった = じゃ なかった	学生(がくせい)では なかった = 学生(がくせい)じゃ なかった 학생이 아니었다
	정중체	명사 + では ありませんでした = じゃ なかったです	学生(がくせい)では ありませんでした = 学生(がくせい)じゃ なかったです 학생이 아니었습니다
명사 수식 ~의	명사 + の		学生(がくせい)の 학생의
연결/이유 ~이고 ~이어서	명사 + で		学生(がくせい)で 학생이고 / 학생이어서

동사

1. 동사의 종류 및 활용

- **1그룹 동사**: ① る로 끝나지 않는 모든 동사 「う·く·ぐ·す·つ·ぬ·ぶ·む」로 끝나는 동사
  ② る로 끝나면서 る 바로 앞 모음이 [a], [u], [o]인 동사 「あ·う·お단」+「る」
- **2그룹 동사**: る로 끝나면서 る 바로 앞 모음이 [i]나 [e]인 동사 「い·え단」+「る」
- **3그룹 동사**: 불규칙 활용 동사로 「する 하다」, 「来(く)る 오다」 두 가지가 있음

활용 형태

활용 형태	접속 방법			활용 예: 기본형	→	활용형
긍정형	1그룹	보통체	기본형과 동일	会(あ)う 만나다		
	2그룹			食(た)べる 먹다		
	3그룹			する 하다		
				来(く)る 오다		
	1그룹	정중체 (ます형)	어미 う단→い단 + ます	会(あ)う	→	会(あ)います 만납니다
	2그룹		어미 る + ます	食(た)べる	→	食(た)べます 먹습니다
	3그룹		불규칙 활용으로 그대로 암기	する	→	します 합니다
			불규칙 활용으로 그대로 암기	来(く)る	→	来(き)ます 옵니다
부정형 (ない형)	1그룹	보통체	어미 う단→あ단 + ない	会(あ)う	→	会(あ)わない 만나지 않는다
		정중체	어미 う단→い단 + ません	会(あ)う	→	会(あ)いません 만나지 않습니다
	2그룹	보통체	어미 る + ない	食(た)べる	→	食(た)べない 먹지 않는다
		정중체	어미 る + ません	食(た)べる	→	食(た)べません 먹지 않습니다
	3그룹	보통체	불규칙 활용으로 그대로 암기	する	→	しない 하지 않는다
				来(く)る	→	来(こ)ない 오지 않는다
		정중체	불규칙 활용으로 그대로 암기	する	→	しません 하지 않습니다
				来(く)る	→	来(き)ません 오지 않습니다

활용 형태	접속 방법			활용 예		
				기본형	→	활용형
과거형 (た형)	1그룹	보통체	**어미에 따라 변형**			
			う / つ / る → った	会(あ)う	→	会(あ)った 만났다
			く → いた	書(か)く	→	書(か)いた 썼다
			ぐ → いだ	泳(およ)ぐ	→	泳(およ)いだ 수영했다
			す → した	話(はな)す	→	話(はな)した 이야기했다
			ぬ·ぶ·む → んだ	読(よ)む	→	読(よ)んだ 읽었다
			예외 く → った	行(い)く	→	行(い)った 갔다
		정중체	어미 う단→い단 + ました	会(あ)う	→	会(あ)いました 만났습니다
	2그룹	보통체	어미 る + た	食(た)べる	→	食(た)べた 먹었다
		정중체	어미 る + ました	食(た)べる	→	食(た)べました 먹었습니다
	3그룹	보통체	불규칙 활용으로 그대로 암기	する	→	した 했다
				来(く)る	→	来(き)た 왔다
		정중체	불규칙 활용으로 그대로 암기	する	→	しました 했습니다
				来(く)る	→	来(き)ました 왔습니다
과거 부정형	1그룹	보통체	어미 う단→あ단 + なかった	会(あ)う	→	会(あ)わなかった 만나지 않았다
		정중체	어미 う단→い단 + ませんでした	会(あ)う	→	会(あ)いませんでした 만나지 않았습니다
	2그룹	보통체	어미 る + なかった	食(た)べる	→	食(た)べなかった 먹지 않았다
		정중체	어미 る + ませんでした	食(た)べる	→	食(た)べませんでした 먹지 않았습니다
	3그룹	보통체	불규칙 활용으로 그대로 암기	する	→	しなかった 하지 않았다
				来(く)る	→	来(こ)なかった 오지 않았다
		정중체	불규칙 활용으로 그대로 암기	する	→	しませんでした 하지 않았습니다
				来(く)る	→	来(き)ませんでした 오지 않았습니다

연결/이유 (て형)	1그룹	**어미에 따라 변형** う / つ / る → って く → いて ぐ → いで す → して ぬ·ぶ·む → んで 예외 く → って	会(あ)う → 会(あ)って 만나고/만나서 書(か)く → 書(か)いて 쓰고/써서 泳(およ)ぐ → 泳(およ)いで 수영하고/수영해서 話(はな)す → 話(はな)して 이야기하고/이야기해서 読(よ)む → 読(よ)んで 읽고/읽어서 行(い)く → 行(い)って 가고/가서
	2그룹	어미 る + て	食(た)べる → 食(た)べて 먹고/먹어서
	3그룹	불규칙 활용으로 그대로 암기	する → して 하고/해서 来(く)る → 来(き)て 오고/와서
진행형	1, 2, 3 그룹	보통체: て형 + いる	読(よ)む → 読(よ)んで いる 읽고 있다 食(た)べる → 食(た)べて いる 먹고 있다 する → して いる 하고 있다 来(く)る → 来(き)て いる 오고 있다
		정중체: て형 + います	読(よ)む → 読(よ)んで います 읽고 있습니다 食(た)べる → 食(た)べて います 먹고 있습니다 する → して います 하고 있습니다 来(く)る → 来(き)て います 오고 있습니다
명사 수식형	1, 2, 3 그룹	**보통체** 기본형 부정형 과거형 진행형 + 명사	会(あ)う → 会(あ)う 人(ひと) 만나는 사람 会(あ)わない 人(ひと) 만나지 않는 사람 会(あ)った 人(ひと) 만난 사람 会(あ)って いる 人(ひと) 만나고 있는 사람
			食(た)べる → 食(た)べる 人(ひと) 먹는 사람 食(た)べない 人(ひと) 먹지 않는 사람 食(た)べた 人(ひと) 먹은 사람 食(た)べて いる 人(ひと) 먹고 있는 사람
			する → する 人(ひと) 하는 사람 しない 人(ひと) 하지 않는 사람 した 人(ひと) 한 사람 して いる 人(ひと) 하고 있는 사람
			来(く)る → 来(く)る 人(ひと) 오는 사람 来(こ)ない 人(ひと) 오지 않는 사람 来(き)た 人(ひと) 온 사람 来(き)て いる 人(ひと) 오고 있는 사람

2. 예외 1그룹 동사

2그룹 동사의 형태를 하고 있지만 1그룹 활용을 하는 동사

기본형	정중형	정중 부정형	연결/이유
知(し)る 알다	知(し)ります 압니다	知(し)りません＝知(し)らないです 모릅니다	知(し)って 알고/알아서
帰(かえ)る 돌아가(오)다	帰(かえ)ります 돌아갑(옵)니다	帰(かえ)りません＝帰(かえ)らないです 돌아가지 않습니다	帰(かえ)って 돌아가(오)고/돌아가(와)서
切(き)る 자르다, 끊다	切(き)ります 자릅니다	切(き)りません＝切(き)らないです 자르지 않습니다	切(き)って 자르고/잘라서
入(はい)る 들어가(오)다	入(はい)ります 들어갑(옵)니다	入(はい)りません＝入(はい)らないです 들어가지 않습니다	入(はい)って 들어가(오)고/들어가(와)서
走(はし)る 달리다, 뛰다	走(はし)ります 달립니다	走(はし)りません＝走(はし)らないです 달리지 않습니다	走(はし)って 달리고/달려서
要(い)る 필요하다	要(い)ります 필요합니다	要(い)りません＝要(い)らないです 필요하지 않습니다	–

★ '필요해서/필요하고'라고 할 때에는 な형용사인 「必要(ひつよう)だ 필요하다」의 활용형을 사용

3. 자동사·타동사

구분	종류	활용 예
자동사 목적어를 수반하지 않는 동사 조사는 「が」를 사용	開(あ)く 열리다 閉(し)まる 닫히다 つく 켜지다, 붙다	ドアが 開(あ)く 문이 열리다 窓(まど)が 閉(し)まる 창문이 닫히다 電気(でんき)が つく (전깃)불이 켜지다
타동사 목적어를 수반하는 동사 조사는 「を」를 사용	開(あ)ける 열다 閉(し)める 닫다 つける 켜다, 붙이다	ドアを 開(あ)ける 문을 열다 窓(まど)を 閉(し)める 창문을 닫다 電気(でんき)を つける (전깃)불을 켜다

4. 수수 동사

구분	기본형	아랫사람 · 동식물
주다 **(나 → 남) / (남 → 남)**	あげる 주다	やる 주다
주다 **(남 → 나, 내 측근)**	くれる 주다	
받다 **(나 ← 남) / (남 ← 남)**	もらう 받다	

나 → 남 남 → 남 주다

- 好きな 人に チョコレートを **あげました**。좋아하는 사람에게 초콜릿을 주었습니다.
- 先生が みんなに お菓子を **あげました**。선생님이 모두에게 과자를 주었습니다.
- 母が にわの 花に 水を **やりました**。어머니가 정원의 꽃에 물을 주었습니다.

남 → 나, 내 측근 주다

- 会社で 来年の カレンダーを **くれました**。회사에서 내년 달력을 주었습니다.
- 友だちが 私の 誕生日に プレゼントを **くれました**。친구가 내 생일에 선물을 주었습니다.

나 ← 남 남 ← 남 받다

- 父に 本を **もらいました**。아버지에게 책을 받았습니다.
- 子どもたちは クリスマスに プレゼントを **もらいました**。아이들은 크리스마스에 선물을 받았습니다.

3 い형용사

활용 형태

구분	접속 방법		활용 예
い형용사의 기본형	おいし + い 어간		
긍정 ~이다 ~습니다	보통체	어간 + い(기본형과 동일)	おいしい 맛있다
	정중체	기본형 + です	おいしいです 맛있습니다
부정 ~지 않다 ~지 않습니다	보통체	어간 + く ない	おいしく ない 맛있지 않다
	정중체	어간 + く ありません = く ないです	おいしく ありません = おいしく ないです 맛있지 않습니다
과거 ~이었다 ~이었습니다	보통체	어간 + かった	おいしかった 맛있었다
	정중체	어간 + かったです	おいしかったです 맛있었습니다
과거 부정 ~지 않았다 ~지 않았습니다	보통체	어간 + く なかった	おいしく なかった 맛있지 않았다
	정중체	어간 + く ありま せんでした = く なかったです	おいしく ありませんでした = おいしく なかったです 맛있지 않았습니다

구분	접속 방법	활용 예
명사 수식 ~한/~인	기본형 + 명사	おいしい もの 맛있는 것
연결/이유 ~이고 ~이어서	어간 + くて	おいしくて 맛있고/맛있어서
부사 활용 ~(하)게	어간 + く	おいしく 맛있게

4 な형용사

활용 형태

구분	접속 방법		활용 예
な형용사의 기본형	きれい(어간) + だ		
긍정 ~이다 ~입니다	보통체	어간 + だ(기본형과 동일)	きれいだ 예쁘다
	정중체	어간 + です	きれいです 예쁩니다
부정 ~지 않다 ~지 않습니다	보통체	어간 + では ない = じゃ ない	きれいでは ない = きれいじゃ ない 예쁘지 않다
	정중체	어간 + では ありません = じゃ ないです	きれいでは ありません = きれいじゃ ないです 예쁘지 않습니다
과거 ~이었다 ~이었습니다	보통체	어간 + だった	きれいだった 예뻤다
	정중체	어간 + でした	きれいでした 예뻤습니다
과거 부정 ~지 않았다 ~지 않았습니다	보통체	어간 + では なかった = じゃ なかった	きれいでは なかった = きれいじゃ なかった 예쁘지 않았다
	정중체	어간 + では ありませんでした = じゃ なかったです	きれいでは ありませんでした = きれいじゃ なかったです 예쁘지 않았습니다
명사 수식 ~한/~인	어간 + な + 명사		きれいな もの 예쁜 것
연결/이유 ~이고 ~이어서	어간 + で		きれいで 예쁘고/예뻐서
부사 활용 ~(하)게	어간 + に		きれいに 예쁘게

N5 필수 문법

학습 포인트

N5 문법에서는 주로 조사와 문형을 묻는 문제가 출제된다. 특히 조사 문제는 출제 비중이 높으니 확실히 기억해야 한다. 예문과 함께 접속 형태 및 뜻과 쓰임새를 잘 익혀 두자.

1 조사

001	~か ① [의문] ~까 ② [나열] ~나·이나 ③ ~ㄴ가

예문
① これは なんですか。이것은 무엇입니까?
② 午後(ごごにじ)2時か 3時(さんじ)に 電話(でんわ)します。오후 두 시나 세 시에 전화하겠습니다.
③ いつか また 来(き)ます。언젠가 다시 오겠습니다.

002	が ① [주격] ~이·가 ② [희망·능력] ~을·를 ③ [역접] ~만·지만

예문
① 私(わたし)が 行(い)きます。제가 가겠습니다.
② テニスが 好(す)きです。테니스를 좋아합니다.
★ '취향'을 나타내는 「好(す)きな 좋아하는」와 「きらいな 싫어하는」, '희망'을 나타내는 「ほしい 원하다」, '능력'을 나타내는 「上手(じょうず)な 능숙한」와 「下手(へた)な 서투른」 등의 한정된 형용사와 함께 사용한다.
③ もう 8時(はちじ)ですが まだ 明(あか)るいです。벌써 8시인데 아직 밝습니다.

003	~か ~どうか ~지 ~어떤지

예문
今日(きょう)は 雨(あめ)が ふるか どうか わかりません。오늘은 비가 올지 어떨지 모릅니다.

004 ～か ～ないか ～지 ～지 않을지

예문 教室(きょうしつ)に 人(ひと)が いるか いないか よく わかりません。
교실에 사람이 있는지 없는지 잘 모르겠습니다.

コーヒーが 好(す)きか 好(す)きじゃ ないか、教(おし)えて ください。
커피를 좋아하는지 좋아하지 않는지 가르쳐 주세요.

★ な형용사와 접속할 때는「な형용사 어간＋か、な형용사 부정형＋ないか」가 된다.

005 ～から ① [시간·장소·출처] ～부터, ～로부터 ② [이유·원인] ～해서, ～이니까

예문 ① 9時(くじ)から 5時(ごじ)まで 仕事(しごと)です。아홉 시부터 다섯 시까지 일입니다(일합니다).

家(いえ)から 学校(がっこう)まで バスで 行(い)きます。집에서 학교까지 버스로 갑니다.

田中(たなか)さんから かさを かりました。다나카 씨에게 우산을 빌렸습니다.

② 時間(じかん)が ないから タクシーで 行(い)きます。시간이 없으니까 택시로 가겠습니다.

006 ～くらい ～ぐらい ～정도, ～만큼

예문 誕生日(たんじょうび)には 友(とも)だちが 10人(じゅうにん)ぐらい 来(き)ます。생일에는 친구가 열 명 정도 옵니다.

007 ～しか ～밖에

★ 뒤에는 반드시 부정적인 내용이 따라온다.

예문 お金(かね)が 1,000円(せんえん)しか ありません。돈이 천 엔밖에 없습니다.

008 ～だけ ～만, ～뿐

예문 私(わたし)に 3,000円(さんぜんえん)だけ ください。저에게 3천 엔만 주세요.

009 ～で ① [장소] ～에서 ② [수단·방법] ～로 ③ [이유·원인] ～으로, ～해서

예문 ① 授業(じゅぎょう)は 教室(きょうしつ)で します。수업은 교실에서 합니다.

② 今日(きょう)は 車(くるま)で 行(い)きます。오늘은 자동차로 갑니다.

③ 病気(びょうき)で 入院(にゅういん)しました。병으로 입원했습니다.

010 ～では ～에서는

예문 家(いえ)では テレビを 見(み)ません。집에서는 텔레비전을 보지 않습니다.

011 ～でも ～에서도

예문 その 人(ひと)は 韓国(かんこく)でも 有名(ゆうめい)です。그 사람은 한국에서도 유명합니다.

012 ～と ～와·과

예문 私(わたし)と 山田(やまだ)さんは 学校(がっこう)が 同(おな)じです。나와 야마다 씨는 학교가 같습니다.

私(わたし)たちと いっしょに 行(い)きましょう。우리와 함께 가시죠.

013 ～など ～등

예문 郵便局(ゆうびんきょく)は きってや はがきなどを 売(う)る ところです。
우체국은 우표나 엽서 등을 파는 곳입니다.

014 ～に ① [시간·장소·횟수] ～에 ② [대상] ～에게 ③ ～을·를

예문 ① 午後(ごご) 7時(しちじ)に 着(つ)きます。오후 일곱 시에 도착합니다.

毎日(まいにち) 会社(かいしゃ)に 行(い)きます。매일 회사에 갑니다.

薬(くすり)は 一日(いちにち)に 3回(さんかい) 飲(の)みます。약은 하루에 세 번 먹습니다.

② 先生(せんせい)に 質問(しつもん)しました。선생님께 질문했습니다.

③ 駅(えき)で 友(とも)だちに 会(あ)いました。역에서 친구를 만났습니다.

空港(くうこう)から バスに 乗(の)りました。공항에서 버스를 탔습니다.

★ ③은 동사「会(あ)う 만나다」,「乗(の)る 타다」와 함께 쓰일 때만 해당한다.

015 ～には ～에는

예문 家(いえ)には だれも いません。집에는 아무도 없습니다.

016 ～にも ～에도

예문 この 本(ほん)は コンビニにも あります。이 책은 편의점에도 있습니다.

017 ～の ① [소유격] ～의 ② ～의 것 ③ ～한 것

예문 ① これは 弟(おとうと)の 自転車(じてんしゃ)です。이것은 남동생의 자전거입니다.

② この かばんは 妹(いもうと)のです。이 가방은 여동생의 것입니다.

③ 新(あたら)しいのは ありません。새 것은 없습니다.

これと 同(おな)じのは あそこに あります。이것과 같은 것은 저기에 있습니다.

★「い형용사 / な형용사 명사 수식형+の」의 형태로 접속한다.

★「同(おな)じだ 같다」의 명사 수식형은「同(おな)じ 같은」이다.

018 **～は** [주격] ～은·는

예문 あの 人(ひと)は 先生(せんせい)です。저 사람은 선생님입니다.

019 **～は ～が、～は** [대비] ～은·는 ～지만, ～은·는

접속 명사 + は ～が、+ 명사 + は

예문 これは 高(たか)いですが、それは あまり 高(たか)くないです。이것은 비싸지만 그것은 별로 비싸지 않습니다.

020 **～へ** [방향·장소] ～에, ～로

예문 夏休(なつやす)みに 北海道(ほっかいどう)へ 行(い)きたいです。여름 방학에 홋카이도에 가고 싶습니다.

船(ふね)は 西(にし)の ほうへ 行(い)きました。배는 서쪽 방향으로 갔습니다.

★ 주로 「行(い)く 가다」, 「来(く)る 오다」, 「帰(かえ)る 돌아가(오)다」 등의 동사와 함께 사용한다.

★ 「～へ」는 쓰임이 비슷한 조사인 「～に ～에」와 바꿔 사용할 수 있지만 「～に」가 장소·방향을 나타내는 '～에'로 쓰였을 때에만 가능하다는 것을 기억해 두자.

021 **～まで** [시간·장소] ～까지

예문 9時(くじ)まで そこに いました。아홉 시까지 거기에 있었습니다.

コンビニまで 歩(ある)いて 5分(ごふん)ぐらいです。편의점까지 걸어서 5분 정도입니다.

022 **～も** ～도

예문 今日(きょう)も 天気(てんき)が いいですね。오늘도 날씨가 좋군요.

教室(きょうしつ)には だれも いませんでした。교실에는 아무도 없었습니다.

023	～や ～이나, ～랑

예문 日本(にほん)の アニメや 音楽(おんがく)が 好(す)きです。일본의 애니메이션이나 음악을 좋아합니다.

★「～と ～와・과」는 같은 종류를 나열할 때 사용하는 조사이며,
「～や ～이나・등」은 여러 가지 중 몇 가지 예를 들 때 사용한다.

024	～より ～보다

예문 お母(かあ)さんは 私(わたし)より 英語(えいご)が 上手(じょうず)です。어머니는 나보다 영어를 잘합니다.

025	～を [목적격] ～을/를

예문 家(いえ)に 帰(かえ)って テレビを 見(み)ます。집에 돌아가서 텔레비전을 봅니다.

暗(くら)い 山道(やまみち)を 歩(ある)きます。어두운 산길을 걷습니다.

연습 **괄호 안에 들어갈 가장 적당한 조사를 고르세요.**

1 歌(うた)を　歌(うた)うの（　　　）好(す)きです。

1 か　　2 が　　3 で　　4 に

2 きのう　友(とも)だちと　映画(えいが)（　　　）見(み)ました。

1 は　　2 に　　3 を　　4 が

3 バス（　　　）乗(の)って　学校(がっこう)へ　行(い)きます。

1 を　　2 に　　3 も　　4 は

4 ここ（　　　）待(ま)って　いて　ください。

1 か　　2 に　　3 を　　4 で

5 つくえの　上(うえ)には　何(なに)（　　　）ありません。

1 が　　2 に　　3 で　　4 も

6 この　車(くるま)の　エンジンは　日本(にほん)（　　　）です。

1 の　　2 に　　3 は　　4 も

7 テストは　1時(いちじ)（　　　）です。

1 には　　2 から　　3 にも　　4 だけ

8 時間(じかん)が　ありますから　お茶(ちゃ)（　　　）飲(の)みましょう。

1 では　　2 から　　3 でも　　4 より

9　6時（ろくじ）（　　）帰る（かえる）　予定（よてい）です。

1　には　　2　では　　3　にも　　4　くらい

10　駅（えき）まで　行く（いく）　バスは　一つ（ひとつ）（　　）ありません。

1　だけ　　2　くらい　　3　より　　4　しか

정답

1　2 노래를 부르는 것을 좋아합니다.
2　3 어제 친구와 영화를 봤습니다.
3　2 버스를 타고 학교에 갑니다.
4　4 여기에서 기다려 주세요.
5　4 책상 위에는 아무것도 없습니다.
6　1 이 차의 엔진은 일본 것(일본제)입니다.
7　2 시험은 한 시부터입니다.
8　3 시간이 있으니까 차라도 마셔요.
9　1 여섯 시에는 돌아갈(올) 예정입니다.
10　4 역까지 가는 버스는 하나밖에 없습니다.

2 동사 활용형에 접속하는 표현

026	~ことが できる ~할 수 있다

접속 동사 기본형 + ことが できる

예문 カードでも 買(か)う ことが できます。 카드로도 살 수 있습니다.

027	~た 後(あと)(で) ~한 후(에)

접속 동사 た형 + 後(あと)(で)

예문 おふろに 入(はい)った 後(あと)で 食事(しょくじ)しました。 목욕을 한 후에 식사했습니다.

028	~たい ~하고 싶다

접속 동사 ます형 + たい

예문 早(はや)く 友(とも)だちに 会(あ)いたい。 빨리 친구를 만나고 싶다.

029	~たから ~했기 때문에

접속 동사 た형 + から

예문 電車(でんしゃ)が 遅(おく)れたから 約束(やくそく)の 時間(じかん)に 間(ま)に合(あ)いませんでした。
전철이 늦어져서 약속 시간에 가지 못했습니다.

030 ～たり ～たり する ～하거나 ～하거나 하다

접속 동사 た형 + り + 동사 た형 + り する

예문 午後(ごご)は 買(か)い物(もの)したり さんぽしたり します。오후에는 쇼핑하거나 산책하거나 합니다.

雨(あめ)が ふったり ふらなかったり して います。비가 내리다 말다 하고 있습니다.

031 (～が/は) ～てある [상태] (～이·가/～은·는) ～해 있다

접속 타동사 て형 + ある

예문 夜(よる)の ご飯(はん)は 作(つく)って あります。저녁 식사는 만들어져 있습니다(만들어 두었습니다).

ドアが 開(あ)けて あります。문이 열려 있습니다.

032 (～を) ～ている ① [진행] (～을·를) ～하고 있다 ② [습관] (～을·를) ～하고 있다, 한다

접속 동사 て형 + いる

예문 ① 今(いま)、音楽(おんがく)を 聞(き)いて います。지금 음악을 듣고 있습니다.

② 毎日(まいにち) 運動(うんどう)して います。매일 운동하고 있습니다.

033 ～てから ～하고 나서

접속 동사 て형 + から

예문 コーヒーを 飲(の)んでから 行(い)きましょう。커피를 마시고 나서 갑시다.

034 ～て ください ～해 주세요, ～하세요

접속 동사 て형 + ください

예문 来週(らいしゅう)の 月曜日(げつようび)に 来(き)て ください。 다음 주 월요일에 와 주세요.

035 ～て くださいませんか ～해 주시지 않겠습니까?

접속 동사 て형 + くださいませんか

예문 ここで 写真(しゃしん)を とって くださいませんか。 여기에서 사진을 찍어 주시지 않겠습니까?

036 ～てくる ～해 오다

접속 동사 て형 + くる

예문 スーパーで たまごを 買(か)って きます。 슈퍼에서 달걀을 사 오겠습니다.

037 ～時(とき) ～(할) 때

접속 동사 보통형 + 時(とき)

예문 勉強(べんきょう)する 時(とき)は めがねを かけます。 공부할 때는 안경을 씁니다.

ご飯(はん)を 食(た)べる 時(とき)は テレビを 見(み)ません。 밥을 먹을 때는 텔레비전을 보지 않습니다.

母(はは)から 手紙(てがみ)を もらった 時(とき) うれしかったです。 어머니에게 편지를 받았을 때 기뻤습니다.

038 ～ないで ～하지 않고

접속 동사 부정형 + ないで

예문 家には 帰らないで そのまま 行きました。집에는 돌아가지 않고 그대로 갔습니다.

039 ～ないで ください ～하지 말아 주세요, ～하지 마세요

접속 동사 부정형 + ないで ください

예문 あついから 手で さわらないで ください。뜨거우니까 손으로 만지지 말아 주세요.

040 ～ながら [동시 동작] ～하면서

접속 동사 ます형 + ながら

예문 先生の 話を 聞きながら メモを します。선생님 이야기를 들으면서 메모를 합니다.

041 ① ～に 行く ～하러 가다 ② ～に 来る ～하러 오다

접속 (동사 ます형 / 명사) + 行く, 来る

예문 ① コピーを しに 行きます。복사를 하러 갑니다.

誕生日に 両親と 食事に 行きました。생일에 부모님과 식사하러 갔습니다.

② あとで 友だちが 会いに 来ます。나중에 친구가 만나러 옵니다.

042 ～前(まえ)(に) ～하기 전(에)

접속

동사 기본형 명사 の	+ 前(まえ)(に)

예문

ご飯(はん)を 食(た)べる **前(まえ)に** 手(て)を 洗(あら)います。 밥을 먹기 전에 손을 씻습니다.

授業(じゅぎょう)の **前(まえ)に** 先生(せんせい)に あいさつします。 수업 전에 선생님께 인사합니다.

043 ① ～ましょう ～합시다 ② ～ましょうか ～할까요?

접속

동사 ます형 + ましょう, ましょうか

예문

① 早(はや)く 帰(かえ)り**ましょう**。 빨리 돌아갑시다.

② あの 人(ひと)に 聞(き)き**ましょうか**。 저 사람에게 물어볼까요?

044 ～ませんか ～하지 않을래요?

접속

동사 ます형 + ませんか

예문

いっしょに 映画(えいが)を 見(み)**ませんか**。 함께 영화를 보지 않을래요?

연습 괄호 안에 들어갈 표현으로 가장 적당한 것을 고르세요.

1 英語(えいご)を　話(はな)す（　　　）が　できます。

1 もの　　2 こと　　3 とき　　4 かた

2 予約(よやく)する（　　　）は　スマホで　します。

1 もの　　2 こと　　3 とき　　4 かた

3 早(はや)く　あの　人(ひと)に（　　　）です。

1 会(あ)いたい　　2 会(あ)います　　3 会(あ)った　　4 会(あ)って

4 （　　　）シャワーを　あびます。

1 歌(うた)うながら　　2 歌(うた)ったながら　　3 歌(うた)ってながら　　4 歌(うた)いながら

5 カフェで　友(とも)だちを（　　　）います。

1 待(ま)った　　2 待(ま)って　　3 待(ま)つ　　4 待(ま)ち

6 ここに　なまえを（　　　）。

1 書(か)く ください　　2 書(か)き ください

3 書(か)いて ください　　4 書(か)いた ください

7 つめたく　なる（　　　）食(た)べます。

1 まえに　　2 あとに　　3 すぐに　　4 いっしょに

8 説明(せつめい)を　聞(き)いた（　　　）質問(しつもん)しました。

1 まえに　　2 あとで　　3 すぐ　　4 いっしょに

9 引っ越し（ひっこし）（　　　）となりの 家（いえ）に あいさつに 行（い）きました。

1 なから　　2 のから　　3 てから　　4 でから

10 ゆうびんきょくで てがみを 出（だ）して（　　　）。

1 ましょう　　2 ましょうか

3 くれます　　4 きます

정답

1　2 영어를 말할 수 있습니다.
2　3 예약할 때는 스마트폰으로 합니다.
3　1 빨리 그 사람을 만나고 싶습니다.
4　4 노래하면서 샤워를 합니다.
5　2 카페에서 친구를 기다리고 있습니다.
6　3 여기에 이름을 써 주세요.
7　1 차가워지기 전에 먹습니다.
8　2 설명을 들은 후에 질문했습니다.
9　3 이사를 하고 나서 이웃집에 인사를 하러 갔습니다.
10　4 우체국에서 편지를 부치고 오겠습니다.

3 그 외 시험에 자주 나오는 표현

045 あまり ～ない 별로(그다지) ~하지 않다

접속

あまり ＋ (동사 부정형 / い형용사 부정형 / な형용사 부정형) ＋ ない

예문

本(ほん)は あまり 読(よ)みません。 책은 별로 읽지 않습니다.

私(わたし)は 友(とも)だちは あまり 多(おお)くないです。 나는 친구가 별로 많지 않습니다.

駅前(えきまえ)でも あまり にぎやかでは ありません。 역 앞이지만 별로 북적이지 않습니다.

046 全然(ぜんぜん) ～ない 전혀 ~하지 않다

접속

全然(ぜんぜん) ＋ (동사 부정형 / い형용사 부정형 / な형용사 부정형) ＋ ない

예문

むずかしくて 全然(ぜんぜん) わかりません。 어려워서 전혀 모르겠습니다.

今年(ことし)は 全然(ぜんぜん) あつく ないですね。 올해는 전혀 덥지 않군요.

図書館(としょかん)は 全然(ぜんぜん) 静(しず)かじゃ なかったです。 도서관은 전혀 조용하지 않았습니다.

047 ① ～く/に する ~(하)게 하다 ② ～に する ~로 하다, ~로 정하다

접속

① (い형용사 어간 く / な형용사 어간 に) ＋ する

② 명사 ＋ に する

예문

前(まえ)の かみは もっと 短(みじか)く して ください。 앞머리는 좀 더 짧게 해 주세요.

パーティーだから にぎやかに しましょう。 파티니까 시끌벅적하게 합시다.

買(か)い物(もの)に 行(い)くのは あしたに します。 쇼핑 가는 건 내일로 하겠습니다.

048

① ～く/に なる ～(하)게 되다, ～해지다

② ～に なる ～이·가 되다

접속

① (い형용사 어간 く / な형용사 어간 に) + なる

② 명사 + に なる

예문

① しおを すこし 入(い)れるだけで おいしく なります。 소금을 조금 넣는 것만으로도 맛있어집니다.

ゆっくり 休(やす)んで 元気(げんき)に なりました。 푹 쉬어서 건강해졌습니다.

② もう すぐ 春(はる)に なります。 이제 곧 봄이 됩니다.

049

① ～中(じゅう) ～(하는) 내내

② ～中(ちゅう) ～중

접속

명사 + 中(じゅう), 中(ちゅう)

예문

① ここは 1年中(いちねんじゅう) あたたかいです。 여기는 일년 내내 따뜻합니다.

② 授業中(じゅぎょうちゅう)は 静(しず)かに しましょう。 수업중에는 조용히 합시다.

050

～でしょう ～(하)지요, ～(하)겠지요

접속

(동사 보통형 / い형용사 보통형 / な형용사 어간/だった / 명사/だった) + でしょう

예문

今日(きょう)は 手紙(てがみ)が 来(く)るでしょう。 오늘은 편지가 오겠지요.

朝(あさ)と 夜(よる)は 寒(さむ)いでしょう。 아침과 밤은 춥겠지요(추울 겁니다).

あの 人(ひと)は 歌(うた)が 上手(じょうず)でしょう？ 저 사람은 노래를 잘 하겠지요?

あの 人(ひと)は 有名(ゆうめい)な 先生(せんせい)でしょう？ 저 사람은 유명한 선생님이지요?

051	**~という** ~라는

접속　명사 + という

예문　これは フリージアという 花(はな)です。 이것은 프리지어라는 꽃입니다.

052	**~を ください** ~을·를 주세요

접속　명사 + を　ください

예문　もう 少(すこ)し 時間(じかん)を ください。 조금 더 시간을 주세요.

4 접속사

053	**そして** 그리고

예문　2年前(にねんまえ)に 日本(にほん)から 帰(かえ)りました。 そして 来年(らいねん)、また 行(い)きます。
2년 전에 일본에서 돌아왔습니다. 그리고 내년에 다시 갑니다.

054	**それから** 그 다음에, 그리고, 그러고 나서

예문　シャワーを あびます。 それから ご飯(はん)を 食(た)べます。 샤워를 합니다. 그 다음에 밥을 먹습니다.

055	**だから** 그래서, 그러니까

예문　きのう おそくまで 勉強(べんきょう)しました。 だから テストは むずかしく なかったです。
어제 늦게까지 공부했습니다. 그래서 시험은 어렵지 않았습니다.

056	では じゃ　그럼

예문　では 明日(あした) また 来(き)ます。 그럼 내일 다시 오겠습니다.

057	でも　하지만

예문　この おかしが 好(す)きです。でも これは 日本(にほん)には ありません。
이 과자를 좋아합니다. 하지만 이건 일본에는 없습니다.

5 의문사

058	いくら　얼마

예문　この ネクタイは いくらですか。 이 넥타이는 얼마입니까?

059	いくつ　몇 살

예문　娘(むすめ)さんは いくつに なりましたか。 따님은 몇 살이 되었나요?

060	どうして　어째서, 왜

예문　どうして 日本語(にほんご)を 習(なら)って いますか。 어째서 일본어를 배우고 있습니까?

061	なぜ　왜, 어째서

예문　なぜ そんなに 怒(おこ)って いるのですか。 왜 그렇게 화내고 있나요?

6 기본 인사 표현

062	おはようございます。[아침] 안녕하세요.
063	こんにちは。[낮] 안녕하세요.
064	こんばんは。[저녁] 안녕하세요.
065	おやすみなさい。/ おやすみ。안녕히 주무세요. / 잘 자.
066	さようなら。[작별·이별] 안녕히 가세요, 안녕히 계세요, 잘 가.
067	ありがとう ございます。고맙습니다.
068	すみません。죄송합니다, 실례합니다.
069	どういたしまして。천만에요.
070	はじめまして。처음 뵙겠습니다.
071	どうぞ よろしく おねがいします。아무쪼록 잘 부탁드립니다.
072	こちらこそ（よろしく おねがいします）。저야말로 (잘 부탁드립니다).
073	いただきます。잘 먹겠습니다.
074	ごちそうさまでした。잘 먹었습니다.
075	もしもし。[전화] 여보세요.
076	いらっしゃいませ。어서 오세요.
077	おめでとう ございます。축하합니다.

연습 **괄호 안에 들어갈 표현으로 가장 적당한 것을 고르세요.**

1 日本語は あまり 上手（　　　）。

1 です　　2 ですか
3 でした　　4 じゃ ありません

2 音を（　　　）して ください。

1 小さい　　2 小さく　　3 小さくて　　4 小さいに

3 さとうを 入れたから もっと（　　　）なりました。

1 甘い　　2 甘く　　3 甘くて　　4 甘いに

4 食事中は スマホを（　　　）ください。

1 見ない　　2 見ないが　　3 見なくて　　4 見ないで

5 「デパちか」は「デパートの 地下」と（　　　）意味です。

1 いう　　2 する　　3 なる　　4 くる

6 朝ごはんを 食べます。（　　　）学校に 行きます。

1 なぜ　　2 でも　　3 それから　　4 どうして

7 頭が いたいです。（　　　）今日は 休んで 明日 また しませんか。

1 そして　　2 なぜ　　3 でも　　4 だから

8 秋に なりました。（　　　）まだ 暑いです。

1 でも　　2 では　　3 それから　　4 どうして

9 A 「どうぞ 食(た)べて ください。」

B 「（　　　　　　　　　　）。」

1 もしもし　　2 はじめまして

3 いただきます　　4 ごちそうさま

10 A 「ミタさん、今日(きょう)は よろしく おねがいします。」

B 「（　　　　）よろしく おねがいします。」

1 どういたしまして　　2 こちらこそ

3 すみません　　4 いらっしゃいませ

정답

1 4 일본어는 별로 잘 하지 않습니다.
2 2 소리를 작게 해 주세요.
3 2 설탕을 넣어서 더욱 달콤해졌습니다.
4 4 식사 중에는 스마트폰을 보지 말아 주세요.
5 1 '데파치카'는 '백화점의 지하'라는 의미입니다.
6 3 아침밥을 먹습니다. 그리고 학교에 갑니다.
7 4 머리가 아픕니다. 그러니까 오늘은 쉬고 내일 다시 하지 않겠습니까?
8 1 가을이 되었습니다. 하지만 아직 덥습니다.
9 3 A 자, 드세요.
B 잘 먹겠습니다.
10 2 A 미타 씨, 오늘은 잘 부탁드립니다.
B 저야말로 잘 부탁드립니다.

1 ; もんだい1 문법형식 판단

문제 유형

괄호 안에 들어갈 간단한 문형을 찾는 문제이다. 특히 조사 문제의 비중이 높으며 상황에 맞는 인사 표현을 묻는 문제도 출제된다.

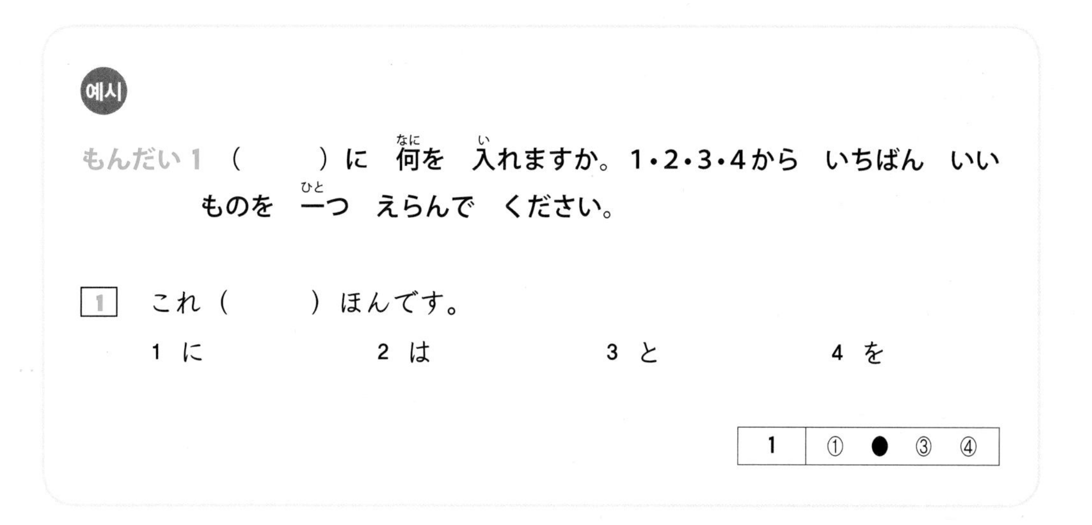
예시

もんだい 1 （　　）に 何(なに)を 入(い)れますか。1・2・3・4から いちばん いい ものを 一(ひと)つ えらんで ください。

1 これ（　　）ほんです。
1 に　　2 は　　3 と　　4 を

1	① ● ③ ④

문제 풀이 포인트

선택지를 대입해 보자.

예시 문제를 보면 '이것=책'이라는 구조로 이루어진 문장이므로 괄호 안에는 주격 조사인 「は 은(는)」이 들어가야 한다. 따라서 선택지 2번이 정답이다. 조사 문제는 어순이 비슷한 한국인 학습자에게 유리한 문제이다. 각 조사의 뜻과 용법을 잘 익혀 두면 각 선택지를 괄호 안에 넣고 해석하는 것만으로도 정답을 찾을 수 있다.

흐름에 맞는 표현을 찾자!

대화의 흐름에 맞는 인사말을 찾는 문제도 출제된다. 따라서 상황에 맞는 적절한 표현을 익혀 두는 것도 중요하다.

 もんだい1 문법형식 판단 연습문제 ①

해설편 42p

もんだい1 （　　）に 何を 入れますか。1・2・3・4から いちばん いい ものを 一つ えらんで ください。

1 トムさんは こえ（　　）とても 大きいです。

1 に　　2 が　　3 を　　4 で

2 この しゃしんの（　　）人が お兄さんですか。

1 どれ　　2 どんな　　3 どの　　4 どこの

3 ゆうびんきょくは こうさてん（　　）わたって 右に あります。

1 が　　2 へ　　3 に　　4 を

4 くだものは ぶどう（　　）好きです。

1 を　　2 が　　3 に　　4 で

5 くつを はいて へやの 中に（　　）ください。

1 入らない　　2 入らないで　　3 入り　　4 入った

6 毎日 やさい（　　）作った ジュースを 飲みます。

1 の　　2 で　　3 を　　4 に

7 この りょうりは すきやき（　　）ものです。

1 だけ　　2 の　　3 という　　4 から

8 あしたは 友だち（　　）公園へ 行きます。

1 を　　2 と　　3 に　　4 で

9 ケン「夏やすみの しゅくだいが 多いですね。」
キム「はい。でも、 もう 全部 しましたよ。ケンさんは どうですか。」
ケン「私は（　　）です。」

1 よく　　2 もう　　3 まだ　　4 もっと

 もんだい 1 문법형식 판단 연습문제 ②

해설편 44p

もんだい 1 （　　）に 何を 入れますか。1・2・3・4から いちばん いい ものを 一つ えらんで ください。

1 ぎゅうにゅうと　さとう（　　）おかしを　作ります。

1 が　　2 で　　3 を　　4 に

2 今朝　たまご（　　）パンを　食べました。

1 を　　2 と　　3 は　　4 が

3 かんじは　まだ（　　）。

1 書きます　　2 書きました
3 書いて　ください　　4 書く　ことが　できません

4 どの　かさが　山田さん（　　）ですか。

1 の　　2 に　　3 と　　4 を

5 いえの　まどから（　　）海を　見る　ことが　できます。

1 きれいだ　　2 きれいの　　3 きれい　　4 きれいな

6 ここから　ちかてつ（　　）乗って　会社に　行きます。

1 を　　2 で　　3 と　　4 に

7 公園に　さんぽ（　　）行きました。

1 を　　2 で　　3 に　　4 は

8 にほんご（　　）えいごと　どちらが　難しいですか。

1 も　　2 と　　3 が　　4 に

9 森　「きのうは　たくさん　食べました。」
西川「そうですか。（　　）ものを　食べましたか。」
森　「すしと　ラーメンを　食べました。」

1 いくつ　　2 どんな　　3 いかが　　4 どこ

2 : もんだい 2 문장 만들기

문제 유형

선택지에 주어진 네 개의 어휘를 올바른 순서로 나열하여 문장을 완성시키고 ＿★＿에 들어가는 것을 찾는 문제이다. ＿★＿이 몇 번째에 있는지에 주의해야 한다.

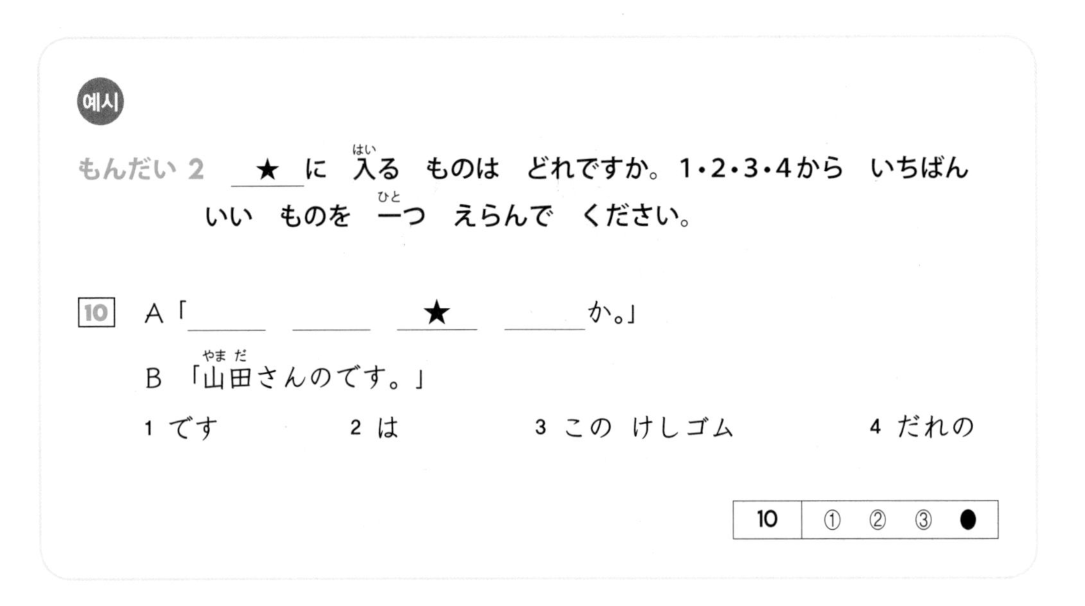

예시

もんだい 2 ＿★＿に 入る（はい） ものは どれですか。1・2・3・4から いちばん いい ものを 一つ（ひと） えらんで ください。

10 A「＿＿ ＿＿ ＿★＿ ＿＿か。」

B 「山田（やまだ）さんのです。」

1 です　　2 は　　3 この けしゴム　　4 だれの

10	① ② ③ ●

문제 풀이 포인트

문맥을 파악하자!

예시 문제의 두 사람의 대화문을 보면 B가 '야마다 씨의 것입니다'라고 대답하고 있다. 즉, A는 어떠한 사물이 '누구의 것인(4→1)가'를 묻고 있음을 알 수 있다. 선택지를 문맥에 맞게 나열하면「この けしゴムは だれのですか 이 지우개는 누구의 것입니(3→2→4→1)까?」가 된다. 따라서 세 번째 밑줄에 들어가는 선택지 4번이 정답이다.

조사에 주의하라!

〈문장 만들기〉 파트에서는 선택지에 조사가 반드시 한 개에서 두 개 들어가 있다. 따라서 문장에서 주어가 무엇인지, 이에 따른 주격 조사가 어느 것인지를 파악하면 문맥 이해에 도움이 될 것이다.

もんだい 2 문장 만들기 연습문제 ①

해설편 47p

もんだい 2 ＿★＿に 入る ものは どれですか。1・2・3・4から いちばん いい ものを 一つ えらんで ください。

1 私は 一週間＿＿＿ ＿＿＿ ＿★＿ ＿＿＿します。

1 練習を　　2 一回　　3 ギターの　　4 に

2 （銀行で）

A「すみませんが、この 番号＿＿＿ ＿★＿ ＿＿＿ ＿＿＿を 書いて ください。」

B「はい。わかりました。」

1 なまえ　　2 の　　3 右　　4 に

3 エレベーターで＿＿＿ ＿＿＿ ＿★＿ ＿＿＿を おしました。

1 の　　2 ボタン　　3 となり　　4 人が

4 （学校で）

A「教科書を 忘れました。すみませんが、あなた＿＿＿ ＿＿＿ ＿★＿ ＿＿＿ ください。」

B「いいですよ。」

1 を　　2 の　　3 見せて　　4 教科書

5 コーヒーと ケーキですね。＿＿＿ ＿＿＿ ＿★＿ ＿＿＿なります。

1 に　　2 全部　　3 550円　　4 で

6 初めて＿＿＿ ＿＿＿ ＿★＿ ＿＿＿は、学校の 教室です。

1 田中さん　　2 会った　　3 と　　4 の

7 あまい＿＿＿ ＿＿＿ ＿★＿ ＿＿＿ありません。

1 もの　　2 あまり　　3 は　　4 食べたく

8 いつも＿＿＿ ＿＿＿ ＿★＿ ＿＿＿しゅくだいを します。

1 に　　2 する　　3 ゲームを　　4 まえ

もんだい 2 문장 만들기 연습문제 ② 해설편 49p

もんだい 2 ＿★＿に 入る ものは どれですか。1・2・3・4から いちばん いい ものを 一つ えらんで ください。

1 学校＿＿ ＿★＿ ＿＿ ＿＿出して 来ます。

1 へ　2 まえに　3 てがみを　4 行く

2 スマホを＿＿ ＿＿ ＿★＿ ＿＿あぶないです。

1 あるく　2 の　3 見ながら　4 は

3 先週 行った きっさてんの＿＿ ＿＿ ＿★＿ ＿＿でした。

1 色も　2 飲み物は
3 きれい　4 おいしくて

4 てんきが わるくて＿＿ ＿＿ ＿★＿ ＿＿やめました。

1 を　2 ひこうき　3 乗るの　4 に

5 A「こちらは どうですか。」
B「もっと＿＿ ＿＿ ＿＿ ＿★＿いいんですが。」

1 小さい　2 かわいくて　3 が　4 の

6 きのう としょかん＿＿ ＿＿ ＿★＿ ＿＿も かりました。

1 五　2 で　3 ほんを　4 さつ

7 おさけは＿＿ ＿＿ ＿★＿ ＿＿飲みましょう。

1 はたち　2 に　3 から　4 なって

8 A「もう 6時です。」
B「＿＿ ＿＿ ＿★＿ ＿＿帰りましょう。」

1 まえ　2 くらく　3 に　4 なる

3 : もんだい 3 글의 문법

문제 유형

글을 읽으면서 맥락에 맞는 어휘를 찾아 빈칸에 넣는 문제이다. 접속사나 부사, 기능어 등을 고르는 문제가 출제된다.

もんだい 3 [14] に 何(なに)を 入(い)れますか。ぶんしょうの いみを かんがえて、1・2・3・4から いちばん いい ものを 一(ひと)つ えらんで ください。

きのうは 私(わたし)の 誕生日(たんじょうび)でした。朝(あさ)ごはんの とき、父(ちち)と 母(はは)が「おめでとう」と 言(い)って くれました。[14] 学校(がっこう)では 友(とも)だちが プレゼントを くれました。とても うれしかったです。

[14] 1 でも　2 それから　3 では　4 どうして

14	① ● ③ ④

문제 풀이 포인트

〈글의 문법〉 파트에서는 글의 흐름에 맞는 표현을 찾아야 한다. 따라서 앞뒤 내용을 잘 읽으며 빈칸에 들어갈 표현이 접속사(역접/순접)인지, 부사어나 기능어 등의 문법 표현인지를 파악해야 한다. 또한 글의 흐름을 보고 문장이 표현하고 있는 시제에도 주의해야 한다. 예시 문제를 통해 확인해 보자.

전체 글을 요약하면 '자신의 생일날 아침에 부모님께 축하를 받고, 학교에서는 친구들에게 선물을 받아 기뻤다'라는 내용이 된다. 이 중 [14]는 한 문장의 맨 앞에 나오고 있으며 '부모님의 축하'와 '친구들의 선물' 중간에 위치하고 있다. 따라서 시간의 흐름을 나타내는 접속사가 들어가야 문맥이 자연스러워진다. 따라서 '그러고 나서, 그 다음에'라는 의미를 가진 선택지 2번「それから」가 정답이다.

もんだい 3 [1] から [5] に 何(なに)を 入(い)れますか。ぶんしょうの いみを かんがえて、1・2・3・4から いちばん いい ものを 一(ひと)つ えらんで ください。

つぎは キムさんが 授業(じゅぎょう)で 書(か)いた 「むずかしい 日本語(にほんご)」の さくぶんです。

日本語(にほんご)を 勉強(べんきょう)する とき、よく わからない ことが あります。おいしい おかしを [1] から ほかの 人(ひと)にも あげましたが、その 人(ひと)は 「いいです」と 言(い)いました。この 「いいです」は オーケーという ことでは [2] 「食(た)べません」という ことです。「からだに いいです」という ときは 「げんきに [3] 」です。[4] 「あたまが いいです」は [5] よく 知(し)って いる 人(ひと)の ことを 言(い)います。「いいです」という ことばには いろいろな いみが ありますね。

[1]

1 あげる　　2 もらう　　3 あげた　　4 もらった

[2]

1 なくて　　2 あって　　3 あるし　　4 ないし

[3]

1 います　　2 いいます　　3 なります　　4 あります

[4]

1 そして　　2 なぜ　　3 それでも　　4 どうでも

[5]

1 いつでも　　2 なんでも　　3 どこでも　　4 それでも

もんだい 3 글의 문법 연습문제 ②

해설편 53p

もんだい 3 1 から 5 に 何を 入れますか。ぶんしょうの いみを かんがえて、1・2・3・4から いちばん いい ものを 一つ えらんで ください。

つぎは ハンさんの さくぶんです。

私の 弟

私の 家族は りょうしんと 弟 と 四にんです。弟 は 中学生ですが、私 [1] せが たかいです。勉強は あまり [2] スポーツが 好きで 休みの 日も うんどうじょうや 外で うんどうを して います。[3] ごはんも たくさん 食べます。私は あさ 時間が なくて 食べない 日も ありますが、弟 は [4] 食べるまで 学校に 行きません。でも [5] 元気で 明るい 弟 が 私は 大好きです。

1

1 まで　　2 より　　3 でも　　4 だけ

2

1 好きですから　　2 好きですが
3 好きじゃ　ありませんが　　4 好きじゃ　ありませんから

3

1 だから　　2 では　　3 でも　　4 それから

4

1 ちょっと　　2 すこし　　3 とても　　4 ぜんぶ

5

1 いくら　　2 いつも　　3 どうぞ　　4 あまり

MEMO

Ⅱ 실전문제 익히기

もんだい 1　문법형식 판단
もんだい 2　문장 만들기
もんだい 3　글의 문법

もんだい1 문법형식 판단 실전문제 ①

해설편 55p

もんだい1 （　　）に 何を 入れますか。1・2・3・4から いちばん いい ものを 一つ えらんで ください。

1 きのうは　8時に　うち（　　）出ました。

1 を　　2 と　　3 の　　4 が

2 わからない　ことは（　　）　ください。

1 聞いて　　2 聞いで　　3 聞いた　　4 聞き

3 この町は　10年前は　にぎやか（　　）でした。

1 ない　　2 ありません　　3 じゃない　　4 じゃ　ありません

4 きのう　駅で　先生（　　）会いました。

1 で　　2 を　　3 に　　4 の

5 来週の　月よう日（　　）金よう日まで　テストです。

1 でも　　2 まで　　3 には　　4 から

6 きのう　買った　りんごは　四つ（　　）350円でした。

1 の　　2 で　　3 は　　4 に

7 私は　にほんへ　べんきょう（　　）来ました。

1 に　　2 は　　3 を　　4 と

8 いしゃ「お体は　どうですか。」
林　　「（　　）よく　ありません。もっと　強い　薬が　ほしいです。」

1 たくさん　　2 あまり　　3 だんだん　　4 ちょうど

9 森　　「来週の　日よう日、山川さんの　うちで　パーティーを　します。
　　　　私も　行きます。リンさんも（　　）。」
リン「いいですね。行きたいです。」

1 行きます　　2 行きましたか　　3 行きませんか　　4 行きませんでしたか

もんだい 1 문법형식 판단 실전문제 ②

해설편 57p

もんだい 1 （　　）に 何(なに)を 入(い)れますか。1・2・3・4から いちばん いい ものを 一(ひと)つ えらんで ください。

1 ここには 小(ちい)さい 子(こ)どもが いますから、 たばこを（　　）ください。

1 吸(す)う　2 吸(す)って　3 吸(す)わないで　4 吸(す)った

2 なまえは カタカナ（　　）書(か)いても いいです。

1 で　2 が　3 に　4 は

3 この としょかんは 学生(がくせい)（　　）入(はい)る ことが できません。

1 まで　2 とは　3 しか　4 だけ

4 としょかんでは 本(ほん)を（　　）レポートを 書(か)いたり します。

1 読(よ)みたり　2 読(よ)んだり　3 読(よ)む こと　4 読(よ)んでも

5 びょういん（　　）しずかに して ください。

1 には　2 へは　3 とは　4 では

6 ぎゅう肉(にく)（　　）好(す)きですが、 ぶた肉(にく)（　　）好(す)きでは ありません。

1 も／も　2 を／を　3 は／は　4 に／に

7 たくさん 食(た)べましたが まだ（　　）。

1 食(た)べません　2 食(た)べましょう
3 食(た)べらないです　4 食(た)べる ことが できます

8 ジョン「林(はやし)さん、（　　）の 本(ほん)を 取(と)って ください。」
林(はやし)　「これですか。」

1 そこ　2 どこ　3 ここ　4 どの

9 新(あたら)しい カーテンを 買(か)って へやを（　　）しました。

1 明(あか)るい　2 明(あか)るく　3 明(あか)るくて　4 明(あか)るくない

もんだい 2 문장 만들기 실전문제 ①

해설편 60p

もんだい 2　＿★＿に 入る ものは どれですか。1・2・3・4から いちばん いい ものを 一つ えらんで ください。

1 せが＿＿＿ ＿＿＿ ＿★＿ ＿＿＿すわります。

1 人は　　2 うしろに　　3 高い　　4 教室の

2 ＿＿＿ ＿＿＿ ＿★＿ ＿＿＿で、毎日 買い物を して います。

1 に　　2 スーパー　　3 向こう　　4 ある

3 友だちの＿＿＿ ＿＿＿ ＿★＿ ＿＿＿あげました。

1 を　　2 に　　3 プレゼント　　4 たんじょうび

4 先生「教室に だれか のこって いますか。」

学生「でんきが＿＿＿ ＿＿＿ ＿★＿ ＿＿＿いないと 思います。」

1 いる　　2 だれも　　3 きえて　　4 から

5 山下さん＿＿＿ ＿★＿ ＿＿＿ ＿＿＿行く よていです。

1 ほんやに　　2 に　　3 から　　4 会って

6 A「つくえの 上に＿＿＿ ＿＿＿ ＿★＿ ＿＿＿ですか。」

B「カレンさんのです。」

1 スマホは　　2 ある　　3 だれの　　4 おいて

7 友だちを＿＿＿ ＿＿＿ ＿★＿ ＿＿＿いました。

1 テレビを　　2 あいだ　　3 見て　　4 待つ

8 帰るの＿＿＿ ＿＿＿ ＿★＿ ＿＿＿教えて ください。

1 とき　　2 は

3 が　　4 おそく なる

もんだい 2 문장 만들기 실전문제 ②

해설편 62p

もんだい 2 ＿★＿に 入(はい)る ものは どれですか。1・2・3・4から いちばん いい ものを 一(ひと)つ えらんで ください。

1 今日(きょう)は＿＿ ＿★＿ ＿＿ ＿＿はやく 寝(ね)ます。

1 テレビ　2 で　3 を　4 見(み)ない

2 ときどき おかしを＿＿ ＿＿ ＿★＿ ＿＿人(ひと)が います。

1 あるく　2 ながら　3 道(みち)を　4 食(た)べ

3 しゅくだい＿＿ ＿＿ ＿★＿ ＿＿までですから わすれないで 出(だ)して くださいね。

1 は　2 今週(こんしゅう)　3 金(きん)よう日(び)　4 の

4 夜(よる) はやく ねた＿＿ ＿＿ ＿★＿ ＿＿ことが できます。

1 はやく　2 朝(あさ)　3 おきる　4 ひは

5 テスト＿＿ ＿＿ ＿★＿ ＿＿ください。

1 あけないで　2 の　3 まだ　4 問題(もんだい)は

6 たんじょうびに 友(とも)だち＿＿ ＿＿ ＿★＿ ＿＿うれしかったです。

1 もらって　2 ゲームを　3 から　4 好(す)きな

7 A「今日(きょう)は きのう＿＿ ＿＿ ＿★＿ ＿＿。」
B「てんきが いいから さんぽしませんか。」

1 ね　2 ありません　3 より　4 さむく

8 キム 「学校(がっこう)の＿＿ ＿＿ ＿★＿ ＿＿あります。いっしょに どうですか。」
西田(にしだ) 「いいですね。行(い)きましょう。」

1 しょくどうが　2 おいしくて
3 近(ちか)くに　4 やすい

もんだい 3 글의 문법 실전문제 ①

해설편 65p

もんだい 3　[1] から [5] に 何(なに)を 入(い)れますか。ぶんしょうの いみを かんがえて、1・2・3・4から いちばん いい ものを 一(ひと)つ えらんで ください。

キムさんが じゅぎょうで 書(か)いた 「毎日(まいにち) して いる こと」の さくぶんです。

> 私(わたし)の 好(す)きな 国(くに)は 日本(にほん)です。いつか 日本(にほん)に [1] ですから、毎日(まいにち) 日本(にほん)語(ご)を 勉強(べんきょう)して います。日本語(にほんご)は 漢字(かんじ)が [2] あって むずかしいです。[3] とても おもしろいです。
>
> 毎日(まいにち)、ラジオで 日本語(にほんご)を [4] ながら 公園(こうえん)を 散歩(さんぽ)します。公園(こうえん)には いつも 人(ひと)が たくさん います。昨日(きのう)は 公園(こうえん)で ラジオを 聞(き)いて いる ときに いぬが 近(ちか)くに 来(き)て いっしょに 遊(あそ)びました。その 日(ひ)は ほかに だれにも [5]。

[1]

1 行(い)きました　　2 行(い)かない　　3 行(い)きたい　　4 行(い)こう

[2]

1 たくさん　　2 もっと　　3 ちょっと　　4 いつも

[3]

1 でも　　2 それでは　　3 それから　　4 たぶん

[4]

1 聞(き)き　　2 聞(き)く　　3 聞(き)いて　　4 聞(き)かない

[5]

1 会(あ)いました　　2 会(あ)いたかったです

3 会(あ)いませんでした　　4 会(あ)って いました

もんだい 3 글의 문법 실전문제 ②

해설편 66p

もんだい 3　**[1] から [5] に 何を 入れますか。ぶんしょうの いみを かんがえて、1・2・3・4から いちばん いい ものを 一つ えらんで ください。**

これは じゅぎょうで 書いた さくぶんです。

> 夏休みに したい こと
>
> マリア・スミス
>
> 今年の 夏休みは 日本に [1] よていです。東京から 大阪まで しんかんせん [2] 行きます。[3] あとは 京都にも 行って ゆうめいな おてらを 見ます。
>
> 私は [4] 神戸には 行った ことが ありません。神戸には 日本で はじめて できた [5] が あります。そこで コーヒーを 飲みたいです。そして 近くに ある きれいで しずかな しょくどうに 行って おいしい ぎゅうにくも 食べたいです。

1

1 行く　　2 行かない　　3 行った　　4 行きます

2

1 に　　2 で　　3 が　　4 の

3

1 この　　2 その　　3 あの　　4 どの

4

1 いま　　2 あと　　3 まだ　　4 なぜ

5

1 としょかん　　2 えき　　3 びょういん　　4 きっさてん

Part 3

JLPT N5

Part 3

독해

I 문제 유형 파악하기

1 もんだい 4　내용 이해(단문)
2 もんだい 5　내용 이해(중문)
3 もんだい 6　정보 검색

1 : もんだい 4 내용 이해(단문)

문제 유형

생활이나 업무와 관련된 편지나 이메일, 게시판 공지글 등 약 80~120자 길이의 지문을 읽고 글의 주제 및 내용을 이해했는지 묻는 문제가 출제된다.

문제 풀이 포인트

의문사에 주목하라!

단문은 빠른 시간에 문제에서 요구하는 바를 정확하게 짚어내야 한다. 따라서 문제 속에 의문사(何(なに)·だれ·どうして·いつ·どこ)가 나오면 지문 속의 어느 부분을 주의 깊게 읽어야 할지 알 수 있다. 특히 '~에서(장소) 무엇을', '~에(시간) 무엇을'처럼 문제에서 두 가지 조건을 제시할 때도 있으니 시간의 흐름을 염두하며 지문을 읽도록 하자.

부사에 주의하자!

지문에는 「たくさん 많이」, 「たいてい 대강, 대개」, 「少(すこ)し 조금」, 「いっぱい 잔뜩, 가득」처럼 대략적인 정도를 표현하는 부사가 나오기도 한다. 작은 뉘앙스 차이로 정답이 달라질 수 있으므로 부사의 뜻을 정확히 익혀 두면 문제 풀이에 도움이 된다.

もんだい 4 내용 이해(단문) 연습문제

해설편 70p

もんだい 4　つぎの　(1)から　(2)の　ぶんしょうを　読んで、しつもんに　こたえて　ください。こたえは、1・2・3・4から　いちばん　いい　ものを　一つ　えらんで　ください。

(1) 学生が　この　かみを　見て　います。

> どうぶつえんへ　行きましょう！
>
> あしたは　どうぶつえんへ　行きます。8時50分までに　学校へ　来て　ください。どうぶつえんは　ちかてつの　花こうえん駅から　10分ぐらい　歩きます。どうぶつえんで　2時間ぐらい　どうぶつを　見ます。その　とき、どうぶつに　食べ物を　あげないで　ください。みんなで　しゃしんも　とります。雨の　ときも　行きます。
>
> 5月1日　中村

1　どうぶつえんでは　何を　しますか。

1　10分ぐらい　歩きます。
2　ちかてつに　乗ります。
3　どうぶつに　食べ物を　あげます。
4　しゃしんを　とります。

(2)

わたしは　毎日　朝ごはんを　食べます。たいてい、パンを　食べます。ときどき、シリアルを　食べます。パンの　ときは、チーズや　サラダを　いっしょに　食べます。シリアルの　ときは、フルーツも　食べます。飲み物は、いつも　こうちゃです。ミルクティーが　大好きです。

2　「わたし」は　朝　何を　食べますか。

1　毎日　ごはんを　食べます。

2　いつも　パンを　食べます。

3　たいてい　パンか　シリアルを　食べます。

4　朝ごはんは　食べません。

2: もんだい 5 내용 이해(중문)

문제 유형

수필이나 학생이 작성한 작문 등 250~300자 정도의 지문을 읽고 글의 내용을 파악하고 있는지를 묻는 문제가 주로 출제된다.

문제 풀이 포인트

지문에서 쓰인 표현으로 만든 함정을 조심하자!

선택지에 지문의 내용과 전혀 다른 내용이 나오는 문제도 있지만, 지문에서 사용된 표현으로 혼동을 주는 선택지로 구성된 문제도 나온다. 지문에서 나온 표현이라고 해서 섣불리 정답으로 고르지 말고, 선택지의 내용을 꼼꼼하게 파악해야 정확한 답을 골라낼 수 있다.

이유는 밑줄 앞뒤에!

지문에 밑줄이 있으면 '어째서(どうして)'인지 인과 관계를 묻는 경우가 많다. 〈중문〉 파트의 지문은 길이가 두세 단락 정도인 것이 대부분이므로 전체 내용을 보는 것보다 밑줄 앞뒤에서 그 원인·이유를 찾는 것이 문제를 푸는 데 도움이 된다.

もんだい 5 내용 이해(중문) 연습문제

해설편 72p

もんだい 5 つぎの ぶんしょうを 読んで、しつもんに こたえて ください。こたえは、1・2・3・4から いちばん いい ものを 一つ えらんで ください。

これは チェシカさんが 書いた さくぶんです。

金曜日の 夜

チェシカ

金曜日の 夜は、たいてい うちに います。そして、たくさん 寝ます。でも、先週の 金曜日の 夜は、友だちと いっしょに 留学生の パーティーに 行きました。パーティーには、いろいろな 国の 人が いました。大学の たてものの 2かいで、ばんごはんを 食べました。たこやきと からあげを 食べました。それから、ゲームを しました。ゲームは とても おもしろかったです。わたしは ゲームで いちばんに なりました。そして、きれいな 日本の 絵はがきを もらいました。

パーティーで いろいろな 国の 人と 話しました。たとえば、ケニアや インドネシアや 韓国から 来た 学生です。みんな、とても いい ひとでした。それから、みんな ダンスを しました。でも、わたしは ダンスを しませんでした。そして、9時に 友だちと いっしょに 帰りました。パーティーは、ほんとうに 楽しかったです。

해설편 73p

1 チェシカさんは、先週の　金曜日の　夜、何を　しましたか。

1 うちで　たくさん　寝ました。

2 留学生の　パーティーに　行きました。

3 うちで　友だちと　いっしょに　パーティーを　しました。

4 日本の　絵はがきを　買いに　行きました。

2 チェシカさんは　帰る　すぐ　前に　何を　しましたか。

1 ばんごはんを　食べました。

2 ゲームを　しました。

3 絵はがきを　もらいました。

4 みんなと　ダンスを　しました。

MEMO

3; もんだい 6 정보 검색

문제 유형

광고 전단지, 열차나 버스 시간표, 안내문 등 200~300자 정도로 이루어진 정보지를 읽고 답을 고르는 문제가 출제된다.

문제 풀이 포인트

기호를 유심히 살펴보자!

문제에서는 연령, 날짜, 시간, 가격 등 다양한 내용을 제시하는데, 정보지(지문)에서 제공된 정보를 토대로 조건에 부합하는 답을 찾아야 한다. 특히 정보지에 기호나 괄호 등으로 표시된 별도 · 예외 조항에 정답의 힌트가 있는 경우가 많으니 꼼꼼히 읽도록 하자.

자주 쓰이는 기호 ※ ★ ＊ ● ◎ ▶ ■

괄호 『 』 《 》 【 】 〔 〕

もんだい 6 정보 검색 연습문제

해설편 74p

もんだい 6 **右の　ページを　見て、下の　しつもんに　こたえて　ください。こたえは、1・2・3・4から　いちばん　いい　ものを　一つ　えらんで　ください。**

1 ハスナさんは　やさいや　あまい　ものが　だい好きで、ぶた肉は　食べません。そして、おさけは　飲む　ことが　できません。好きな　ものが　たくさん　食べたいですが、安い　ものが　いいです。ハスナさんは　どの　コースに　しますか。

1 Aコース

2 Bコース

3 Cコース

4 Dコース

해설편 75p

	食べ物	飲み物
Aコース 1,200円	ポークステーキ、 フライドポテト、パスタ、 サラダ、アイスクリーム	ミネラルウォーター ウーロン茶 ビール
Bコース 2,000円	ビーフステーキ、 フライドポテト、パスタ、 サラダ、アイスクリーム、 ケーキ	ミネラルウォーター ウーロン茶
Cコース 3,000円	ビーフステーキ、 フライドチキン、 フライドポテト、 パスタ、サラダ、 アイスクリーム、ケーキ	ミネラルウォーター ソフトドリンク
Dコース 4,000円	ビーフステーキ、 フライドチキン、 フライドポテト、パスタ、 ピザ、サラダ、 アイスクリーム、ケーキ	ミネラルウォーター ソフトドリンク ビール

※　ソフトドリンクは　ウーロン茶・お茶・コーヒー・コーラ・オレンジジュースの中から　一つ　えらんで　ください

Ⅱ 실전문제 익히기

もんだい 4　내용 이해(단문)

もんだい 5　내용 이해(중문)

もんだい 6　정보 검색

もんだい 4 내용 이해(단문) 실전문제

해설편 76p

**もんだい 4 つぎの (1)から (2)の ぶんしょうを 読んで、しつもんに こたえて ください。
こたえは、1・2・3・4から いちばん いい ものを 一つ えらんで ください。**

(1)（学校で）

学生が この かみを 見て います。

Aクラスの みなさんへ

きょうの じゅぎょうは やすみです。Aクラスの 青田先生が 病気です。あしたは じゅぎょうが あります。Aクラスは Bクラスと いっしょに べんきょうします。先生は Bクラスの 赤木先生です。Aクラスの 学生は、あした Bクラスの きょうしつに 行って ください。

4月 15日

みどり日本語学校

1 学校は Aクラスの 学生に 何が 言いたいですか。

1 きょうの じゅぎょうは ありません。あしたは Bクラスと いっしょに べんきょうします。
2 きょうは 青田先生が やすみですから、赤木先生が Aクラスの じゅぎょうを します。
3 きょうも あしたも 青田先生が やすみですから、じゅぎょうが ありません。
4 きょうは 青田先生が やすみですから、Bクラスと いっしょに べんきょうします。

(2)

みなさんは　一日(いちにち)に　何回(なんかい)　ごはんを　食(た)べますか。朝(あさ)、ひる、夜(よる)、一日(いちにち)に　三回(さんかい)　食(た)べる　人(ひと)が　おおいでしょう。でも　いつも　おなじ　時間(じかん)に　ごはんを　食(た)べるのは　むずかしいです。だから　一日(いちにち)　二回(にかい)　食(た)べるのが　いいと　いう　人(ひと)も　います。朝(あさ)は　いそがしいから　ごはんを　食(た)べる　ことが　できない　人(ひと)や　ダイエットで　一日一回(いちにちいっかい)しか　食(た)べない　人(ひと)も　たくさん　います。でも　げんきに　なる　ためには　何回(なんかい)　食(た)べるか　より　どんな　しょくじを　するかが　たいせつです。

2 げんきに　なる　ためには　何(なに)が　たいせつですか。

1 ごはんを　一日(いちにち)　三回(さんかい)　食(た)べる　こと

2 ごはんを　一日(いちにち)　二回(にかい)　食(た)べる　こと

3 朝(あさ)は　ごはんを　食(た)べない　こと

4 どんな　ごはんを　食(た)べるかと　いう　こと

もんだい 5 내용 이해(중문) 실전문제

해설편 78p

もんだい 5　つぎの　ぶんしょうを　読んで、しつもんに　こたえて　ください。こたえは、1・2・3・4から　いちばん　いい　ものを　一つ　えらんで　ください。

　わたしの　学校は　少し　とおい　ところに　あります。家から　バスに　乗って　行きますが、おりてから　20分ぐらい　あるきます。じてんしゃで　行く　ことも　できますが、バスが　はしる　道は　くるまが　たくさん　来るから　こわいです。

　学校の　近くには　小さな　川が　あります。川の　水は　とても　きれいで　さかなも　およいで　います。夏は　その　川で　友だちと　いっしょに　あそびます。わたしは　川で　あそぶのが　だい好きです。

　川の　すぐ　そばに　あたらしくて　大きな　家が　あります。この　家は　学校から　ちかいから　帰って　すぐ　川に　行って　友だちと　あそぶ　ことが　できます。だから　「わたしも　いつか　あんな　家に　すみたい」と　おもいます。友だちと　いっしょに　たくさん　あそんで　ごはんの　時間に　帰ります。毎日が　とても　楽しいでしょう。

해설편 78p

1 この 人は　どうして　じてんしゃで　学校に　行きませんか。

1 家が　とおいから

2 くるまが　多くて　あぶないから

3 バスに　乗りたいから

4 あるきながら　川が　見たいから

2 この　人は　<u>あんな　家</u>に　すんで、何が　したいですか。

1 友だちと　川で　あそびたい。

2 友だちと　家で　あそびたい。

3 友だちと　べんきょうが　したい。

4 友だちと　家で　ごはんが　食べたい。

もんだい 6 정보 검색 실전문제

해설편 80p

もんだい 6 右の ページを 見て、下の しつもんに こたえて ください。こたえは、1・2・3・4から いちばん いい ものを 一つ えらんで ください。

1

家族 三人で 土曜日に りょこうに 行きます。かばんが 2つ あるから 駅から ちかい ところが いいです。ばんごはんは ホテルで 食べたいです。朝は、駅の ちかくの しょくどうで おいしい ものを 食べたいと おもいます。ホテルで つかう お金は 全部で 35,000円までです。

この 家族は どの ホテルに 行きますか。

1 なぎさホテル

2 花の ホテル

3 みどりハウス

4 海の 国

海の ちかくに こんな ホテルが！！！

家族で たのしい りょこうを しませんか。

ホテル	お金	食事	駅 ↔ ホテル
なぎさホテル	ひとり 8,000円	ありません	バスで　20分
花の　ホテル	ひとり 12,000円	朝ごはん ＋ ばんごはん	あるいて　5分
みどりハウス	ひとり 10,000円	ばんごはんだけ	あるいて　5分
海の　国	ひとり 15,000円	朝ごはん ＋ ばんごはん	バスで　10分

Part 4

JLPT N5

Part 4

청해

I 문제 유형 파악하기

• 청해 기본기 갖추기

틀리기 쉬운 발음

청해에 자주 나오는 표현

1 もんだい1 과제 이해

2 もんだい2 포인트 이해

3 もんだい3 발화 표현

4 もんだい4 즉시 응답

틀리기 쉬운 발음

01~10

한국인이 알아듣기 힘든 발음으로 촉음, 장음, 발음(撥音), 요음, 탁음, 반탁음이 있다. 일본어는 어떻게 발음하느냐에 따라 의미가 달라지므로 정확하게 구분하는 연습이 필요하다.

1. 촉음

「つ・ツ」를 작게 표기하며 다음에 이어지는 음에 따라 'ㄱ, ㅅ, ㄷ, ㅂ' 받침과 비슷하게 발음한다.

촉음이 있는 단어를 들어 보자. 01

① いっこ(一個 한 개) —— いい こ(いい 子 착한 아이)

② きって(우표) —— きて(来て 오고)

③ しって(知って 알고) —— して(하고)

④ けっこう(제법) —— けんこう(건강)

⑤ ロック(록, rock) —— ろく(六 여섯)

연습 02

きいた ものと おなじ ものを えらんで ください。

1 いって(行って 가고) —— いて(있고)

2 にっこう(日光 지명) —— にこ(二個 두 개)

3 にっき(日記 일기) —— にんき(人気 인기)

4 おっと(夫 남편) —— おと(音 소리)

5 ぶっか(물가) —— ぶんか(文化 문화)

정답 1 いって 2 にこ 3 にっき 4 おと 5 ぶっか

2. 장음

두 개 이상의 모음이 이어질 경우 앞의 모음을 길게 발음한다.

장음이 있는 단어를 들어 보자. 03

①	いいえ(아니요)	———	いえ(家 집)
②	おおい(多い 많다)	———	おい(조카)
③	おじいさん(할아버지)	———	おじさん(아저씨, 삼촌)
④	サッカー(축구)	———	さっか(作家 작가)
⑤	ビール(맥주)	———	ビル(빌딩, 건물)

연습 04

きいた ものと おなじ ものを えらんで ください。

1	おばあさん(할머니)	———	おばさん(아줌마, 이모, 고모)
2	カレー(카레)	———	かれ(彼 그(3인칭 남자))
3	チーズ(치즈)	———	ちず(地図 지도)
4	ほしい(갖고 싶다)	———	ほし(星 별)
5	ようじ(용건, 용무)	———	よじ(四時 4시)

정답 1 おばあさん　2 カレー　3 ちず　4 ほし　5 ようじ

3. 발음(撥音・ん)

「ん・ン」으로 표기하며 다음에 이어지는 음에 따라 'ㄴ, ㅁ, ㅇ' 받침과 비슷하게 발음한다.

ん발음이 있는 단어를 들어 보자. 05

①	うんてん(운전)	——	うてん(우천, 비오는 날씨)
②	かんこく(韓国 한국)	——	かこく(가혹)
③	でんわ(電話 전화)	——	では(그럼(접속사))
④	げんきん(현금)	——	げんき(元気 건강)
⑤	ダンス(댄스)	——	だす(出す 꺼내다, 제출하다)

きいた ものと おなじ ものを えらんで ください。

1	かばん(가방)	——	かば(하마)
2	かんじ(漢字 한자)	——	かじ(火事 화재)
3	きゅうにん(九人 9명)	——	きゅうに(急に 갑자기)
4	けっこん(結婚 결혼)	——	けっこう(꽤, 상당히)
5	りょうしん(両親 부모)	——	りょうし(어부)

정답 1 かばん 2 かじ 3 きゅうに 4 けっこん 5 りょうしん

4. 요음

「い」를 제외한 い단「き·ぎ·し·じ·ち·に·ひ·び·ぴ·み·り」에「や·ゆ·よ」를 작게 표기한 글자로, 'ㅑ, ㅠ, ㅛ'로 발음한다.

요음이 있는 단어를 들어 보자. 07

① きゅうこう(급행) ——— くうこう(空港 공항)

② しゃいん(社員 사원) ——— サイン(사인, 서명)

③ しょくどう(食堂 식당) ——— そくど(속도)

④ ひゃく(百 백) ——— はく(履く (바지를) 입다, (신발을) 신다)

⑤ やきゅう(野球 야구) ——— やく(굽다)

연습 08

きいた ものと おなじ ものを えらんで ください。

1 きょうだい(兄弟 형제) ——— こだい(고대)

2 シャワー(샤워) ——— サワー(사워(칵테일의 한 종류))

3 しゅみ(趣味 취미) ——— すみ(구석)

4 しりょう(자료) ——— しろ(白 흰색)

5 びょういん(病院 병원) ——— びよういん(美容院 미용실)

정답 1 きょうだい 2 シャワー 3 しゅみ 4 しろ 5 びょういん

5. 탁음·반탁음

탁음은 「か·さ·た·は」행의 오른쪽 위에 탁점(゛)이 붙은 글자이며, 반탁음은 「は」행 오른쪽 위에 반탁점(°)이 붙은 글자이다.

탁음 · 반탁음이 있는 단어를 들어 보자. 09

①	あげる(주다)	———	あける(開ける 열다)
②	だいがく(大学 대학)	———	たいかく(체격)
③	ダンス(댄스)	———	たんす(옷장, 서랍장)
④	ビザ(비자)	———	ピザ(피자)
⑤	パン(빵)	———	はん(半 반, 절반)

연습 10

きいた ものと おなじ ものを えらんで ください。

1	ざんぎょう(야근, 잔업)	———	さんぎょう(산업)
2	だす(出す 꺼내다, 제출하다)	———	たす(足す 더하다)
3	でんき(電気 전기, 전깃불)	———	てんき(天気 날씨)
4	バス(버스)	———	パス(패스, 통과)
5	ベッド(침대)	———	ペット(반려동물)

정답 1 さんぎょう 2 だす 3 でんき 4 パス 5 ペット

청해에 자주 나오는 표현

11~15

청해 문제에 자주 나오는 표현들을 정리했다. 회화와 독해에도 유용한 표현들이므로 잘 익혀 두자.

1. 인사 표현

인사 표현을 들어 보자. 11

- おはよう　ございます。안녕하세요.(아침 인사)
- おやすみなさい。안녕히 주무세요.
- はじめまして。처음 뵙겠습니다.
- （よろしく）お願(ねが)いします。(잘) 부탁드리겠습니다.
- いただきます。잘 먹겠습니다.
- ごちそうさまでした。잘 먹었습니다.
- おめでとう　ございます。축하합니다.
- ありがとう　ございます。고맙습니다.
- どういたしまして。천만에요.
- とんでもありません。별말씀을요.
- すみません。미안합니다, 고맙습니다, 실례합니다.
- ごめんなさい。미안해요.
- しつれいします。실례합니다, 실례하겠 습니다.
- おせわになりました。신세 많이 졌습니다.
- いらっしゃいませ。어서오세요.
- お気(き)をつけて。살펴 가세요, 조심히 가세요.
- おひさしぶりです。오래간만입니다.

2. 경어 표현

경어 표현을 들어 보자. 12

- **～て　ください。** ～해 주세요, ～하세요

これを　10枚(じゅうまい)　コピーして　ください。이걸 10장 복사해 주세요.

右(みぎ)に　行(い)って　ください。오른쪽으로 가 주세요.

電話番号(でんわばんごう)を　教(おし)えて　くださいませんか。전화번호를 알려 주시지 않겠습니까?

- **～でしょう。** ～일 것입니다, ～이겠지요. ▶특히 일기 예보 등에서 많이 사용

飛行機(ひこうき)は　2時(にじ)に　着(つ)くでしょう。비행기는 두 시에 도착하겠지요.

あしたは　雨(あめ)が　降(ふ)るでしょう。내일은 비가 올 겁니다.

- **～ましょう / ～ましょうか。** ～합시다 / ～할까요?

部屋(へや)を　そうじしましょう。방을 청소합시다.

コーヒーでも　飲(の)みましょうか。커피라도 마실까요?

- **～ませんか。** ～지 않겠습니까?

いっしょに　買(か)い物(もの)しませんか。함께 쇼핑하지 않을래요?

今日(きょう)は　カレーを　食(た)べませんか。오늘은 카레를 먹지 않을래요?

土曜日(どようび)に　映画(えいが)を　見(み)ませんか。토요일에 영화를 보지 않을래요?

3. 축약 표현

축약 표현을 들어 보자. 13

- **では → じゃ**

これは 私(わたし)の かさでは ありません。

→これは 私(わたし)の かさじゃ ありません。 이건 제 우산이 아닙니다.

では、あした また 来(き)ます。

→じゃ、あした また 来(き)ます。 그럼 내일 다시 오겠습니다.

それでは、日本語(にほんご)で 説明(せつめい)します。

→それじゃ、日本語(にほんご)で 説明(せつめい)します。 그럼, 일본어로 설명하겠습니다.

4. 문말 표현

문말 표현을 들어 보자. 14

- **~か** ~까 ▶ 의문

これは いくらですか。 이건 얼마입니까?

学校(がっこう)には 自転車(じてんしゃ)で 行(い)きますか。 학교에는 자전거로 가나요?

- **~かな** ~일까, ~인 걸까 ▶ 가벼운 의문을 표현, 혼잣말에도 많이 사용됨

日曜日(にちようび)は 店(みせ)が 休(やす)みかな。 일요일은 가게가 쉬는 날인가?

あしたも 天気(てんき)が いいかな。 내일도 날씨가 좋으려나.

- **～な(あ)** ～(구)나 ▶감동·감탄을 표현

今年は　12月でも　暖かいな。올해는 12월에도 따뜻하구나.

図書館の　中は　静かだな。도서관 안은 조용하네.

- **～ね** ～(하)네, ～(이)네 ▶감탄이나 정보 확인, 동의를 구할 때 사용

デパートは　人が　たくさん　いますね。백화점은 사람이 많군요.

来週までに　終わりますね？ 다음 주까지 끝나지요?

- **～の / ～の？** ～야 / ～야? ▶억양에 따라 평서문·의문문으로 뉘앙스가 달라짐

A　先生は　どうして　その　ことを　知って　いるの？ 선생님은 어째서 그걸 알고 있어?

B　私が　話したの。내가 말했어.

- **～よ** ～야, ～예요 ▶정보를 전달하거나 사실이나 기분을 강조할 때 사용

あと　10分ぐらいで　着くよ。앞으로 10분 정도면 도착할 거야.

宿題は　全部　終わったよ。숙제는 전부 다했어.

- **～わ** ～요 ▶부드러운 느낌을 표현(주로 여성이 많이 사용)

その　ニュースは　テレビで　見たわ。그 뉴스는 텔레비전에서 봤어.

ダイエット中は　甘い　ものは　食べないわ。다이어트 중에는 달콤한 건 먹지 않아.

연습 15

もんだいを きいて ________に はいる ものを かいて ください。

1 A いっしょに 散歩(さんぽ)しませんか。

B いいですね。行(い)き________。

2 A 宿題(しゅくだい)を してから ごはんを 食(た)べて ください。

B 宿題(しゅくだい)は もう しました____。

3 A はじめまして。

B よろしく ________。

4 あしたは 雨(あめ)が 降(ふ)る ________。

5 A たんじょうび ________。

B ありがとう ございます。

정답

1 ましょう

2 よ

3 お願(ねが)いします

4 でしょう

5 おめでとう ございます

해석

A 같이 산책하지 않을래요?
B 좋네요. 갑시다.

A 숙제를 하고 나서 밥을 먹으세요.
B 숙제는 이미 했어요.

A 처음 뵙겠습니다.
B 잘 부탁드리겠습니다.

내일은 비가 올 겁니다(오겠습니다).

A 생일 축하합니다.
B 감사합니다.

1 もんだい1 과제 이해

문제 유형

상황 정보를 듣고 과제(해야 하는 일)를 해결하기 위해 필요한 행동이 무엇인지를 찾는 문제이다.

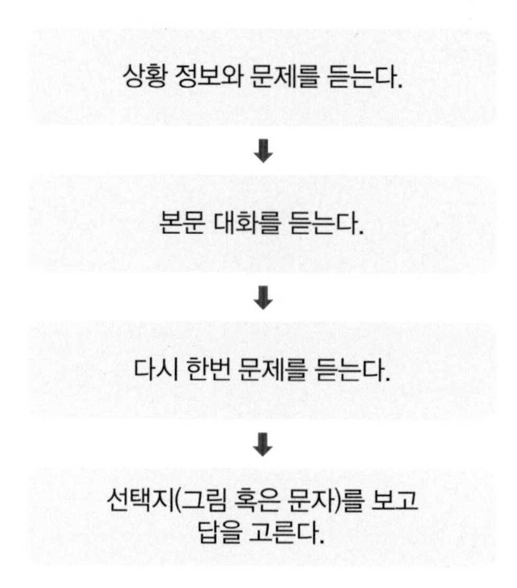

문제 풀이 포인트

과제 이해는 질문이 상황 정보보다 먼저 나오므로, 질문을 듣고 과제(해야 하는 일)를 해결하는 사람이 누구인지를 먼저 확인한다. 그런 다음 두 사람의 대화를 들으며 필요한 상황 정보를 파악하고 그림이나 문자로 이루어진 선택지에서 답을 고른다. 대화 내에서는 다양한 요일, 장소, 사물 등이 반복적으로 등장하는 경우가 많으므로 시간·장소 등 문제에서 요구하는 것이 어떤 것인지를 정확하게 파악하고 답을 골라야 한다.

もんだい 1

もんだい 1 では、はじめに　しつもんを　きいて　ください。それから　はなしを　きいて、もんだいようしの　1 から　4 の　なかから、いちばん　いい　ものを　ひとつ　えらんで　ください。

1　16

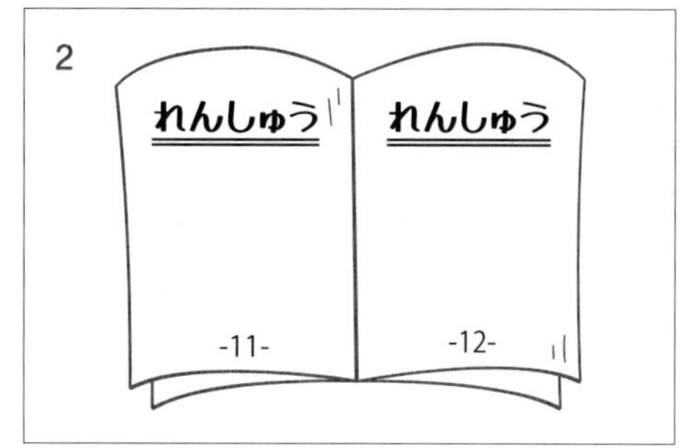

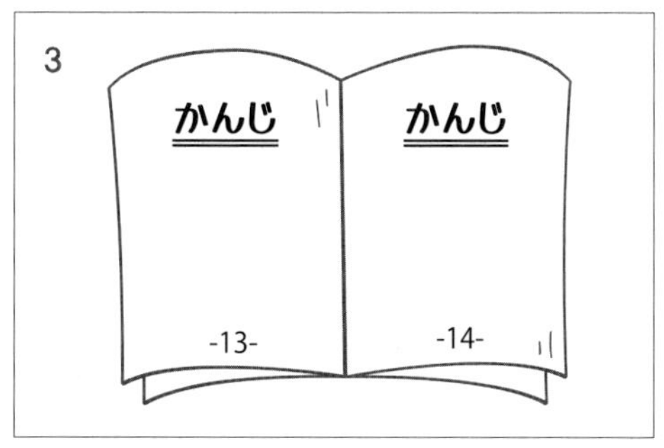

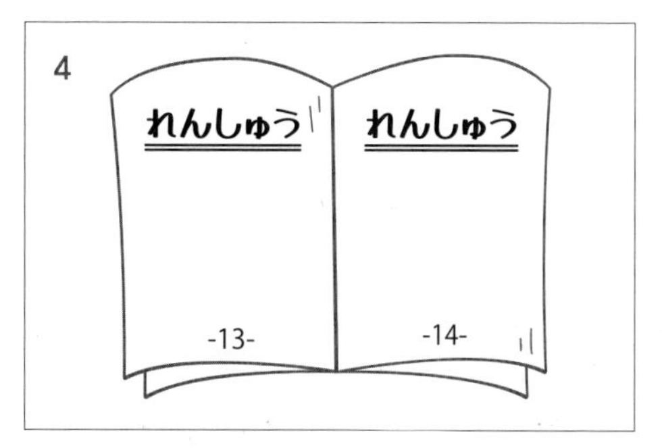

2 17

1

2

3

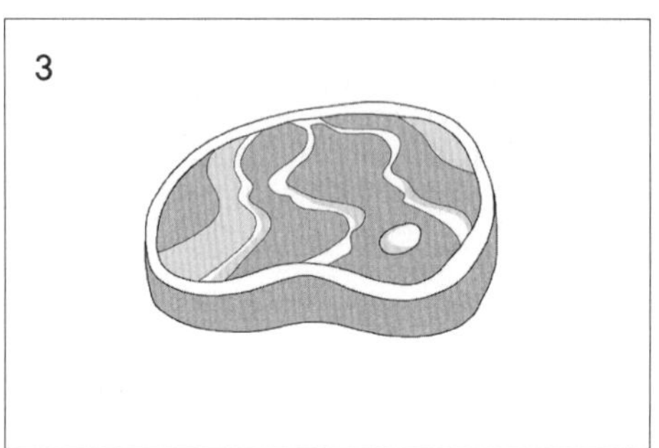

4

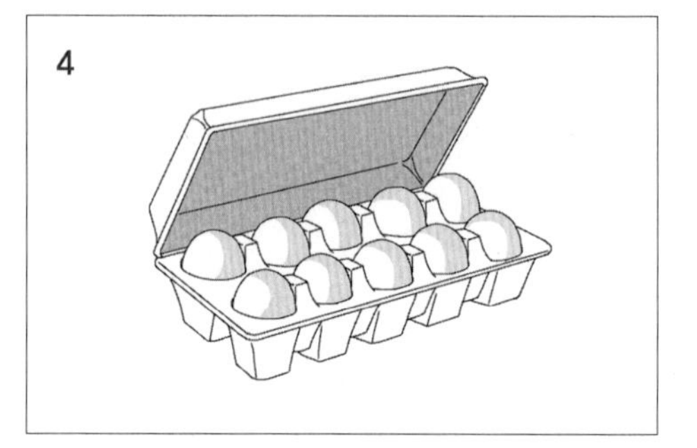

3 18

1 あしたの　ごぜんちゅう

2 あしたの　ごご

3 あさっての　ごぜんちゅう

4 あさっての　ごご

해설편 86p

4 19

じゅぎょう　あんない

どようび	にちようび
まいしゅう ア．　ごぜん 10:00～ イ．　ごご 2:00～ ウ．　ごご 4:00～	まいつき はじめての にちようびだけ エ．　ごぜん 10:00～

1 ア

2 イ

3 ウ

4 エ

해설편 87p

5 20

1 てを　あらう

2 トイレに　いく

3 おかあさんに　あいさつする

4 かいものに　いく

6 21

해설편 89p

7 22

2; もんだい 2 포인트 이해

23~28

문제 유형

대화문이나 한 명의 화자가 말하는 내용을 듣고 포인트를 파악해야 한다.

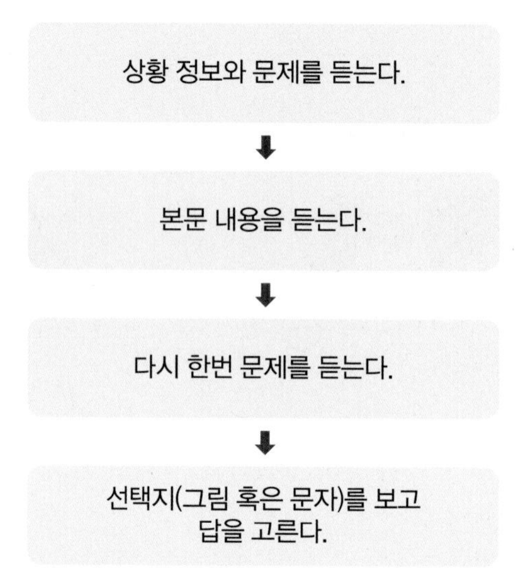

문제 풀이 포인트

포인트 이해에서는 ‘무엇(何)’, ‘어디(どこ)’, ‘어째서(どうして)’, ‘어떤(どんな)’ 등 의문사가 나오는 문제가 주로 출제된다. 문제에서 어떤 의문사를 사용했는지를 듣고, ‘무엇을 하는지’, ‘어떻게 하는지’, ‘어떻게 되는지·하는지’에 대해 주의 깊게 들으면 답을 유추해 낼 수 있다.

もんだい 2

もんだい２では、はじめに　しつもんを　きいて　ください。それから　はなしを　きいて、もんだいようしの　１から　４の　なかから、いちばん　いい　ものを　ひとつ　えらんで　ください。

1　23

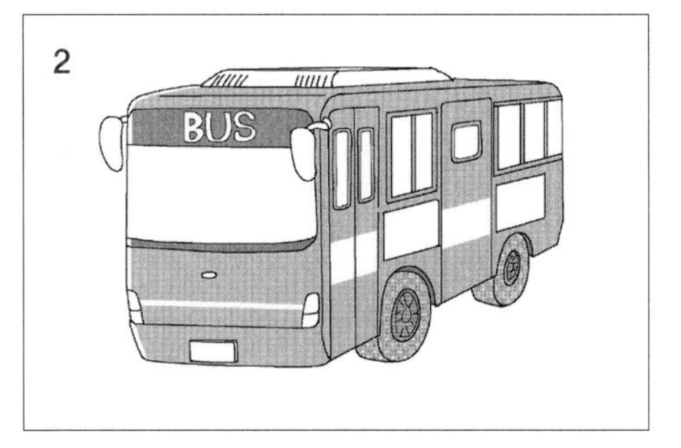

2 24

1 おにいさんが　ひとり

2 おにいさんが　ふたり

3 おねえさんが　ひとり

4 おねえさんが　ふたり

3 25

4 26

1 ほんを　かりに　いきました

2 ほんを　かいに　いきました

3 としょかんで　ほんを　よみました

4 うちで　ほんを　よみました

5 27

해설편 94p

6 28

1 たかいから

2 かう　ひとが　おおいから

3 たなかさんが　じぶんで　つくるから

4 ほかに　おいしい　ものを　かうから

3: もんだい 3 발화 표현

29~33

문제 유형

제시된 그림을 보며 상황 설명을 듣고 화살표가 가리키는 사람이 할 말을 고르는 문제이다.

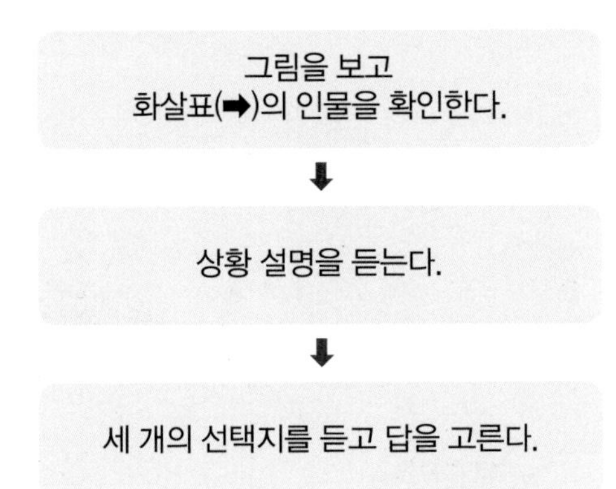

문제 풀이 포인트

발화 표현에서는 학교나 회사, 일상생활 등 다양한 장면에서 권유·요청·허가 및 인사말(감사·사과·위로 등)을 고르는 문제가 출제된다. 상대방과의 관계에 따라 경어나 반말체로 바뀌기도 하니 줄임말 및 문말 표현 등에 따라 달라지는 뉘앙스를 익혀 두도록 하자.

해설편 96p

もんだい 3

もんだい３では、えを　みながら　しつもんを　きいて　ください。➡（やじるし）の　ひとは　なんと　いいますか。１から　３の　なかから、いちばん　いい　ものを　ひとつ　えらんで　ください。

1 　29

해설편 97p

2 30

3 31

해설편 98p

5 33

4 : もんだい 4 즉시 응답

34~39

문제 유형

두 사람의 짧은 대화를 듣고 적절한 응답을 찾는 문제이다.

짧은 문장을 듣는다.

⬇

세 개의 선택지를 듣고 답을 고른다.

문제 풀이 포인트

즉시 응답에서는 주로 선생님과 학생, 친구사이나 부모와 자식 사이의 짧은 대화가 나온다. 짧은 시간 안에 질문에 대한 알맞은 대답을 고르고 바로 다음 문제로 넘어가는 유형이므로 신속하게 답을 고르고 다음 문제에 대비하는 연습이 필요하다.

해설편 100~102p

もんだい 4

もんだい4は、えなどが　ありません。ぶんを　きいて、1から　3の　なかから、いちばん　いい　ものを　ひとつ　えらんで　ください。

— メモ —

34~39

Ⅱ 실전문제 익히기

もんだい 1　과제 이해
もんだい 2　포인트 이해
もんだい 3　발화 표현
もんだい 4　즉시 응답

もんだい 1 과제 이해 실전문제

40~46

もんだい 1　もんだい 1 では、はじめに　しつもんを　きいて　ください。それから　はなしを　きいて、もんだいようしの　1から　4の　なかから、いちばん　いい　ものを　ひとつ　えらんで　ください。

1　40

1

2

3

4

2 41

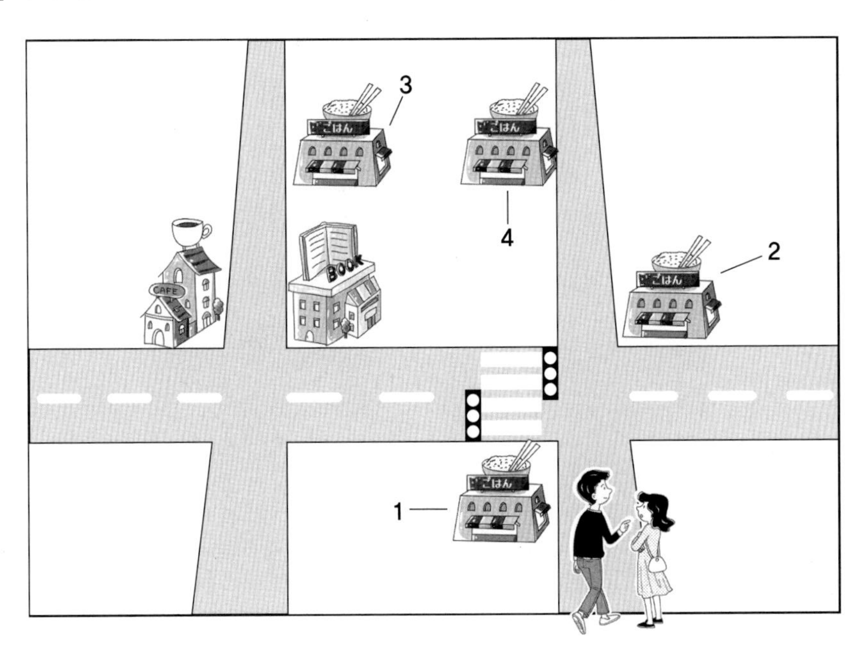
3
ごはん
4
ごはん
CAFE
BOOK
2
ごはん
1
ごはん

3 42

1
NOTE
きょうかしょ

2
NOTE

3
NOTE
water

4
NOTE
water

해설편 106p

4 43

1 げつようび

2 かようび

3 すいようび

4 どようび

5 44

해설편 107p

6 45

1 トイレ

2 きょうしつ

3 がくせいか

4 でんわの　かいしゃ

7 46

もんだい 2 포인트 이해 실전문제

47~52

もんだい 2　もんだい 2 では、はじめに　しつもんを　きいて　ください。それから　はなしを　きいて、もんだいようしの　1から　4の　なかから、いちばん　いい　ものを　ひとつ　えらんで　ください。

1　47

1 くもが　おおく　なって　すずしい

2 よるまで　あめが　ふる

3 あめが　ふって　さむく　なる

4 あめが　ふるが　さむくは　ない

2　48

1 でんしゃ

2 じてんしゃ

3 じどうしゃ

4 あるいて

3 49

4 50

1 バーベキューを　します

2 かいものに　いきます

3 よていを　かんがえます

4 みんなに　れんらくを　します

해설편 113p

5 51

6 52

1 もくようび

2 きんようび

3 どようび

4 にちようび

53~57

もんだい 3　もんだい 3では、えを　みながら　しつもんを　きいて　ください。
➡（やじるし）の　ひとは　なんと　いいますか。1から　3の　なかから、いちばん　いい　ものを　ひとつ　えらんで　ください。

1　53

2 54

3 55

해설편 117p

もんだい 4 즉시 응답 실전문제

해설편 119~121p

58~63

もんだい 4　もんだい４は、えなどが　ありません。ぶんを　きいて、１から　３の　なかから、いちばん　いい　ものを　ひとつ　えらんで　ください。

— メモ —

58~63

MEMO

JLPT N5

Test

모의고사

언어지식 (문자・어휘・문법)

			문제 유형	문항 및 배점	점수
언어지식	문자・어휘	문제 1	한자 읽기	7문제 × 1점	7
		문제 2	표기	5문제 × 1점	5
		문제 3	문맥 규정	6문제 × 1점	6
		문제 4	유의 표현	3문제 × 1점	3
	문법	문제 1	문법형식 판단	9문제 ×1점	9
		문제 2	문장 만들기	4문제 × 1점	4
		문제 3	글의 문법	5문제 × 1점	5
합계					39

★ 득점환산법(60점 만점) [득점] ÷ 39 × 60 = [ ]점

독해

		문제 유형	문항 및 배점	점수
독해	문제 4	내용 이해(단문)	2문제 × 7점	14
	문제 5	내용 이해(중문)	2문제 × 7점	14
	문제 6	정보 검색	1문제 × 8점	8
합계				36

★ 득점환산법(60점 만점) [득점] ÷ 36 × 60 = [ ]점

청해

		문제 유형	문항 및 배점	점수
청해	문제 1	과제 이해	7문제 × 3점	21
	문제 2	포인트 이해	6문제 × 3점	18
	문제 3	발화 표현	5문제 × 2점	10
	문제 4	즉시 응답	6문제 × 1점	6
합계				55

★ 득점환산법(60점 만점) [득점] ÷ 55 × 60 = [ ]점

* 위의 배점표는 시사일본어사에서 작성한 것으로, 실제 시험과는 약간의 오차가 생길 수 있습니다.
* 모의고사 정답은 해설편 124p에서 확인할 수 있습니다.

N5

げんごちしき (もじ・ごい)

(20ぷん)

ちゅうい
Notes

1. しけんが はじまるまで、この もんだいようしを あけないで ください。
Do not open this question booklet until the test begins.

2. この もんだいようしを もって かえる ことは できません。
Do not take this question booklet with you after the test.

3. じゅけんばんごうと なまえを したの らんに、じゅけんひょうと おなじように かいて ください。
Write your examinee registration number and name clearly in each box below as written on your test voucher.

4. この もんだいようしは、ぜんぶで 5ページ あります。
This question booklet has 5 pages.

5. もんだいには かいとうばんごうの 1、2、3… が あります。
かいとうは、かいとうようしに ある おなじ ばんごうの ところに マークして ください。
One of the row numbers 1, 2, 3… is given for each question. Mark your answer in the same row of the answer sheet.

じゅけんばんごう Examinee Registration Number	

なまえ Name	

もんだい１　＿＿＿の　ことばは　ひらがなで　どう　かきますか。１・２・３・４から　いちばん　いい　ものを　ひとつ　えらんで　ください。

（れい）　まどの　外を　みて　ください。

1　そと　　2　がい　　3　おと　　4　ほか

（かいとうようし）

（れい）	● ② ③ ④

1　山が　きれいです。

1　さん　　2　そら　　3　かわ　　4　やま

2　わたしの　はなしを　よく　聞いて　ください。

1　かいて　　2　きいて　　3　はいて　　4　ひいて

3　つくえの　上に　えんぴつが　あります。

1　よこ　　2　した　　3　なか　　4　うえ

4　この　ふくは　白いです。

1　あかい　　2　くろい　　3　しろい　　4　あおい

5　ともだちが　十人　います。

1　じゅうじん　　2　じゅうにん　　3　ちゅうにん　　4　とおひと

6 きょうは　<u>天気</u>が　いいです。

1　げんき　　2　でんき　　3　けんき　　4　てんき

7 この　ペンは　<u>三百円</u>です。

1　さんひゃくえん　　2　さんびゃくえん

3　さんびゅくえん　　4　さんぴゃくえん

もんだい2 ＿＿＿＿の ことばは どう かきますか。1・2・3・4から いちばん いい ものを ひとつ えらんで ください。

（れい） わたしは はなが すきです。

1 化　　2 花　　3 衣　　4 休

（かいとうようし）

（れい）	① ● ③ ④

---

8 しゃわーを あびます。

1 ツャワー　　2 シャワー　　3 ツャウー　　4 シャウー

9 この こうえんは きが おおいです。

1 花　　2 草　　3 気　　4 木

10 この ほんは ふるいですね。

1 安い　　2 高い　　3 古い　　4 長い

11 こんしゅう くにに かえります。

1 今月　　2 今日　　3 今年　　4 今週

12 わたしの いえへ あそびに きて ください。

1 来て　　2 未て　　3 立て　　4 本て

もんだい３　（　　　）に　なにが　はいりますか。１・２・３・４から　いちばん　いい　ものを　ひとつ　えらんで　ください。

（れい）　ごはんの　あとで　くすりを（　　　）ください。

1　たべて　　2　のんで　　3　よんで　　4　とって

（かいとうようし）

（れい）	①　●　③　④

13　ほんを　２（　　　）　かいました。

1　ほん　　2　さつ　　3　だい　　4　まい

14　（　　　）バスが　きました。

1　だんだん　　2　ちょっと　　3　いつも　　4　ちょうど

15　まいあさ（　　　）を　のみます。

1　コピー　　2　カレー　　3　コーヒー　　4　コップ

16　かぜを　ひきましたから（　　　）へ　いきました。

1　くすり　　2　びょういん　　3　がっこう　　4　こうえん

17　さむいですから（　　　）ふくを　きましょう。

1　ふとい　　2　あつい　　3　うすい　　4　ほそい

18　こうえんに　はなが　たくさん（　　　）います。

1　さいて　　2　ふいて　　3　さして　　4　ないて

もんだい4 ＿＿＿＿の ぶんと だいたい おなじ いみの ぶんが あります。1・2・3・4 から いちばん いい ものを ひとつ えらんで ください。

（れい） きょうは にちようびです。あしたは げつようびです。

1 きのうは かようびでした。

2 きのうは もくようびでした。

3 きのうは きんようびでした。

4 きのうは どようびでした。

（かいとうようし）	（れい）	① ② ③ ●

19 きょうは てんきが いいです。

1 きょうは あめが ふって います。

2 きょうは かぜが とても つよいです。

3 きょうは ゆきです。

4 きょうは はれです。

20 こうえんを さんぽしました。

1 こうえんで とびました。

2 こうえんで あるきました。

3 こうえんで はなしました。

4 こうえんで うたいました。

21 キムさんは たなかさんから ノートパソコンを かいました。

1 キムさんは たなかさんに ノートパソコンを かしました。

2 たなかさんは キムさんに ノートパソコンを かりました。

3 たなかさんは キムさんに ノートパソコンを うりました。

4 キムさんは たなかさんに ノートパソコンを もらいました。

N5

言語知識（文法）・読解

(40ぷん)

注　意
Notes

1. 試験が始まるまで、この問題用紙を開けないでください。
   Do not open this question booklet until the test begins.
2. この問題用紙を持ってかえることはできません。
   Do not take this question booklet with you after the test.
3. 受験番号となまえをしたの欄に、受験票とおなじように書いてください。
   Write your examinee registration number and name clearly in each box below as written on your test voucher.
4. この問題用紙は、全部で11ページあります。
   This question booklet has 11 pages.
5. 問題には解答番号の 1 、 2 、 3 … があります。
   解答は、解答用紙にあるおなじ番号のところにマークしてください。
   One of the row numbers 1, 2, 3 … is given for each question. Mark your answer in the same row of the answer sheet.

受験番号 Examinee Registration Number	
なまえ Name	

もんだい１　（　　　　）に　何(なに)を　入(い)れますか。１・２・３・４から　いちばん　いい　ものを　一(ひと)つ　えらんで　ください。

（れい）　これ　（　　　）　ほんです。

　　１　に　　　　２　を　　　　３　は　　　　４　や

（かいとうようし）

（れい）	①　②　●　④

1　エレベーター（　　　）のって　10かいまで　上(あ)がって　ください。

　　１　で　　　　２　を　　　　３　へ　　　　４　に

2　きょう　あねは　風邪(かぜ)（　　　）しごとを　やすみました。

　　１　で　　　　２　に　　　　３　を　　　　４　が

3　この　中(なか)で　いちばん　すきな　絵(え)は（　　　）ですか。

　　１　だれ　　　　２　どこ　　　　３　どの　　　　４　どれ

4　きのうは　学校(がっこう)（　　　）行(い)きましたが、　きょうしつ（　　　）行(い)きませんでした。

　　１　には／には　　　　２　とは／とは　　　　３　では／では　　　　４　も／も

5　あまい　おかしは（　　　）すきでは　ありません。

　　１　あまり　　　　２　とても　　　　３　すこし　　　　４　たいへん

6 父は　毎あさ　犬と（　　　）あとで　会社に　行きます。

1　さんぽします　　2　さんぽする　　3　さんぽした　　4　さんぽし

7 (くだものやで)

お店の 人　「いらっしゃいませ。りんごは　いかがですか。」

田中　　　「その　大きい（　　　）を　三つ　ください。」

1　は　　2　と　　3　の　　4　しか

8 あした　さくらを（　　　）行きます。

1　見た　　2　見に　　3　見る　　4　見

9 ラン　「いっしょに　ケーキを　つくりましょう。れいぞうこに　たまごと　ぎゅうにゅうが　ありますか。」

ナナ　「ぎゅうにゅうは　たくさん　あります。たまごは　1つ（　　　）。」

1　ぐらいです　　2　も　あります

3　しか　あります　　4　しか　ありません

もんだい2　＿★＿に　入る　ものは　どれですか。1・2・3・4から　いちばん　いい　ものを　一つ　えらんで　ください。

（もんだいれい）　きのう　＿＿＿　＿＿＿　＿★＿　＿＿＿　は　とても　おいしかった。

1　母　　2　買って　きた　　3　が　　4　ケーキ

（こたえかた）

1. ただしい　文を　つくります。

きのう　＿＿＿　＿＿＿　＿★＿　＿＿＿　は　とても　おいしかった。 1 母　3 が　2 買って　きた　4 ケーキ

2. ＿★＿に　入る　ばんごうを　くろく　ぬります。

（かいとうようし）

（れい）	①　●　③　④

10　父が　＿＿＿　＿＿＿　＿＿＿　＿★＿　大きいです。

1　会社の　　2　りっぱで　　3　つとめる　　4　たてものは

11　近くの　公園で　＿＿＿　＿＿＿　＿★＿　＿＿＿　でした。

1　にぎやか　　2　子どもたちは　　3　げんきで　　4　会った

12　あぶないから　メール　＿＿＿　＿★＿　＿＿＿　＿＿＿　乗らないで　ください。

1　じてんしゃ　　2　に　　3　を　　4　見ながら

13　きのう　買った　＿＿＿　＿＿＿　＿★＿　＿＿＿　なりました。

1　はいて　　2　足が　　3　いたく　　4　くつを

もんだい3　[14]から　[18]に　何を　入れますか。ぶんしょうの　いみを　かんがえて、1・2・3・4から　いちばん　いい　ものを　一つ　えらんで　ください。

ジョージさんと　リンさんは、「きのうの　こと」を　さくぶんに　書きました。

（1）　ジョージさんの　さくぶん

> あさ　6時に　おきて、すぐに　シャワーを　あびました。[14]　近くの　お店に　朝　食べる　ものを　買いに　行きました。パンを　二つと　ぎゅうにゅうを　買いました。天気　[15]　よかったから　こうえんで　食べました。こうえんには　たくさんの　花が　あって　きれいでした。ゆっくりと　こうえんを　さんぽした　あと　いえに　帰りました。来週も　その　こうえんに　[16]。

（2）　リンさんの　さくぶん

> きのう　エリーさんと　どうぶつえんに　行きました。どうぶつえんには　たくさんの　どうぶつが　[17]。中でも　パンダが　いちばん　かわいかったです。パンダの　しゃしんを　たくさん　とりました。どうぶつえんには　レストランが　あって、ひるごはんを　食べました。その　あと　近くの　デパートへ　行って　ふくを　見たり　おちゃを　[18]　しました。とても　楽しかったです。

14

1 しかし　　2 それから　　3 それでは　　4 そのまえ

15

1 の　　2 に　　3 を　　4 が

16

1 行(い)きたいです　　2 行(い)って　ください
3 行(い)きました　　4 行(い)きませんか

17

1 ありました　　2 きました　　3 みました　　4 いました

18

1 飲(の)んで　　2 飲(の)んだり　　3 飲(の)んだ　　4 飲(の)み

もんだい4　つぎの　(1)から　(3)の　ぶんしょうを　読んで、しつもんに　こたえて　ください。こたえは、1・2・3・4から　いちばん　いい　ものを　一つ　えらんで　ください。

(1)

4月から　一人で　アパートに　すみます。新しい　へやには　エアコンと　ベッドが　あります。だいどころに　れいぞうこは　ありますが、電子レンジや　おさらは　ありません。私は　りょうりが　好きですから、あした　買いに　行きます。

19　あした　何を　買いに　行きますか。

1　れいぞうこ

2　エアコン

3　りょうり

4　電子レンジ

(2) (会社で)

村田さんの　机の　上に、この　メモが　あります。

村田さん

10：25に　西日本電子の　野田さんから　電話が　ありました。電話を　かけて
ください。野田さんは　今　出かけて　いますから、昼休みの　後が　いいでしょう。
電話の　前に、きのう　もらった　メールの　返事も　おねがいします。

山本

6月20日　10：30

20 この　メモを　読んで、村田さんは　はじめに　何を　しますか。

1　野田さんの　電話を　待ちます。

2　すぐに　出かけます。

3　野田さんの　メールに　返事を　します。

4　午後　電話を　かけます。

もんだい5　つぎの　ぶんしょうを　読んで、しつもんに　こたえて　ください。こたえは、1・2・3・4から　いちばん　いい　ものを　一つ　えらんで　ください。

これは　キムさんが　書いた　さくぶんです。

しょうらいの　仕事

キム・ジョンホ

ぼくは　しょうらい　コンピューター・ゲームを　つくる　仕事が　したいです。ぼくは　子どもの　ときから、いろいろな　ゲームを　しました。ですから、ゲームの　アイディアが　いろいろ　あります。おもしろくて、楽しい　ゲームを　もっと　たくさん　つくりたいです。

この　仕事は　①会社に　行かなくても　いいです。家でも　一人で　仕事を　することが　できます。そして、どんな　ところにも　住む　ことが　できます。自分の　国でも、外国でも　いいです。大きい　まちでも、小さい　まちでも　いいです。ぼくは　②小さい　いなかの　まちに　住みたいです。家族と　いっしょに　しずかな　所で、ゆっくり　生活が　したいです。

21 どうして ①<u>会社に 行かなくてもいいですか</u>。

1 自分の 会社ですから

2 家でも 一人で 仕事が できますから

3 小さい いなかの まちですから

4 ゆっくり 生活が したいですから

22 キムさんは どうして ②<u>小さい いなかの まちに 住みたい</u>と 言って いますか。

1 コンピューター・ゲームを つくりたいから

2 自分の 会社を つくりたいから

3 いろいろな ところに 住みたいから

4 家族と しずかに 生活が したいから

もんだい6　右の　ページを　見て、下の　しつもんに　こたえて　ください。こたえは、1・2・3・4から　いちばん　いい　ものを　一つ　えらんで　ください。

23　リンさんは　今　東西大学前で　バスを　待って　います。これから、ハナハナ・ショッピングモールで　買い物を　してから、山ノ下駅に　行きます。今は　5月6日　金曜日の　午後　2時18分です。あと、どの　ぐらい　バスを　待ちますか。

1　5分

2　15分

3　17分

4　35分

バスの　じこくひょう

時刻（じこく）	ハナハナ・ショッピングモール～山ノ下駅行き（やましたえきゆき）	
	分（ふん）(月～金曜日用)（げつ きんようびよう）	分（ふん）(土・日曜日用)（ど にちようびよう）
7:00	●8　24　●38　51	11　27　59
8:00	●3　14　●29　44	16　38　56
9:00	●1　16　●19　33　57	8　21　39
10:00	●23　43	5　●23　33　53
11:00	3　●23　35	5　●23　33　53
12:00	3　●23　35	5　●23　33　53
13:00	3　●23　35	5　●23　33　53
14:00	3　●23　35	5　●23　33　53
15:00	3　●23　35　59	5　●23　33　53
16:00	18　●27　39　59	1　19　●39　49
17:00	19　40	1　19　●39　49
18:00	0　12　30　42	1　19　●39　49
19:00	0　11　29　41　59	1　19　●39　49
20:00	11　29　●41　59	0　18　36　54
21:00	11　29　●41	●12　23　53

※4月（がつ）　29日（にち）(金)（きん）～5月（がつ）　8日（かにち）(日)の　間（あいだ）は　休（やす）みの　日（ひ）ですから、土（ど）・日曜日用（にちようびよう）の　時間（じかん）に　なります。

※●は、ハナハナ・ショッピングモールに　行（い）きません。

N5

聴解

(35ふん)

64

注　意
Notes

1．試験が始まるまで、この問題用紙を開けないでください。
Do not open this question booklet until the test begins.

2．この問題用紙を持って帰ることはできません。
Do not take this question booklet with you after the test.

3．受験番号と名前を下の欄に、受験票と同じように書いてください。
Write your examinee registration number and name clearly in each box below as written on your test voucher.

4．この問題用紙は、全部で14ページあります。
This question booklet has 14 pages.

5．この問題用紙にメモをとってもいいです。
You may make notes in this question booklet.

受験番号 Examinee Registration Number	

名前 Name	

もんだい 1

もんだい 1 では、はじめに　しつもんを　きいて　ください。それから　はなしを　きいて、もんだいようしの　1から　4の　なかから、いちばん　いい　ものを　ひとつ　えらんで　ください。

れい 64_01

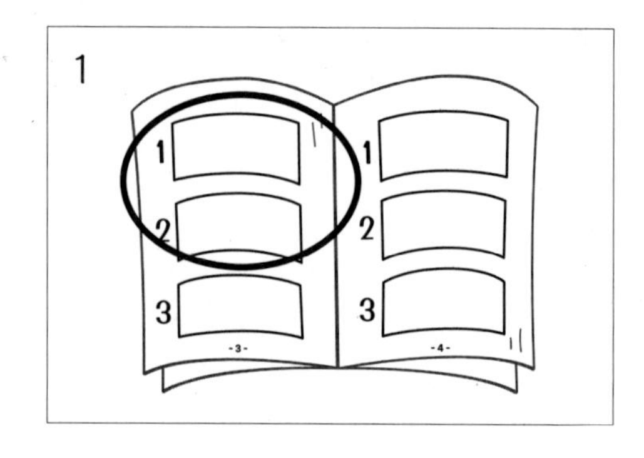

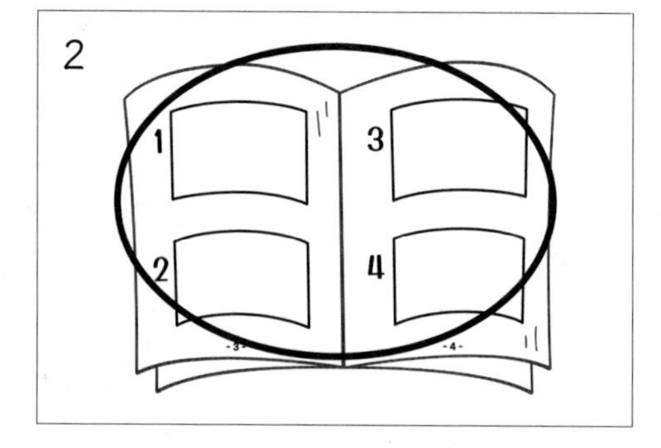

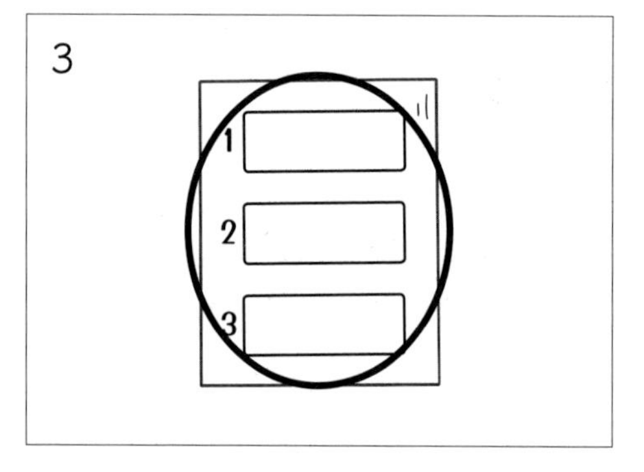

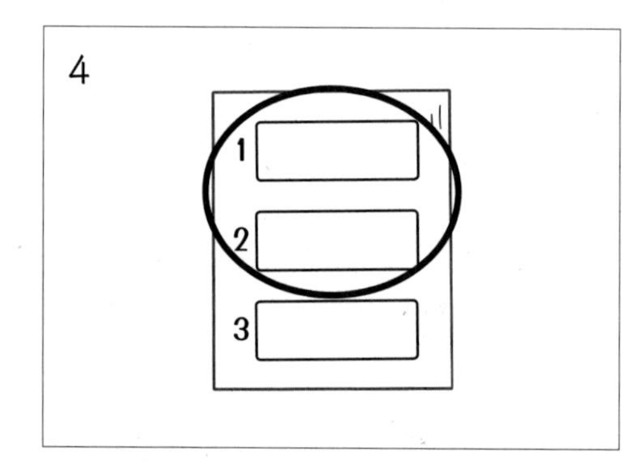

1ばん 64_02

2ばん 64_03

1　ふつか

2　みっか

3　いつか

4　ようか

3ばん 64_04

4ばん 64_05

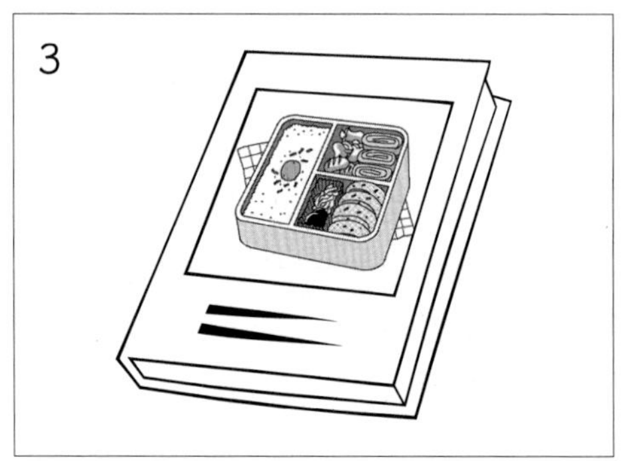

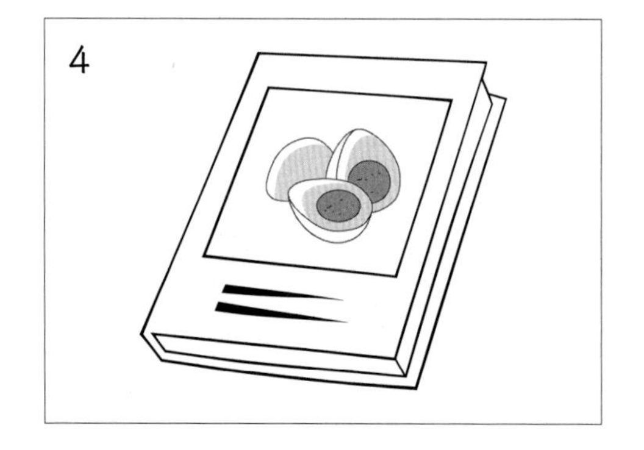

5ばん 64_06

1　こうえん

2　げんかん

3　２かい

4　３がい

6ばん 64_07

1

2

3

4

7ばん 64_08

もんだい 2

もんだい 2 では、はじめに　しつもんを　きいて　ください。それから　はなしを　きいて、もんだいようしの　1 から　4 の　なかから、いちばん　いい　ものを　ひとつ　えらんで　ください。

れい 64_09

1ばん 64_10

1　びょういん

2　デパート

3　えき

4　きっさてん

2ばん 64_11

1　0

2　1

3　2

4　3

3ばん 64_12

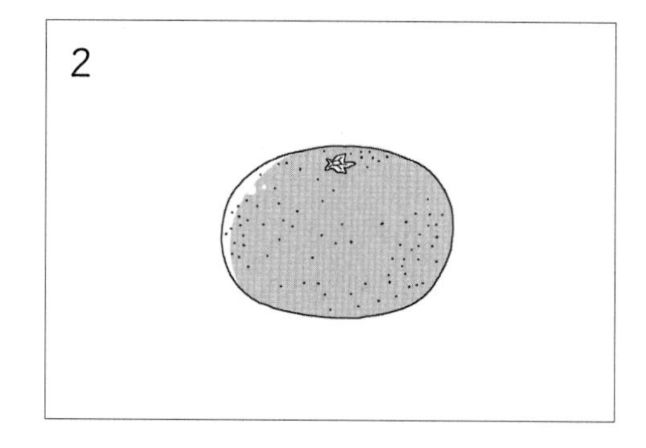

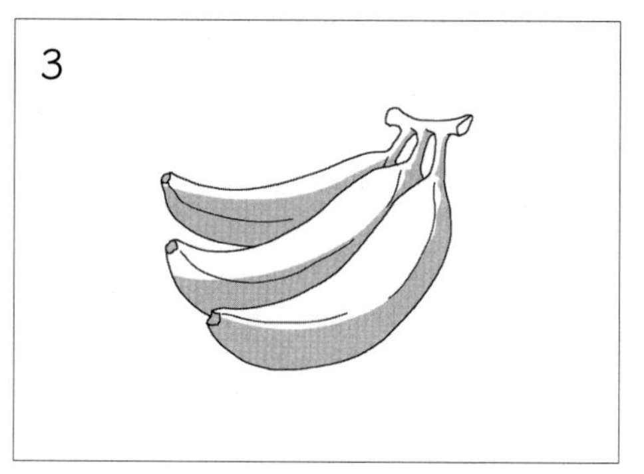

4ばん 64_13

5ばん 64_14

1　3じかん

2　2じかん　はん

3　1じかん　はん

4　1じかん　15ふん

6ばん 64_15

1　ホテル

2　かいしゃ

3　デパート

4　きっさてん

もんだい３

もんだい３では、えを　みながら　しつもんを　きいて　ください。➡（やじるし）の　ひとは　なんと　いいますか。１から　３の　なかから、いちばん　いい　ものを　ひとつ　えらんで　ください。

れい　64_16

1ばん 64_17

2ばん 64_18

3ばん 64_19

4ばん 64_20

5ばん 64_21

もんだい４

もんだい４は、えなどが　ありません。ぶんを　きいて、１から　３の　なかから、いちばん　いい　ものを　ひとつ　えらんで　ください。

— メモ —

64_22 ~ 64_28

じゅけんばんごうを　かいて、その　したの　マークらんに　マークして　ください。
Fill in your examinee registration number in this box, and then mark the circle for each digit of the number.

じゅけんばんごう
Examinee Registration Number

2		A	1	0	1	0	0	0	1	-	5	0	0	0	1

せいねんがっぴを　かいて、その　したの　マークらんに　マークして　ください。
Fill in your date of birth in this box, and then mark the circle for each digit of the number.

せいねんがっぴ(Date of Birth)

ねん Year		つき Month		ひ Day
	-		-	

にほんごのうりょくしけん
もぎしけん　かいとうようし

N5
げんごちしき(もじ・ごい)

<ちゅうい　Notes>

1. くろいえんぴつ（HB、No.2）でかいてください。
Use a black medium soft (HB or No.2) pencil.
(ペンやボールペンではかかないでください。)
(Do not use any kind of pen.)
2. かきなおすときは、けしゴムできれいにけしてください。
Erase any unintended marks completely.
3. きたなくしたり、おったりしないでください。
Do not soil or bend this sheet.
4. マークれい　Marking Examples

よいれい Correct Example	わるいれい Incorrect Examples
●	⊗ ◌ ◯ ⊙ ≋ ◐ ●

あなたの　なまえを　ローマじで　かいて　ください。　Please print in block letters.

なまえ
Name

もんだい　1

1	① ② ③ ④
2	① ② ③ ④
3	① ② ③ ④
4	① ② ③ ④
5	① ② ③ ④
6	① ② ③ ④
7	① ② ③ ④

もんだい　2

8	① ② ③ ④
9	① ② ③ ④
10	① ② ③ ④
11	① ② ③ ④
12	① ② ③ ④

もんだい　3

13	① ② ③ ④
14	① ② ③ ④
15	① ② ③ ④
16	① ② ③ ④
17	① ② ③ ④
18	① ② ③ ④

もんだい　4

19	① ② ③ ④
20	① ② ③ ④
21	① ② ③ ④

にほんごのうりょくしけん
もぎしけん　かいとうようし

N5
げんごちしき(ぶんぽう)・どっかい

<ちゅうい　Notes>

1. くろいえんぴつ（HB、No.2）でかいてください。
   Use a black medium soft (HB or No.2) pencil.
   (ペンやボールペンではかかないでください。)
   (Do not use any kind of pen.)
2. かきなおすときは、けしゴムできれいにけしてください。
   Erase any unintended marks completely.
3. きたなくしたり、おったりしないでください。
   Do not soil or bend this sheet.
4. マークれい　Marking Examples

よいれい Correct Example	わるいれい Incorrect Examples
●	⊗ ◐ ◯ ⓪ ⊜ ⦶ ◉

じゅけんばんごうを　かいて、その　したの　マークらんに　マークして　ください。
Fill in your examinee registration number in this box, and then mark the circle for each digit of the number.

じゅけんばんごう
Examinee Registration Number

2		A	1	0	1	0	0	0	1	-	5	0	0	0	1

せいねんがっぴを　かいて、その　したの　マークらんに　マークして　ください。
Fill in your date of birth in this box, and then mark the circle for each digit of the number.

せいねんがっぴ(Date of Birth)

ねん Year					つき Month			ひ Day	
				-			-		

あなたの　なまえを　ローマじで　かいて　ください。　Please print in block letters.

なまえ
Name

もんだい 1	
1	① ② ③ ④
2	① ② ③ ④
3	① ② ③ ④
4	① ② ③ ④
5	① ② ③ ④
6	① ② ③ ④
7	① ② ③ ④
8	① ② ③ ④
9	① ② ③ ④

もんだい 2	
10	① ② ③ ④
11	① ② ③ ④
12	① ② ③ ④
13	① ② ③ ④
もんだい 3	
14	① ② ③ ④
15	① ② ③ ④
16	① ② ③ ④
17	① ② ③ ④
18	① ② ③ ④
もんだい 4	
19	① ② ③ ④
20	① ② ③ ④

もんだい 5	
21	① ② ③ ④
22	① ② ③ ④
もんだい 6	
23	① ② ③ ④

じゅけんばんごうを　かいて、その　したの　マークらんに　マークして　ください。
Fill in your examinee registration number in this box, and then mark the circle for each digit of the number.

じゅけんばんごう
Examinee Registration Number

2		A	1	0	1	0	0	0	1	-	5	0	0	0	1
⓪	⓪		⓪	●	⓪	●	●	●	⓪			●	●	●	⓪
①	①	●	●	①	●	①	①	①	●		①	①	①	①	●
●	②	Ⓑ	②	②	②	②	②	②	②		②	②	②	②	②
③	③		③	③	③	③	③	③	③		③	③	③	③	③
④	④		④	④	④	④	④	④	④		④	④	④	④	④
⑤	⑤		⑤	⑤	⑤	⑤	⑤	⑤	⑤		●	⑤	⑤	⑤	⑤
⑥	⑥		⑥	⑥	⑥	⑥	⑥	⑥	⑥		⑥	⑥	⑥	⑥	⑥
⑦	⑦		⑦	⑦	⑦	⑦	⑦	⑦	⑦		⑦	⑦	⑦	⑦	⑦
⑧	⑧		⑧	⑧	⑧	⑧	⑧	⑧	⑧		⑧	⑧	⑧	⑧	⑧
⑨	⑨		⑨	⑨	⑨	⑨	⑨	⑨	⑨		⑨	⑨	⑨	⑨	⑨

せいねんがっぴを　かいて、その　したの　マークらんに　マークして　ください。
Fill in your date of birth in this box, and then mark the circle for each digit of the number.

せいねんがっぴ(Date of Birth)

ねん Year				-	つき Month		-	ひ Day	

にほんごのうりょくしけん
もぎしけん　かいとうようし

N5
ちょうかい

<ちゅうい　Notes>

1. くろいえんぴつ（HB、No.2）でかいてください。
   Use a black medium soft (HB or No.2) pencil.
   （ペンやボールペンではかかないでください。）
   (Do not use any kind of pen.)
2. かきなおすときは、けしゴムできれいにけしてください。
   Erase any unintended marks completely.
3. きたなくしたり、おったりしないでください。
   Do not soil or bend this sheet.
4. マークれい　Marking Examples

よいれい Correct Example	わるいれい Incorrect Examples
●	⊗ ✓ ◯ ◎ ⊜ ◐ ◉

あなたの　なまえを　ローマじで　かいて　ください。　Please print in block letters.

なまえ Name

もんだい　1

れい	①	②	③	●
1	①	②	③	④
2	①	②	③	④
3	①	②	③	④
4	①	②	③	④
5	①	②	③	④
6	①	②	③	④
7	①	②	③	④

もんだい　2

れい	①	②	③	●
1	①	②	③	④
2	①	②	③	④
3	①	②	③	④
4	①	②	③	④
5	①	②	③	④
6	①	②	③	④

もんだい　3

れい	①	②	●
1	①	②	③
2	①	②	③
3	①	②	③
4	①	②	③
5	①	②	③

もんだい　4

れい	●	②	③
1	①	②	③
2	①	②	③
3	①	②	③
4	①	②	③
5	①	②	③
6	①	②	③

시사 일본어능력시험 JLPT 합격 시그널 해설편 N5

저자 大阪YMCA

합격 시그널 해설편 N5

초판발행	2023년 3월 20일
1판 2쇄	2024년 2월 29일

저자	大阪YMCA(오사카YMCA)
편집	김성은, 조은형, 오은정, 무라야마 토시오
펴낸이	엄태상
디자인	권진희, 이건화
조판	김성은
콘텐츠 제작	김선웅, 장형진
마케팅	이승욱, 왕성석, 노원준, 조성민, 이선민
경영기획	조성근, 최성훈, 김다미, 최수진, 오희연
물류	정종진, 윤덕현, 신승진, 구윤주

펴낸곳	시사일본어사(시사북스)
주소	서울시 종로구 자하문로 300 시사빌딩
주문 및 교재 문의	1588-1582
팩스	0502-989-9592
홈페이지	www.sisabooks.com
이메일	book_japanese@sisadream.com
등록일자	1977년 12월 24일
등록번호	제 300-2014-31호

ISBN 978-89-402-9354-6 (13730)

머리말

일본어능력시험(JLPT)을 공부하는 목적은 학습자마다 다르지만, 최종 목표는 모두 '합격'일 것입니다. '시사 JLPT 합격 시그널' 시리즈는 JLPT 시험에 합격하고자 하는 학습자를 위한 독학용 종합 수험서입니다. 머리말을 읽으면서 '독학용 수험서가 따로 있나?'라고 생각하시는 분도 계실 것입니다.

'시사 JLPT 합격 시그널'은 혼자 공부하는 수험생을 위해 다음과 같이 교재를 구성했습니다.

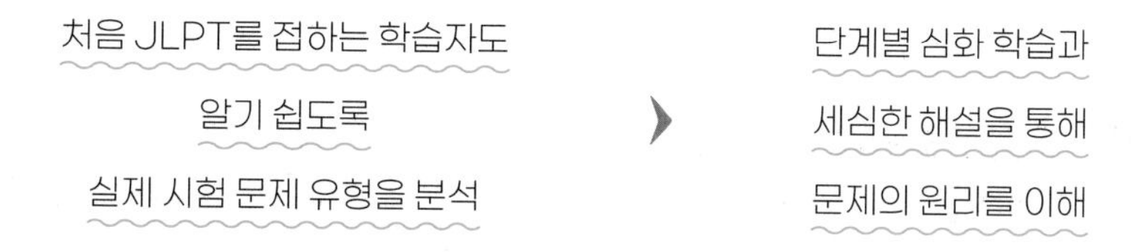

일본어의 '어휘력'과 '문법' 이해도를 측정하는 언어지식(문자·어휘·문법) 파트와 현지에서 출간된 인문·실용서 등의 지문을 사용하는 독해 파트, 일상생활에서 사용하는 회화력을 묻는 청해 파트까지, JLPT 시험은 결코 쉽지만은 않습니다. 따라서 대부분의 학습자는 JLPT 시험을 준비하는데 있어 무엇을, 어떻게 공부해야 할지 막연함을 느낄 것입니다.

'시사 JLPT 합격 시그널'을 통해 JLPT란 무엇인가를 이해하고, 어떻게 하면 시험을 공략할 수 있는지에 대한 해법을 찾고 자신감을 기를 수 있기를 바랍니다. 문제를 풀고 해설을 읽으며, 일본어 어휘가 어떻게 활용되는지와 일본어 문법의 활용 원리에 대해 이해하고, 시험 문제에서 학습자에게 요구하는 바가 무엇인지를 정확하게 답할 수 있게 되기를 바랍니다.

마지막 책장을 덮는 순간, 이 책과 함께 해 주신 모든 분들께 '합격의 시그널'이 감지되기를 진심으로 기원합니다.

저자 일동

이 책의 구성

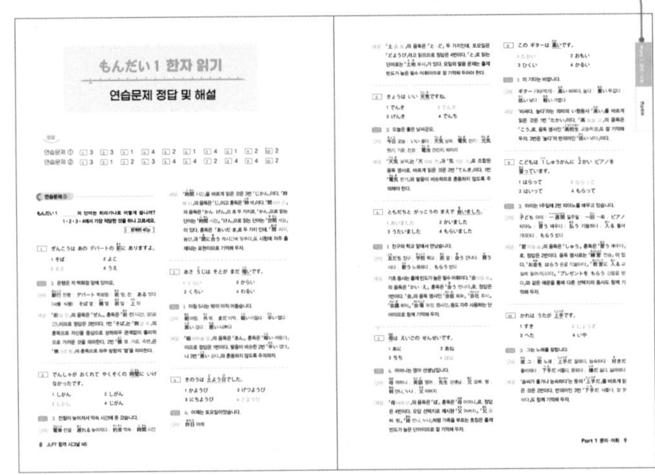

파트별 연습문제 해설

연습문제에서 다루고 있는 단어 및 문제 풀이의 포인트를 짚어 줍니다.

N5의 필수 단어뿐만 아니라 놓치기 쉬운 기본 단어나 문형까지 학습 가능합니다. 또한 학습자의 눈높이에 맞춘 쉽고 상세한 해설로 학습 성과를 올려 줍니다.

파트별 실전문제 해설

실제 시험과 동일한 형식의 문제를 통한 집중 학습으로 합격 가능성을 올려 줍니다.

최신 경향에 맞춘 문제와 그에 맞는 해설로 이해도를 높여 실전 적응 능력을 기를 수 있습니다.

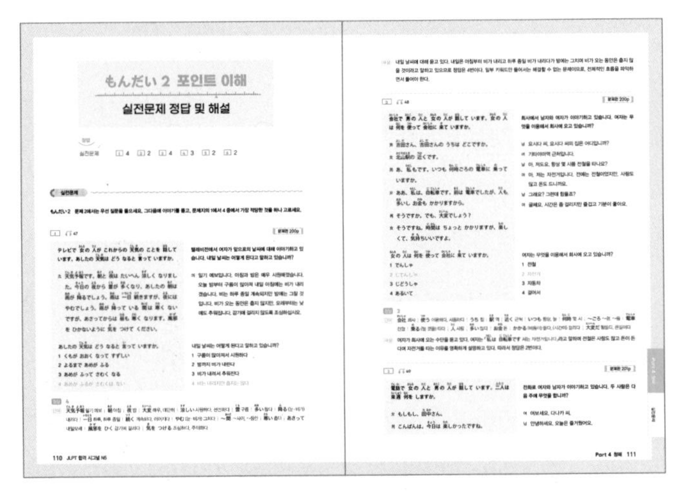

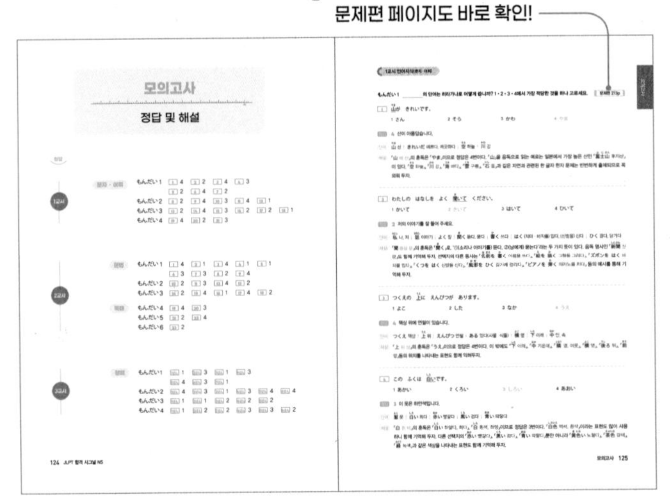

모의고사 해설

문제편 모의고사의 답안지(마킹지)를 한번에 맞춰 볼 수 있는 정답표와 득점 계산법으로 가채점을 할 수 있습니다.

기출문제의 출제 경향 및 난이도를 반영한 모의고사 풀이로 시험 전 최종 점검이 가능합니다.

목차

Part 1

JLPT N5

Part 1

문자·어휘

もんだい 1 한자 읽기

연습문제 정답 및 해설

정답

	1	2	3	4	5	6	7	8	9	10
연습문제 ①	3	3	1	4	2	1	4	1	2	2
연습문제 ②	3	1	2	3	4	4	2	4	4	2

연습문제 ①

もんだい 1 ＿＿＿의 단어는 히라가나로 어떻게 씁니까? 1・2・3・4에서 가장 적당한 것을 하나 고르세요.

문제편 40p

1 ぎんこうは あの デパートの 前に ありますよ。

1 そば　2 よこ　3 まえ　4 うえ

정답 3 은행은 저 백화점 앞에 있어요.

단어 銀行 은행 | デパート 백화점 | 前 앞, 전 | ある 있다(사물·식물) | そば 옆 | 横 옆 | 前 앞 | 上 위

해설 「前 앞 전」의 음독은 「ぜん」, 훈독은 「前 전(시간), 앞(공간)」이므로 정답은 3번이다. 1번 「そば」는 「側 곁 측」의 훈독으로 자신을 중심으로 상하좌우 관계없이 물리적으로 가까운 것을 의미한다. 2번 「横 옆, 가로, 측면」은 「横 가로 횡」의 훈독으로 좌우 방향의 '옆'을 의미한다.

2 でんしゃが おくれて やくそくの 時間に いけなかったです。

1 しかん　2 しがん　3 じかん　4 じがん

정답 3 전철이 늦어져서 약속 시간에 못 갔습니다.

단어 電車 전철 | 遅れる 늦어지다 | 約束 약속 | 時間 시간

해설 「時間 시간」을 바르게 읽은 것은 3번 「じかん」이다. 「時 때 시」의 음독은 「じ」이고 훈독은 「時 때」이다. 「間 사이 간」의 음독은 「かん・げん」으 로 두 가지로, 「かん」으로 읽는 단어는 「時間 시간」, 「けん」으로 읽는 단어는 「世間 세상」이 있다. 훈독은 「あいだ・ま」로 두 가지 인데, 「間 사이, 동안」과 「間に合う 제시간에 맞추다」도 시험에 자주 출제되는 표현이므로 기억해 두자.

3 あさ 5じは そとが まだ 暗いです。

1 くらい　2 からい　3 くろい　4 わるい

정답 1 아침 5시는 밖이 아직 어둡습니다.

단어 朝 아침 | 外 밖 | まだ 아직 | 暗い 어둡다 | 辛い 맵다 | 黒い 검다 | 悪い 나쁘다

해설 「暗 어두울 암」의 음독은 「あん」, 훈독은 「暗い 어둡다」이므로 정답은 1번이다. 발음이 비슷한 2번 「辛い 맵다」나 3번 「黒い 검다」와 혼동하지 않도록 주의하자.

4 きのうは 土よう日でした。

1 かようび　2 げつようび　3 にちようび　4 どようび

정답 4 어제는 토요일이었습니다.

단어 昨日 어제

해설 「土 흙 토」의 음독은 「と・ど」 두 가지인데, 토요일은 「どようび」라고 읽으므로 정답은 4번이다. 「と」로 읽는 단어로는 「土地(とち) 토지」가 있다. 요일의 발음 문제는 출제 빈도가 높은 필수 어휘이므로 잘 기억해 두어야 한다.

---

5 きょうは いい 天気(てんき)ですね。

1 でんき　　2 てんき
3 げんき　　4 でんち

정답 2 오늘은 좋은 날씨군요.

단어 今日(きょう) 오늘 | いい 좋다 | 天気(てんき) 날씨 | 電気(でんき) 전기 | 元気(げんき) 원기, 기운, 건강 | 電池(でんち) 건전지, 배터리

해설 「天気(てんき) 날씨」는 「天 하늘 천」과 「気 기운 기」로 조합된 음독 명사로, 바르게 읽은 것은 2번 「てんき」이다. 1번 「電気(でんき) 전기」와 발음이 비슷하므로 혼동하지 않도록 주의해야 한다.

---

6 ともだちと がっこうの まえで 会(あ)いました。

1 あいました　　2 かいました
3 うたいました　　4 もらいました

정답 1 친구와 학교 앞에서 만났습니다.

단어 友(とも)だち 친구 | 学校(がっこう) 학교 | 前(まえ) 앞 | 会(あ)う 만나다 | 買(か)う 사다 | 歌(うた)う 노래하다 | もらう 받다

해설 기초 동사는 출제 빈도가 높은 필수 어휘이다. 「会 모을 회」의 음독은 「かい・え」, 훈독은 「会(あ)う 만나다」로, 정답은 1번이다. 「会」의 음독 명사인 「会話(かいわ) 회화」, 「会社(かいしゃ) 회사」, 「会議(かいぎ) 회의」, 「会場(かいじょう) 회장, 행사장」 등도 자주 사용하는 단어이므로 함께 기억해 두자.

---

7 母(はは)は えいごの せんせいです。

1 あに　　2 あね
3 ちち　　4 はは

정답 4 어머니는 영어 선생님입니다.

단어 母(はは) 어머니 | 英語(えいご) 영어 | 先生(せんせい) 선생님 | 兄(あに) 오빠, 형 | 姉(あね) 언니, 누나 | 父(ちち) 아버지

해설 「母 어미 모」의 음독은 「ぼ」, 훈독은 「母(はは) 어머니」로, 정답은 4번이다. 오답 선택지로 제시된 「父(ちち) 아버지」, 「兄(あに) 오빠, 형」, 「姉(あね) 언니, 누나」처럼 가족을 부르는 호칭은 출제 빈도가 높은 단어이므로 잘 기억해 두자.

---

8 この ギターは 高(たか)いです。

1 たかい　　2 おもい
3 ひくい　　4 かるい

정답 1 이 기타는 비쌉니다.

단어 ギター 기타(악기) | 高(たか)い 비싸다, 높다 | 重(おも)い 무겁다 | 低(ひく)い 낮다 | 軽(かる)い 가볍다

해설 '비싸다, 높다'라는 의미의 い형용사 「高(たか)い」를 바르게 읽은 것은 1번 「たかい」이다. 「高 높을 고」의 음독은 「こう」로, 음독 명사인 「高校生(こうこうせい) 고등학생」도 잘 기억해 두자. 3번은 '높다'의 반의어인 「低(ひく)い 낮다」이다.

---

9 こどもは 1(いっ)しゅうかんに 2(に)かい ピアノを 習(なら)っています。

1 はらって　　2 ならって
3 はいって　　4 もらって

정답 2 아이는 1주일에 2번 피아노를 배우고 있습니다.

단어 子(こ)ども 아이 | 一週間(いっしゅうかん) 일주일 | ～回(かい) ~회 | ピアノ 피아노 | 習(なら)う 배우다 | 払(はら)う 지불하다 | 入(はい)る 들어가(오)다 | もらう 받다

해설 「習 익힐 습」의 음독은 「しゅう」, 훈독은 「習(なら)う 배우다」로, 정답은 2번이다. 음독 명사로는 「練習(れんしゅう) 연습」이 있다. 「お金(かね)を はらう 돈을 지불하다」, 「教室(きょうしつ)に 入(はい)る 교실에 들어가(오)다」, 「プレゼントを もらう 선물을 받다」와 같은 예문을 통해 다른 선택지의 동사도 함께 기억해 두자.

---

10 かれは うたが 上手(じょうず)です。

1 すき　　2 じょうず
3 へた　　4 いや

정답 2 그는 노래를 잘합니다.

단어 彼(かれ) 그 | 歌(うた) 노래 | 上手(じょうず)だ 잘하다, 능숙하다 | 好(す)きだ 좋아하다 | 下手(へた)だ 서툴다, 못하다 | 嫌(いや)だ 싫다, 싫어하다

해설 '솜씨가 좋거나 능숙하다'는 뜻의 「上手(じょうず)だ」를 바르게 읽은 것은 2번이다. 반의어인 3번 「下手(へた)だ 서툴다, 잘 못하다」도 함께 기억해 두자.

연습문제 ②

もんだい 1 ＿＿＿의 단어는 히라가나로 어떻게 씁니까? 1・2・3・4에서 가장 적당한 것을 하나 고르세요.

문제편 41p

1 この 道を まっすぐ いきましょう。

1 そと　　2 やま
3 みち　　4 あいだ

정답 3 이 길로 곧장 갑시다.

단어 道 길 | まっすぐ 곧장, 똑바로 | 外 밖, 바깥 | 山 산 | 間 사이

해설 「道 길 도」의 음독은 「どう・とう」이고 훈독은 「道 길」로, 정답은 3번이다. 음독 명사인 「道路 도로」, 「横断歩道 횡단보도」도 함께 기억해 두자.

---

2 わたしの たんじょうびは 三月 はつかです。

1 さんがつ　　2 みがつ
3 さんげつ　　4 みげつ

정답 1 나의 생일은 3월 20일입니다.

단어 誕生日 생일 | 三月 3월 | 二十日 20일

해설 「月 달 월」의 음독은 「がつ・げつ」로 두 가지이며, 이 중 날짜를 나타내는 '월'을 의미할 때는 「三月 3월」처럼 「がつ」로 읽으므로, 정답은 1번이다. 그 외에 기간이나 시간의 단위인 '~개월, 요일'을 나타낼 때는 「1か月 1개월」, 「月曜日 월요일」처럼 「げつ」로 읽는다. 훈독은 「月 달(천체)」이다. 특수 발음으로 읽는 밑줄 뒤의 「二十日 20일」도 잘 기억해 두자.

---

3 銀行は えきと スーパーの あいだに あります。

1 きんこう　　2 ぎんこう
3 きんぎょう　　4 ぎんぎょう

정답 2 은행은 역과 슈퍼 사이에 있습니다.

단어 銀行 은행 | 駅 역 | スーパー 슈퍼 | 間 사이

해설 「銀行 은행」뿐만 아니라 「駅 역」, 「図書館 도서관」, 「学校 학교」, 「会社 회사」, 「喫茶店 찻집, 카페」, 「郵便局 우체국」, 「交番 파출소」와 같은 생활 기반 시설을 뜻하는 어휘는 모든 영역에서 골고루 출제되므로 함께 기억해 두자. 정답은 2번이다.

---

4 5かいに 上がる ときは エレベーターに のります。

1 さがる　　2 まがる
3 あがる　　4 うがる

정답 3 5층으로 올라갈 때는 엘리베이터를 탑니다.

단어 ~階(かい·がい) ~층 | 上がる 올라가(오)다, 오르다 | エレベーター 엘리베이터 | 乗る 타다 | 下がる 내려가다, 낮아지다 | 曲がる 돌다, 꺾다

해설 「上 위 상」의 훈독은 「上がる 오르다, 올라가다, 높아지다」, 「上げる 올리다」, 「上 위」, 「上 위, 상위」 등이 있다. 정답은 3번이다. 「うわ」로 읽는 훈독 명사 「上着 상의, 겉옷」은 기출 어휘이자 필수 어휘이므로 반드시 기억해 두어야 한다. 선택지 1번 「下がる 내려가다, 낮아지다」는 「上がる」의 반의어이다.

---

5 きょうは 暖かくて てんきが いいです。

1 わかくて　　2 みじかくて
3 ちかくて　　4 あたたかくて

정답 4 오늘은 따뜻하고 날씨가 좋습니다.

단어 今日 오늘 | 暖かい 따뜻하다 | 天気 날씨 | 若い 젊다 | 短い 짧다 | 近い 가깝다

해설 날씨나 기온이 적당함을 나타내는 「暖かい 따뜻하다」를 바르게 읽은 것은 4번이다. 이 외에 「温 따뜻할 온」으로 표기하는 「温かい 따뜻하다」는 물건의 온도가 적당함을 나타내는 표현이다. 구분해서 기억하도록 하자.

---

6 日よう日は がっこうへ いきません。

1 もくようび　　2 きんようび
3 どようび　　4 にちようび

정답 4 일요일은 학교에 가지 않습니다.

단어 学校 학교

해설 「日 날 일」의 음독은 「にち・じつ」로 두 가지가 있다. 「にち」로 읽는 단어로는 「一日 하루」, 「日曜日 일요일」 등이 있고 「じつ」로 읽는 단어로는 「休日 휴일」 등이 있다. 날짜를 말하는 「一日 1일」과 같은 예외 발음 단어도 함께 기억해 두도록 하자.

7 にほんごの じゅぎょうで かぞくの ことを 話しました。

1 かえしました　　2 はなしました
3 なおしました　　4 なくしました

정답 2 일본어 수업에서 가족에 대해 이야기했습니다.

단어 日本語 일본어 | 授業 수업 | 家族 가족 | 話す 이야기하다 | 返す 돌려주다, 반납하다 | 直す 고치다, 낫게 하다 | なくす 잃어버리다, 없애다

해설 동사는 한자의 음훈을 익히는 것보다 예문과 함께 훈독 발음을 기억하는 것이 학습 효과가 좋다. 「日本語で話しました 일본어로 말했습니다」, 「図書館の 本を 返しました 도서관 책을 반납했습니다」, 「パソコンを 直しました 컴퓨터를 고쳤습니다」, 「さいふを なくしました 지갑을 잃어버렸습니다」와 같은 예문을 통해 선택지의 동사를 기억하도록 하자. 정답은 2번이다.

---

8 かれは にほんでは 有名な ひとです。

1 しんせつな　　2 たいせつな
3 しんせんな　　4 ゆうめいな

정답 4 그는 일본에서는 유명한 사람입니다.

단어 彼 그 | 日本 일본 | 有名だ 유명하다 | 人 사람 | 親切だ 친절하다 | 大切だ 소중하다, 중요하다 | 新鮮だ 신선하다

해설 「有名な 유명한」을 바르게 읽은 것은 4번이다. な형용사는 「有名な 人 유명한 사람」, 「親切な 人 친절한 사람」, 「大切な 思い出 소중한 추억」, 「新鮮な 魚 신선한 생선」과 같이 명사를 수식하는 형태로 기억하는 것이 뜻과 뉘앙스를 파악하기가 좋다.

---

9 がっこうの 授業は すこし むずかしいです。

1 しょうきょう　　2 しょきょう
3 じゅうぎょう　　4 じゅぎょう

정답 4 학교 수업은 조금 어렵습니다.

단어 学校 학교 | 授業 수업 | 少し 조금, 다소, 약간 | 難しい 어렵다

해설 「授業 수업」을 바르게 읽은 것은 4번이다. 두 한자 모두 탁음이 있으며, 「授 줄 수」는 장음이 아니고 「業 업 업」은 장음으로 발음한다는 것에 주의해야 한다. 「授業を 受ける 수업을 받다, 수업을 듣다」도 모든 영역에서 골고루 출제되는 관용 표현이므로 함께 기억해 두자.

---

10 きのうの パーティーは とても 楽しかったです。

1 あたらしかった　　2 たのしかった
3 かなしかった　　4 うれしかった

정답 2 어제 파티는 매우 즐거웠습니다.

단어 昨日 어제 | パーティー 파티 | とても 매우 | 楽しい 즐겁다, 신나다 | 新しい 새롭다 | 悲しい 슬프다 | 嬉しい 기쁘다

해설 「楽 즐길 락」의 음독은 「がく·らく」이며 훈독은 「楽しい 즐겁다, 신나다」와 「楽しむ 즐기다, 낙으로 삼다」이므로 바르게 읽은 것은 2번이다. 음독으로 읽는 「音楽 음악」, 「楽だ 편하다, 편안하다」도 함께 기억해 두자.

もんだい 2 표기

연습문제 정답 및 해설

정답

연습문제 ①	1 4	2 4	3 1	4 2	5 3	6 3	7 2	8 2	9 4	10 1
연습문제 ②	1 4	2 3	3 1	4 2	5 1	6 4	7 1	8 1	9 2	10 2

연습문제 ①

もんだい 2 ＿＿＿의 단어는 어떻게 씁니까? 1・2・3・4 에서 가장 적당한 것을 하나 고르세요.

문제편 42p

1 <u>れすとらん</u>で ばんごはんを たべました。

1 レヌトラソ　　2 レヌトラン
3 レストラソ　　4 レストラン

정답 4 레스토랑에서 저녁을 먹었습니다.

단어 レストラン 레스토랑 | 晩ご飯(ばんごはん) 저녁밥

해설 「ス」와 「ヌ」, 「ソ」와 「ン」의 형태를 구분하는 문제로 '레스토랑'을 가타카나로 바르게 표기한 것은 4번이다. 「スヌーピー 스누피」, 「パソコン 컴퓨터」처럼 두 글자가 모두 들어간 단어로 확실하게 형태를 기억해 두자.

2 かれは だいがく 1ねんせいですが <u>ことし</u> 21さいです。

1 来年(らいねん)　　2 去年(きょねん)
3 昨年(さくねん)　　4 今年(ことし)

정답 4 그는 대학교 1학년이지만 올해 21살입니다.

단어 彼(かれ) 그 | 大学(だいがく) 대학교 | ～年生(ねんせい) ～학년 | 今年(ことし) 올해 | ～歳(さい) ～세, ～살 | 来年(らいねん) 내년 | 去年(きょねん) 작년 | 昨年(さくねん) 작년

해설 「今年(ことし) 올해」를 바르게 표기한 것은 4번이다. 「今 이제 금」이 '지금, 현재'라는 뜻일 때는 훈독 「今(いま)」라고 읽지만, 「今晩(こんばん) 오늘 밤」, 「今週(こんしゅう) 이번 주」처럼 '이번'이라는 뜻일 때는 음독 「こん」으로 발음한다. 또한 「今日(きょう) 오늘」, 「今年(ことし) 올해」처럼 특수 발음으로 읽기도 하니 주의해야 한다.

3 ながい じかん あるいたから <u>あし</u>が いたく なりました。

1 足(あし)　　2 頭(あたま)
3 体(からだ)　　4 手(て)

정답 1 긴 시간 걸어서 다리가 아파졌습니다.

단어 長(なが)い 길다 | 時間(じかん) 시간 | 歩(ある)く 걷다 | 足(あし) 다리, 발 | 痛(いた)い 아프다 | 頭(あたま) 머리 | 体(からだ) 몸 | 手(て) 손

해설 「あし 다리, 발」은 「足 발 족」의 훈독이므로 정답은 1번이다. 음독 「足(そく)」로 읽으면 「一足(いっそく) 한 켤레」, 「二足(にそく) 두 켤레」처럼 양말이나 구두를 세는 조수사로 사용한다.

4 ともだちに かりた かさを <u>かえしました</u>。

1 帰(かえ)しました　　2 返(かえ)しました
3 貸(か)しました　　4 直(なお)しました

정답 2 친구에게 빌린 우산을 돌려주었습니다.

단어 友だち 친구 | 借りる 빌리다 | 傘 우산 | 返す 돌려주다, 반납하다 | 帰る 돌아가(오)다 | 貸す 빌려 주다 | 直す 고치다

해설 「返す 돌려주다, 반납하다」는 「借りた 本を 返す 빌린 책을 돌려주다」처럼 「借りる 빌리다」가 들어간 예문으로 익히면 두 동사 모두 쉽게 뉘앙스를 이해할 수 있다. 또한 「借りる」와 혼동하기 쉬운 3번 「貸す 빌려주다」도 자주 출제되는 동사이다. 「友だちに 本を 貸して あげました 친구에게 책을 빌려주었습니다」와 같은 예문으로 기억해 두자. 정답은 2번이다.

---

5 にちようびの デパートは ひとが とても おおく なります。

1 大く　　2 強く
3 多く　　4 高く

정답 3 일요일 백화점은 사람이 매우 많아집니다.

단어 デパート 백화점 | 人 사람 | とても 매우, 굉장히 | 多い 많다 | 強い 강하다 | 高い 높다, 비싸다

해설 「多 많을 다」의 음독은 「た」이며 훈독은 「多い 많다」로 수량이 많음을 나타내는 형용사이다. 따라서 정답은 3번이다. 1번은 크기의 표현하는 「大きい 크다」를 잘못 표기한 것이다. 발음이 비슷하여 혼동하기 쉬우므로 주의해야 한다.

---

6 あの ふたりは きょうだいですか。

1 兄男　　2 姉女
3 兄弟　　4 姉娘

정답 3 저 두 사람은 형제입니까?

단어 二人 두 사람, 두 명 | 兄弟 형제

해설 「きょうだい」는 「兄 형 형」과 「弟 아우 제」로 조합된 음독 명사로, 바르게 표기한 것은 3번 「兄弟 형제」이다. 「姉 손윗누이 자」와 「妹 누이 매」로 조합된 「姉妹 자매」도 함께 기억해 두자.

---

7 えきは とおいので バスで いきましょう。

1 近い　　2 遠い
3 低い　　4 偉い

정답 2 역은 멀기 때문에 버스로 갑시다.

단어 駅 역 | 遠い 멀다 | バス 버스 | 近い 가깝다 | 低い 낮다 | 偉い 훌륭하다, 비범하다, 위대하다

해설 「遠 멀 원」의 음독은 「えん」이며 훈독은 「遠い 멀다」로. 바르게 표기한 것은 2번이다. 음독 명사인 「遠足」는 '소풍'이라는 의미로 시험에 자주 출제되는 필수 어휘이다. 3번 「近い 가깝다」는 「遠い」의 반의어이다.

---

8 この ごろ まいにち よる おそくまで しごとを して います。

1 士事　　2 仕事
3 任事　　4 土事

정답 2 요즘 매일 밤늦게까지 일을 하고 있습니다.

단어 この 頃 요즘 | 毎日 매일 | 夜 밤 | 遅い 늦다 | 仕事 일, 업무

해설 「仕 섬길 사」와 「事 일 사」가 결합한 「仕事 일, 업무」의 바른 표기는 2번이다. 한자 발음이나 뜻을 유추하기 어려운 단어이므로 잘 기억해 두자. 1번의 「士 선비 사」나 4번의 「土 흙 토」는 비슷해 보이지만 부수가 없는 한자이며, 형태가 비슷한 「任 맡길 임」과 혼동하지 않도록 주의해야 한다.

---

9 テニスの れんしゅうは ごご 2じから はじめます。

1 決めます　　2 飲めます
3 閉めます　　4 始めます

정답 4 테니스 연습은 오후 2시부터 시작합니다.

단어 テニス 테니스 | 練習 연습 | 午後 오후 | 始める 시작하다 | 決める 정하다 | 飲む 마시다 | 閉める 닫다

해설 「始 비로소 시」의 음독은 「し」이며, 훈독으로는 타동사 「始める 시작하다」와 자동사 「始まる 시작되다」가 있다. 정답은 4번이다. 다른 선택지의 동사는 「メニューを 決める 메뉴를 정하다」, 「飲み物を 飲む 음료수를 마시다」, 「ドアを 閉める 문을 닫다」와 같은 예문을 통해 기억해 두자.

10 これと おなじ いろの ものが ほしいです。

1 同じ　2 国じ
3 回じ　4 洞じ

정답 1 이것과 같은 색 물건을 갖고 싶습니다.

단어 同じだ 같다, 동일하다 | 色 색 | もの 물건, ~것 | ほしい 갖고 싶다, 원하다

해설 「同 한가지 동」의 훈독인 「同じだ 같다, 동일하다」는 な형용사이지만 「同じ 色 같은 색」처럼 명사 수식형일 때 な가 붙지 않는다는 점을 꼭 기억해야 한다.

연습문제 ②

もんだい 2 ＿＿의 단어는 어떻게 씁니까? 1・2・3・4에서 가장 적당한 것을 하나 고르세요.

문제편 43p

1 ふゆやすみは かぞくりょこうに いきました。

1 春　2 夏
3 秋　4 冬

정답 4 겨울 방학에는 가족 여행을 갔습니다.

단어 冬休み 겨울 방학, 겨울 휴가 | 家族 가족 | 旅行 여행 | 春 봄 | 夏 여름 | 秋 가을 | 冬 겨울

해설 「冬 겨울 동」의 훈독은 「冬 겨울」이므로 정답은 4번이다. 「春は 暖かい 봄은 따뜻하다」, 「夏は 暑い 여름은 덥다」, 「秋は 涼しい 가을은 선선하다」, 「冬は 寒い 겨울은 춥다」와 같이 각 계절의 특성에 맞는 형용사와 함께 문장으로 외워두면 이해도와 활용도가 매우 높아진다.

2 とうきょうには こどもの ときから すんで います。

1 往んで　2 注んで
3 住んで　4 主んで

정답 3 도쿄에는 어릴 때부터 살고 있습니다.

단어 子ども 아이 | 住む 살다

해설 「住 살 주」의 음독은 「じゅう」, 훈독은 「住む 살다, 거주하다」이다. 바르게 표기한 것은 3번이다. 음독 명사인 「住所 주소」나 훈독 명사인 「お住まい 사는 곳, 거주지」는 일상생활에서도 자주 사용하는 단어이므로 기억해 두면 도움이 된다.

3 しんぶんの にゅーすは むずかしい ことばが おおいです。

1 ニュース　2 ニコース
3 ニューマ　4 ニコーマ

정답 1 신문 뉴스는 어려운 말이 많습니다.

단어 新聞 신문 | ニュース 뉴스 | 難しい 어렵다, 곤란하다, 힘들다 | 言葉 말, 언어 | 多い 많다

해설 「ニュース 뉴스」를 가타카나로 바르게 표기한 것은 1번이다. 「コ」와 「ユ」는 「ユネスコ 유네스코」로, 「ス」와 「マ」는 「スマホ 스마트폰」으로 기억하면 쉽게 구분되고 외우기도 편하다.

4 マリアさんと たなかさんが はなして います。

1 言して　2 話して
3 読して　4 語して

정답 2 마리아 씨와 다나카 씨가 이야기하고 있습니다.

단어 話す 이야기하다

해설 「話す 말하다」처럼 「す」로 끝나는 동사의 「て형」은 「~して」의 형태임을 기억하자. 정답은 2번이다. 1번은 「言う 말하다」, 3번은 「読む 읽다」, 4번은 「語る 말하다, 이야기하다」로 쓰는 동사이다.

5 この たてものの 8かいには レストランが あります。

1 建物　2 書物
3 津物　4 律物

정답 1 이 건물의 8층에는 레스토랑이 있습니다.

단어 建物 건물 | ~階(かい·がい) ~층 | レストラン 레스토랑 | 書物 서책

해설 「建物 건물」은 음독이 아닌 훈독 「たてもの」라고 읽는 것을 꼭 기억해 두자. 「建 세울 건」과 「物 물건 물」으로 조합된 「建物」는 한국과 같은 한자를 쓰기 때문에 한국 학습자들이 음독 명사라고 생각하기 쉬우므로 혼동하지

않도록 주의해야 한다. 2번은 '서책'이라는 의미의 어휘로 N5 레벨과 맞지 않는 단어이므로 참고로만 알아두자.

---

6 エアコンを よわく したから あまり すずしく ないです。

1 軽(かる)く　　2 短(みじか)く
3 低(ひく)く　　4 弱(よわ)く

정답 4 에어컨을 약하게 했기 때문에 별로 시원하지 않습니다.

단어 エアコン 에어컨 | 弱(よわ)い 약하다 | あまり 별로, 그다지 | 涼(すず)しい 시원하다, 선선하다 | 軽(かる)い 가볍다 | 短(みじか)い 짧다 | 低(ひく)い 낮다

해설 '약하다'라는 뜻의 い형용사를 바르게 표기한 것은 4번 「弱(よわ)い」이다.

---

7 あおい かさが ほしいです。

1 青(あお)い　　2 古(ふる)い
3 安(やす)い　　4 長(なが)い

정답 1 파란 우산을 갖고 싶습니다.

단어 青(あお)い 파랗다 | 傘(かさ) 우산 | ほしい 갖고 싶다, 원하다 | 古(ふる)い 낡다, 오래되다 | 安(やす)い 싸다, 저렴하다 | 長(なが)い 길다

해설 「青 푸를 청」의 음독은 「せい・しょう」, 훈독은 「青(あお) 파랑, 파란색」, 「青(あお)い 파랗다」이므로 정답은 1번이다. 음독 명사로는 「青春(せいしゅん) 청춘」, 「青年(せいねん) 청년」 등이 있으며, 「青」는 '푸르다, 젊고 풋풋하다, 맑고 깨끗하고 고요하다'라는 의미를 포함하고 있다.

---

8 ゆうびんきょくで きってを かって きて ください。

1 切手(きって)　　2 取手(とって)
3 切天　　4 取天

정답 1 우체국에서 우표를 사와 주세요.

단어 郵便局(ゆうびんきょく) 우체국 | 切手(きって) 우표 | 買(か)う 사다 | とっ手(て) 손잡이

해설 '우표'를 바르게 표기한 것은 1번이다. 「切手(きって) 우표」는 한자만으로 발음과 뜻을 유추하기 어려우므로 이 문제에서처럼 「郵便局(ゆうびんきょく) 우체국」을 사용한 예문과 함께 기억해 두는 것이 좋다.

---

9 わたしの しゅみは りょうりの しゃしんを とる ことです。

1 社真　　2 写真(しゃしん)
3 社心　　4 写心

정답 2 제 취미는 요리 사진을 찍는 것입니다.

단어 趣味(しゅみ) 취미 | 料理(りょうり) 요리 | 写真(しゃしん) 사진 | 撮(と)る (사진을) 찍다

해설 「写真(しゃしん) 사진」은 「写 베낄 사」와 「真 참 진」이 합쳐진 어휘로, '본디 모습(真)'을 '베낀(写) 것'이라고 이해하면 의미 파악도 쉽고 다른 한자와도 자연스럽게 구분할 수 있다. 관용 표현인 「写真(しゃしん)を 撮(と)る 사진을 찍다」의 형태로 기억해 두자.

---

10 この プールは こどもも おとなも 500えんです。

1 上人　　2 大人(おとな)
3 多人　　4 土人

정답 2 이 수영장은 어린이도 어른도 500엔입니다.

단어 プール 풀, 수영장 | 子(こ)ども 어린이, 아이 | 大人(おとな) 어른

해설 「人 사람 인」은 음독으로 「じん・にん」이고, 훈독은 「人(ひと) 사람」이며, 밑줄의 「大人(おとな)」는 특수 발음으로 읽는 단어이다. 소속이나 사람의 속성을 나타낼 때는 「日本人(にほんじん) 일본인」, 「友人(ゆうじん) 친구」처럼 「じん」으로, 어떠한 일을 하는 사람이라는 의미를 나타낼 때는 「商人(しょうにん) 상인」처럼 「にん」으로 읽는 경우가 많다. 또, 사람을 셀 때도 「三人(さんにん) 세 명」, 「四人(よにん) 네 명」과 같이 「にん」으로 읽는다는 것도 기억해 두자.

もんだい 3 문맥 규정

연습문제 정답 및 해설

정답

연습문제 ①	1 4	2 3	3 4	4 1	5 2	6 4	7 1	8 4	9 3	10 3
연습문제 ②	1 4	2 3	3 3	4 3	5 3	6 3	7 4	8 1	9 2	10 1

연습문제 ①

もんだい 3 ( )에 무엇이 들어갑니까? 1・2・3・4에서 가장 적당한 것을 하나 고르세요. 문제편 68p

1 いけの なかに さかなが 5(ご) ( ) います。

1 ほん　　2 まい
3 とう　　4 ひき

정답 4 연못 속에 물고기가 다섯 마리있습니다.

단어 池(いけ) 연못 | 中(なか) 안, 속 | 魚(さかな) 물고기 | ~匹(ひき·びき·ぴき) ~마리(작은 동물이나 물고기를 셀 때 쓰는 단위) | ~本(ほん·ぼん·ぽん) ~자루, ~병(가늘고 긴 것을 세는 단위) | ~枚(まい) ~매, ~장 | ~頭(とう) ~마리(큰 동물을 세는 단위)

해설 선택지는 모두 수를 세는 단위를 나타내는 말이다. 물고기나 개, 고양이와 같이 작은 동물을 세는 단위는 「匹(ひき·びき·ぴき)」이고, 소나 말 같은 가축이나 비교적 덩치가 큰 동물을 세는 단위는 「頭(とう)」이므로 정답은 4번이다. 선택지 1번 「本(ほん·ぼん·ぽん)」은 연필이나 막대기, 나무, 우산과 같이 가늘고 긴 것을 셀 때, 2번 「枚(まい)」는 종이나, 옷, 접시, 판자 같이 얇고 평평한 것을 셀 때 사용한다.

2 A「すきな ( ) は なんですか。」
B「オレンジジュースと おちゃが すきです。」

1 やさい　　2 さかな
3 のみもの　　4 たべもの

정답 3 A 좋아하는 음료는 무엇입니까?
B 오렌지 주스와 녹차를 좋아합니다.

단어 好(す)きだ 좋아하다 | 飲(の)み物(もの) 마실 것, 음료 | オレンジジュース 오렌지 주스 | お茶(ちゃ) 차, 녹차 | 野菜(やさい) 채소, 야채 | 魚(さかな) 물고기, 생선 | 食(た)べ物(もの) 먹을 것, 음식

해설 선택지는 모두 먹거리에 관련된 명사로, 좋아하는 대상을 묻는 질문에 대해 '오렌지 주스와 녹차를 좋아한다'고 대답했으므로 괄호 안에 들어갈 것은 3번 「飲(の)み物(もの) 음료」라는 것을 알 수 있다.

3 4がつに なってから あたたかく ( )。

1 しました　　2 きました
3 みました　　4 なりました

정답 4 4월이 되고 나서 따뜻해졌어요.

단어 暖(あたた)かい 따뜻하다 | する 하다 | 来(く)る 오다 | 見(み)る 보다 | なる 되다

해설 어떤 일이나 상태가 바뀌거나 변화하는 '~해지다'는 「い형용사 어간 + くなる」, 「な형용사 어간 + になる」

의 형태로 사용한다. '4월이 된 후 날씨가 따뜻해졌다'라는 문맥이므로, 괄호 안에 들어가기에 적당한 단어는 4번「なりました 되었습니다」이다.

---

4 シャワーの あとは つめたい ビールが（　　）です。

1 のみたい　　2 たべたい
3 かりたい　　4 ききたい

정답 1 샤워 후에는 차가운 맥주를 마시고 싶습니다.

단어 シャワー 샤워 | 冷たい 차갑다 | ビール 맥주 | 借りる 빌리다 | 聞く 듣다, 묻다

해설 '맥주'라는 단어가 나왔으므로 괄호 안에 들어갈 말로는 1번「飲みたい 마시고 싶다」가 적당하다. 이 밖에 한국어로는 '먹다'라고 하지만 일본어로는「飲む 마시다」를 써야하는 관용 표현「薬を 飲む 약을 먹다」와「スープを飲む 수프를 먹다」도 함께 기억해 두자.

---

5 この りょうりは（　　）やすいですね。

1 つよくて　　2 おいしくて
3 おもくて　　4 とおくて

정답 2 이 요리는 맛있고 저렴하네요.

단어 料理 요리 | おいしい 맛있다 | 安い 싸다, 저렴하다 | 強い 강하다 | 重い 무겁다 | 遠い 멀다

해설 요리에 관한 내용이므로 '맛있고 싸다'라는 문맥이 되어야 한다. 따라서 정답은 2번「おいしくて 맛있고」이다. 1번은「力が 強いです 힘이 셉니다」, 3번은「荷物が重いです 짐이 무겁습니다」, 4번은「道が 遠いです 길이 멉니다」처럼 예문으로 기억해 두자.

---

6 でんわに でる ことが できないから（　　）を おくって ください。

1 ゲーム　　2 テープ
3 ノート　　4 メール

정답 4 전화를 받을 수 없으니 메일을 보내주세요.

단어 電話に 出る 전화를 받다 | メール 메일 | 送る 보내다, 발송하다 | ゲーム 게임 | テープ 테이프 | ノート 노트

해설 '전화를 받을 수 없다'고 했으므로 비슷한 연락 수단인 4번「メール 메일」로 대신 연락해 달라는 문맥이 되어야 한다. 가타카나어를 고르는 문제는 반드시 한 문제씩 출제되므로 다른 선택지의 단어들도 꼭 기억해 두자.

---

7 とりが（　　）いますね。

1 ないて　　2 さいて
3 あいて　　4 ふいて

정답 1 새가 울고 있네요.

단어 鳥 새 | 鳴く 울다(동물) | 泣く 울다(사람), 눈물을 흘리다 | 咲く (꽃이) 피다 | 開く 열다 | 空く 비다, 틈이 나다 | 吹く (바람이) 불다

해설 '새가 울고 있다'는 문장이 자연스러우므로 괄호 안에는 1번「ないて」가 들어가야 한다. 동사「なく」는 사람이 울 때는「泣く」, 새나 동물이 울거나 짖을 때는「鳴く」로 구분하여 쓴다는 것도 참고로 알아 두자. 2번은「花が咲く 꽃이 피다」, 3번은「ドアが 開く 문이 열리다」,「席が 空いて いる 자리가 비어 있다」, 4번은「風が 吹く 바람이 불다」처럼 예문으로 기억해 두자.

8（　　）で かりた ほんを かえしに いきます。

1 こうばん　　2 びょういん
3 ゆうびんきょく　　4 としょかん

정답 4 도서관에서 빌린 책을 반납하러 갑니다.

단어 図書館 도서관 | 借りる 빌리다 | 本 책 | 返す 반납하다, 돌려주다 | 交番 파출소 | 病院 병원 | 郵便局 우체국

해설 '빌린 책을 반납하러 간다'고 했으므로 책을 읽고 대여할 수 있는 장소인 4번「図書館 도서관」이 정답이다. 1번「交番」은 한국의 파출소나 지구대와 비슷한 기관이다.

---

9 うるさいから おとを（　　）ちいさく して ください。

1 たくさん　　2 とても
3 すこし　　4 すぐ

정답 3 시끄러우니까 소리를 좀 작게 해 주세요.

단어 うるさい 시끄럽다 | 音 소리 | 少し 조금, 약간, 다소 | 小さい 작다 | たくさん 많이 | とても 매우 | すぐ 곧, 바로, 금방

해설 '시끄러우므로 소리를 줄여 달라'는 문장이 되어야 하므로 괄호 안에는 3번 「少し 조금, 약간」이 들어가야 자연스럽다. '일반적인 소리나 소음'을 의미할 때는 이 문제에서처럼 「音」라고 하며, '사람의 목소리'는 「声」라고 한다는 것도 함께 기억해 두자.

---

10 しゅくだいを（　　）ください。

1 いわないで　　2 ならないで
3 わすれないで　　4 やすまないで

정답 3 숙제를 잊지 마세요.

단어 宿題 숙제 | 忘れる 잊다 | なる 되다 | 休む 쉬다

해설 괄호 앞에는 '숙제'라는 단어밖에 없으므로 선택지의 동사를 대입해 가장 자연스러운 문장이 되는 것을 골라야 한다. 가장 적절한 것은 3번 「忘れないで ください 잊지 마세요」이다. 선택지 1번은 「言わないで ください 말하지 마세요」, 2번은 「ならないで ください 되지 마세요」, 4번은 「休まないで ください 쉬지 마세요」이므로 괄호 안에 들어갔을 때 문맥이 자연스럽지 못하다.

연습문제 ②

もんだい 3 （　　）에 무엇이 들어갑니까? 1・2・3・4에서 가장 적당한 것을 하나 고르세요. 문제편 69p

1 インターネットで（　　）を かえば やすく なります。

1 カード　　2 パスポート
3 カタログ　　4 チケット

정답 4 인터넷으로 티켓을 사면 가격이 저렴해 집니다.

단어 インターネット 인터넷 | 買う 사다 | 安い 싸다, 저렴하다 | カード 카드 | パスポート 여권 | カタログ 카탈로그 | チケット 티켓

해설 가타카나어를 고르는 문제는 각 단어의 뜻을 정확히 알고 있어야 한다. 선택지 2번과 3번은 '사는 물건'으로는 적절하지 않으므로 오답이며, 1번은 '신용 카드'나 '축하 카드' 등을 의미하는데 이 역시 '인터넷 구입'과는 관계가 없는 단어이다. '인터넷 구입'과 자연스럽게 연결되는 단어는 '영화나 연극 등 관람을 위한 티켓', 즉 4번이다.

---

2 A「ぜんぶで いくらですか。」
B「 580（　　）です。」

1 にん　　2 ご
3 えん　　4 ばん

정답 3 A 모두 얼마입니까?
B 580엔입니다.

단어 全部 모두, 전부 | いくら 얼마 | ～人 ～명(인원) | ～語 ～어(언어) | ～円 ～엔(화폐) | ～番 ～번(숫자, 순서)

해설 '모두 얼마'인지 가격을 묻는 질문이므로 화폐 단위인 3번 「円 엔」이 정답이다. 선택지 모두 단어 뒤에 붙는 접미사 역할을 하는 한자어이다. 1번은 「何人 몇 명」과 같이 사람을 세는 조수사이고, 2번은 「日本語 일본어」, 「英語 영어」처럼 언어를 나타내며, 4번은 「1番 1번」, 「2番 2번」처럼 번호나 순서를 매길 때 사용한다.

---

3 おおさかから とうきょうまで 2じかん はん（　　）。

1 のりました　　2 あるきました
3 かかりました　　4 まちました

정답 3 오사카에서 도쿄까지 2시간 반 걸렸습니다.

단어 時間 시간 | 半 반, 30분 | 乗る (탈 것·교통수단을) 타다 | 歩く 걷다 | かかる (시간이) 걸리다 | 待つ 기다리다

해설 '오사카에서 도쿄까지 걸린 시간'을 말하는 문장이므로 괄호 안에는 '시간이 걸리다'라는 의미의 동사인 3번 「かかりました」가 들어가야 한다. 1번은 「電車に 乗りました 전철을 탔습니다」, 2번은 「駅まで 歩きました 역까지 걸었습니다」, 4번은 「友だちを 待ちました 친구를 기다렸습니다」처럼 예문으로 기억해 두자.

---

4 ごはんを たべる まえに おふろに（　　）。

1 つけます　　2 あらいます
3 はいります　　4 おきます

정답 3 밥을 먹기 전에 목욕을 합니다.

단어 ご飯 밥 | 食べる 먹다 | ～前 ～전 | お風呂に入る 목욕을 하다 | つける 붙이다 | 洗う 씻다, 닦다 | 置く 놓다, 두다

해설 「お風呂に入る」가 '목욕을 하다'라는 의미의 관용 표현이라는 것을 알면 쉽게 풀 수 있는 문제이다. 정답은 3번이다. 3번 「お風呂」는 '목욕' 자체를 뜻하기도 하지만 「お風呂で 体を 洗う 목욕탕에서 몸을 씻다」처럼 '목욕탕'이라는 의미로도 사용한다.

---

5 えいがが（　　）から たくさん わらいました。

1 かわいかった　　2 おいしかった
3 おもしろかった　　4 つまらなかった

정답 3 영화가 재미있었기 때문에 많이 웃었습니다

단어 映画 영화 | たくさん 많이 | 笑う 웃다 | かわいい 귀엽다 | おいしい 맛있다 | おもしろい 재미있다 | つまらない 시시하다, 재미없다

해설 '많이 웃었다'는 뒤의 말로 보아 앞의 내용은 '영화가 재미있었다'가 되어야 자연스러우므로 정답은 3번이다. 1번과 2번은 영화와는 관계가 없으며, 4번은 '영화가 시시했다'가 되므로 '많이 웃었다'라는 뒤의 내용과 호응하지 않는다.

---

6 きょうと あしたは いそがしいから かいものは（　　）いく つもりです。

1 きのう　　2 けさ
3 あさって　　4 おととい

정답 3 오늘과 내일은 바쁘기 때문에 쇼핑은 내일모레 갈 생각입니다.

단어 今日 오늘 | 明日 내일 | 忙しい 바쁘다 | 買い物 쇼핑, 장보기 | あさって 내일모레 | 行く 가다 | ～つもり ～할 생각, ～할 작정 | 昨日 어제 | 今朝 오늘 아침 | おととい 그저께

해설 괄호 뒤에서 「いくつもりです 갈 생각입니다」라고 앞으로의 예정을 나타내는 표현을 사용하고 있으므로 선택지 중 미래를 나타내는 3번 「あさって 내일 모레」가 들어가야 자연스럽다. 나머지 선택지 모두 때를 나타내는 명사이지만 1번과 4번은 과거 시제를 나타내는 단어이며 2번 「今朝 오늘 아침」은 제시문에서 '오늘은 바쁘다'고 했으므로 문장 흐름에 맞지 않는다.

---

7 ここは みんなが よく しっている（　　）レストランです。

1 じょうずな　　2 げんきな
3 たいへんな　　4 ゆうめいな

정답 4 이곳은 모두가 잘 알고 있는 유명한 레스토랑입니다.

단어 みんな 모두 | よく 잘, 자주 | 知る 알다 | レストラン 레스토랑 | 上手だ 잘하다, 능숙하다 | 元気だ 기운이 있다, 건강하다 | 大変だ 큰일이다, 힘들다 | 有名だ 유명하다

해설 '모두가 알고 있을 정도로 유명하다'라는 의미이므로 정답은 4번 「有名な 유명한」이다. 1번은 「歌が 上手な 人 노래를 잘 하는 사람」, 「元気な 子ども 기운찬 아이」, 「大変な 仕事 힘든 일」처럼 예문으로 기억해 두자.

---

8 じゅぎょうは 9じに（　　）。

1 はじまります　　2 おきます
3 あけます　　4 でます

정답 1 수업은 9시에 시작됩니다.

단어 授業 수업 | 始まる 시작되다 | 起きる 일어나다, 기상하다 | 開ける 열다 | 出る 나가다, 나오다

해설 수업 시작 시간이나 종료 시간을 나타내는 문장이 되어야 하므로 괄호 안에는 1번 「始まります 시작됩니다」가 들어가야 한다. 2번은 「7時に 起きます 7시에 일어납니다」, 3번은 「窓を 開けます 창문을 엽니다」, 4번은 「教室から 出ます 교실에서 나옵니다」처럼 예문으로 기억해 두자.

---

9 にほんは かんこくの みなみ（　　）に あります。

1 そば　　2 がわ
3 ずつ　　4 かい

정답 2 일본은 한국의 남쪽에 있습니다.

단어 南 남 | ～側 ～측, ～쪽

해설 괄호 앞의 「みなみ 남, 남쪽」에 이어질 말로 적절한 것은 '～쪽, ～측'이라는 의미를 가진 「がわ」이므로, 정답은 2번이다. 1번 「そば」도 위치나 방향을 나타내는 표현이지만 '옆, 곁'이라는 가까운 위치를 나타내는 표현이므로 답으로는 적절하지 않다.

10 むずかしくて よく わかりません。(　　) いって ください。

1 もういちど　　2 すぐ
3 はやく　　4 ちょっと

정답 1 어려워서 잘 모르겠어요. 다시 한번 말해 주세요.

단어 難(むずか)しい 어렵다 | よく 잘, 자주 | わかる 알다 | もう一度(いちど) 다시 한번, 한번 더 | すぐ 곧, 바로, 금방 | 早(はや)く 빨리 | ちょっと 조금

해설 '어려워서 잘 모르겠다'라고 했으므로 문맥상 '다시 한 번 말해 주세요'로 이어지는 1번이 가장 자연스럽다. 2번은 「すぐ 行(い)って ください 바로 가 주세요」, 4번은 「ちょっと 待(ま)って ください 조금 기다려 주세요」처럼 사용하는 것이 자연스럽다. 3번 「早(はや)く 빨리」를 넣을 경우 앞의 문장과 함께 읽었을 때 문맥이 어색하므로 답이 될 수 없다.

もんだい 4 유의 표현

연습문제 정답 및 해설

정답

연습문제 ① 1 1　2 3　3 3　4 4
연습문제 ② 1 2　2 3　3 3　4 1

연습문제 ①

もんだい 4　＿＿의 문장과 거의 같은 의미의 문장이 있습니다. 1・2・3・4에서 가장 적당한 것을 하나 고르세요.

문제편 86p

1　けさ ゆきが ふりました。

1 きょうの あさ ゆきが ふりました。
2 きょうの ひる ゆきが ふりました。
3 きのうの あさ ゆきが ふりました。
4 きのうの ひる ゆきが ふりました。

정답　1 오늘 아침 눈이 내렸습니다.

단어　今朝(けさ) 오늘 아침 | 雪(ゆき) 눈 | 降(ふ)る (눈·비가) 내리다 | 今日(きょう) 오늘 | 朝(あさ) 아침 | 昼(ひる) 낮, 점심 | 昨日(きのう) 어제

해설　「今朝(けさ)」는 '오늘 아침'이라는 뜻이므로 「今日(きょう)の朝(あさ) 오늘 아침」으로 풀어서 표현한 1번이 정답이다. 이외에도 「夕方(ゆうがた) 저녁때, 해질녘」, 「夜(よる) 밤」, 「晩(ばん) 밤」, 「今晩(こんばん) 오늘 밤」, 「今夜(こんや) 오늘 밤」과 같이 때를 나타내는 표현을 함께 기억해 두자.

2　かんじの しけんは むずかしく なかったです。

1 かんじの しけんは やすかったです。
2 かんじの しけんは やすく なかったです。
3 かんじの しけんは やさしかったです。
4 かんじの しけんは やさしく なかったです。

정답　3 한자 시험은 쉬웠습니다.

단어　漢字(かんじ) 한자 | 試験(しけん) 시험 | 難(むずか)しい 어렵다 | 安(やす)い 싸다, 저렴하다 | 易(やさ)しい 쉽다

해설　「難(むずか)しく なかったです 어렵지 않았습니다」는 쉬웠다는 뜻이므로, 「やさしかったです 쉬웠습니다」로 바꿔 표현한 3번이 정답이다. 「やさしい」라고 발음하는 형용사는 「易(やさ)しい 쉽다, 용이하다」와 「優(やさ)しい 다정하다, 상냥하다」 두 가지가 있다. 혼동하지 않도록 한자와 함께 기억해 두자.

3　さとうさんは リサさんに にほんごを おしえます。

1 さとうさんに にほんごを おしえます。
2 さとうさんは にほんごを ならいます。
3 さとうさんに にほんごを ならいます。
4 さとうさんは にほんごを べんきょうします。

정답　3 사토 씨에게 일본어를 배웁니다.

단어　日本語(にほんご) 일본어 | 教(おし)える 가르치다 | 習(なら)う 배우다 | 勉強(べんきょう) 공부

해설 「さとうさんは リサさんに 日本語(にほんご)を 教(おし)えます 사토 씨는 리사 씨에게 일본어를 가르쳐줍니다」는 리사 씨가 사토 씨로부터 일본어를 배운다는 말이므로, 「さとうさんに 日本語(にほんご)を 習(なら)います 사토 씨에게 일본어를 배웁니다」로 바꿔 표현한 3번이 정답이다. 동사가 바뀌면서 문장의 의미가 달라지는 문제는 조사에 주의하면서 읽는 습관을 가지도록 하자.

4 めがねを かけて はなして いる ひとが せんせいです。

1 せんせいは めがねを もって いる ひとです。
2 せんせいは めがねを さわって いる ひとです。
3 せんせいは めがねを みて いる ひとです。
4 せんせいは めがねを つかって いる ひとです。

정답 4 선생님은 안경을 사용하고 있는 사람입니다.

단어 眼鏡(めがね) 안경 | かける 걸다, (안경을) 쓰다 | 話(はな)す 말하다, 이야기하다 | 先生(せんせい) 선생님 | 持(も)つ 가지다, 들다 | さわる 만지다 | 使(つか)う 사용하다

해설 「めがねを かけて いる 人(ひと) 안경을 쓰고 있는 사람」과 서로 바꿔 쓸 수 있는 것은 4번「めがねを 使(つか)って いる 人(ひと) 안경을 사용하고 있는 사람」이다. 1번은 '안경을 들고 있는 사람', 2번은 '안경을 만지고 있는 사람', 3번은 '안경을 보고 있는 사람'이므로 답이 될 수 없다.

연습문제 ②

もんだい 4 ＿＿＿의 문장과 거의 같은 의미의 문장이 있습니다. 1・2・3・4에서 가장 적당한 것을 하나 고르세요.

문제편 87p

1 へやを そうじしました。

1 へやを おおきく しました。
2 へやを きれいに しました。
3 へやを ひろく しました。
4 へやを あかるく しました。

정답 2 방을 깨끗하게 했습니다.

단어 部屋(へや) 방 | 掃除(そうじ)する 청소를 하다 | 大(おお)きい 크다 | きれいだ 예쁘다, 깨끗하다 | 広(ひろ)い 넓다 | 明(あか)るい 밝다

해설 「部屋(へや)を 掃除(そうじ)しました 방을 청소했습니다」는 방을 깨끗하게 정리했다는 의미이므로, 「部屋(へや)を きれいに しました 방을 깨끗하게 했습니다」로 쉽게 풀어서 말한 2번이 정답이다. 「掃除(そうじ)を する」의 또 다른 유의 표현인 「片付(かたづ)ける 치우다, 정돈하다」도 함께 기억해 두자.

2 はらださんは でかけました。

1 はらださんは ねて います。
2 はらださんは やすんで います。
3 はらださんは いえに いません。
4 はらださんは としょかんに いません。

정답 3 하라다 씨는 집에 없습니다.

단어 出(で)かける 외출하다, 나가다 | 寝(ね)る 자다 | 休(やす)む 쉬다 | 家(いえ) 집 | 図書館(としょかん) 도서관

해설 「出(で)かける」는 '외출하다, 나가다'라는 의미이므로, 지금 하라다 씨는 집에 없다는 것을 알 수 있다. 따라서 정답은 3번이다. 선택지 1번은 '자고 있습니다', 2번은 '쉬고 있습니다', 4번은 '도서관에 없습니다'이므로 답이 될 수 없다.

3 じかんが ないから いそいで ください。

1 じかんが ないから やめて ください。
2 じかんが ないから かえって ください。
3 じかんが ないから はやく して ください。
4 じかんが ないから あとに して ください。

정답 3 시간이 없으니 빨리 해 주세요.

단어 時間(じかん) 시간 | 急(いそ)ぐ 서두르다 | やめる 그만두다, 멈추다 | 帰(かえ)る 돌아가(오)다 | 早(はや)く 빨리 | あとに する 나중에 하다

해설 「急(いそ)いで ください 서둘러 주세요」와 서로 바꿔 쓸 수 있는 것은 3번 「早(はや)く して ください 빨리 해 주세요」이다. 4번 「時間(じかん)が ないから 後(あと)に して ください 시간이 없으니 나중으로 해 주세요」는 지금 말고 다른 때로 시간을 미뤄 달라고 요청할 때 쓰는 표현이다.

4 おんがくを ききながら りょうりします。

1 りょうりする とき おんがくを ききます。
2 りょうりしてから おんがくを ききます。
3 おんがくを きいてから りょうりします。
4 おんがくを きいたり りょうりしたり します。

정답 1 요리할 때 음악을 듣습니다.

단어 音楽(おんがく) 음악 | 聞(き)く 듣다, 묻다 | 料理(りょうり) 요리

해설 「音楽(おんがく)を 聞(き)きながら 料理(りょうり)します 음악을 들으면서 요리를 합니다」를 「料理(りょうり)を する 時(とき) 音楽(おんがく)を 聞(き)きます 요리할 때 음악을 듣습니다」로 바꿔 표현한 1번이 정답이다. 선택지 2번은 '요리하고 나서 음악을 듣습니다', 3번은 '음악을 듣고 나서 요리를 합니다', 4번은 '음악을 듣거나 요리하거나 합니다'이므로 답이 될 수 없다.

もんだい 1 한자 읽기

실전문제 정답 및 해설

정답

	1	2	3	4	5	6	7	8	9	10
실전문제 ①	2	1	1	3	2	2	2	4	3	4
실전문제 ②	3	3	2	4	1	4	3	4	3	1

실전문제 ①

もんだい 1 ＿＿＿의 단어는 히라가나로 어떻게 씁니까? 1・2・3・4에서 가장 적당한 것을 하나 고르세요.

문제편 90p

1 頭が いたくて びょういんに いきました。

1 かお　　2 あたま
3 はな　　4 おなか

정답 2 머리가 아파서 병원에 갔습니다.

단어 頭 머리 | 痛い 아프다 | 病院 병원 | 顔 얼굴 | 鼻 코 | お腹 배

해설 제시문의 「頭 머리」와 선택지의 「顔 얼굴」, 「鼻 코」, 「お腹 배」 등은 모두 신체 관련 어휘로 필수 어휘이다. 이 외에 「首 목」, 「喉 목, 목구멍」, 「目 눈」, 「耳 귀」, 「口 입」, 「腕 팔」, 「指 손가락」, 「手 손」, 「足 발」도 함께 기억해 두자.

2 でんしゃは 11じに とうきょう駅に つきます。

1 えき　　2 みち
3 みせ　　4 まど

정답 1 전철은 11시에 도쿄역에 도착합니다.

단어 電車 전철 | 駅 역 | 着く 도착하다 | 道 길 | 店 가게 | 窓 창, 창문

해설 「駅 역 역」은 음독 「えき」로만 읽는 한자로 지하철이나 기차 등 철도의 '역'이라는 의미이다. 「駅に 着きます 역에 도착합니다」, 「駅員 역무원」과 같은 관련 표현으로 기억해 두자. 「着 붙을 착」의 음독은 「ちゃく」, 훈독은 「着く 도착하다」, 「着る (상의를) 입다」이다. 음독 명사인 「到着 도착」도 많이 사용하는 단어이므로 잘 기억해 두자.

3 おなかが 痛い ときは くすりを のんで はやく ねます。

1 いたい　　2 おもい
3 わるい　　4 よわい

정답 1 배가 아플 때는 약을 먹고 일찍 잡니다.

단어 お腹 배 | 痛い 아프다 | 薬 약 | 飲む 마시다 | 早い 이르다, 빠르다 | 寝る 자다 | 重い 무겁다 | 悪い 나쁘다 | 弱い 약하다

해설 「痛 아플 통」의 훈독을 바르게 읽은 것은 1번 「痛い 아프다」이다. 음독은 「つう」로, 음독 명사인 「頭痛 두통」은 일상생활에서 자주 사용하는 단어이므로 참고로 알아 두면 좋다. 선택지 2번은 「荷物が 重い 짐이 무겁다」, 3번은 「目が 悪い 눈이 나쁘다」, 4번은 「力が 弱い 힘이 약하다」와 같은 예문과 함께 기억해 두자.

4 あの 信号で みぎに まがります。

1 じんごう　　2 じんこう
3 しんごう　　4 しんこう

정답 3 저 신호등에서 오른쪽으로 돌아갑니다.

단어 信号 신호등, 신호 | 右 오른쪽 | 曲がる 돌다, 꺾다

해설 「信 믿을 신」은 음독 「しん」으로만 발음하는 한자로, 명사인 「信号 신호등, 신호」와 동사인 「信じる 믿다, 신뢰하다」를 잘 기억해 두자. 신호등은 「信号機 신호기」가 정식 명칭이며 일반적으로는 「信号」라고 줄여서 사용하는 경우가 많다. 「信号を 送る 신호(사인)를 보내다」, 「信号を よく 見て 渡る 신호등을 잘 보고 건너다」와 같은 예문으로 익혀 두자.

---

5 午後は プールで およぎます。

1 ごぜん　　2 ごご
3 ごごう　　4 ごあと

정답 2 오후에는 수영장에서 수영을 합니다.

단어 午後 오후 | プール 풀장, 수영장 | 泳ぐ 헤엄치다, 수영하다 | 午前 오전

해설 「午 낮 오」는 음독 「ご」로만 읽는 한자이며, 「後 뒤 후」의 음독은 「ご」, 훈독은 「後 후, 뒤(시간)」, 「後ろ 뒤(공간)」, 「後 나중」 등이 있다. 「午後 오후」의 올바른 발음은 2번이다. 반의어인 1번 「午前 오전」도 함께 기억해 두자.

---

6 あきは 果物が おいしく なります。

1 かもの　　2 くだもの
3 かじつ　　4 くだじつ

정답 2 가을은 과일이 맛있어집니다.

단어 秋 가을 | 果物 과일 | おいしい 맛있다

해설 「くだもの」는 기초 필수 어휘이기 때문에 쉽다고 생각할 수 있지만 「果物」라고 한자로 제시될 경우 발음을 바로 떠올리지 못하는 경우가 많다. 특수 발음으로 읽는 단어이므로 잘 기억해 두자. 정답은 2번이다. 또한 「物 물건 물」의 음독 명사인 「動物 동물」, 「荷物 짐」이나 훈독 명사인 「品物 물건」, 「建物 건물」, 「買い物 쇼핑, 장보기」 등은 시험에 자주 출제되므로 잘 기억해 두자.

---

7 もう 10じだから いえに 帰ります。

1 おくります　　2 かえります
3 はいります　　4 わかります

정답 2 벌써 10시니까 집으로 돌아갑니다.

단어 もう 이미, 벌써 | 家 집 | 帰る 돌아가(오)다 | 送る 보내다, 발송하다, 배웅하다 | 入る 들어가(오)다 | わかる 알다, 이해하다

해설 「帰 돌아갈 귀」의 음독은 「き」, 의 훈독은 「帰る 돌아가(오)다」이므로 정답은 2번이다. 음독 명사인 「帰国 귀국」도 함께 기억해 두자. 1번은 「手紙を 送ります 편지를 보냅니다」, 3번은 「教室に 入ります 교실에 들어갑(옵)니다」, 4번은 「説明を 聞いて わかりました 설명을 듣고 알았습니다」와 같은 예문을 통해 익혀 두자.

---

8 この しゃしんの ひとたちは わたしの 大切な かぞくです。

1 にぎやかな　　2 べんりな
3 しんせつな　　4 たいせつな

정답 4 이 사진의 사람들은 나의 소중한 가족입니다.

단어 写真 사진 | 人たち 사람들 | 大切だ 소중하다, 중요하다 | 家族 가족 | にぎやかだ 번화하다, 떠들석하다 | 便利だ 편리하다 | 親切だ 친절하다

해설 「大 큰 대」는 「大学 대학」와 「大変だ 큰일이다, 힘들다」와 같이 「たい·だい」의 두 가지 음독과, 훈독 「大きい 크다」로 발음하는 한자이고, 「切 끊을 절」의 음독은 「せつ·さい」로, 형용사 「大切だ 소중하다, 중요하다」는 기초 필수 어휘이므로 꼭 기억해 두어야 한다. 정답은 4번이다. 「切 끊을 절」의 훈독은 「切る 자르다, 베다, 끊다」, 「切れる 끊어지다, 잘리다」이다. 1번은 「にぎやかな 町 번화한 마을」, 2번은 「便利な 交通 편리한 교통」, 3번은 「親切な 人 친절한 사람」과 같은 예시를 통해 기억해 두자.

---

9 おばあさんは うちの 隣に すんで います。

1 みぎ　　2 ひだり
3 となり　　4 そば

정답 3 할머니는 우리 옆집에 살고 있습니다.

단어 おばあさん 할머니 | うち 집, (우리) 집 | 隣 옆, 이웃집, 옆집 | 住む 살다 | 右 오른쪽 | 左 왼쪽 | 側 곁, 옆

해설 사물의 '옆'을 뜻하는 한자로는 「横 옆, 측면」, 「側 옆, 곁」, 「隣 옆, 이웃」이 있는데 「横」는 「横 가로 횡」이라는 한자에서 알 수 있듯이 좌우 방향에 있는 것을 말하며, 「側」는 상하좌우 상관없이 물리적·심리적으로 가까운 것을 의미한다. 「隣」는 '이웃'이라는 의미로 같은 종류로 옆에 맞닿아 있는 것을 말한다. 따라서 정답은 3번이다. 「隣の 町 이웃 마을」, 「隣の 店 이웃 가게」, 「隣の 席 옆자리」 등의 예시를 통해 뉘앙스를 파악해 두자.

---

10 テストは しちがつ 六日からです。

1 ろくにち　　2 ろっか
3 むっか　　4 むいか

정답 4 테스트는 7월 6일부터입니다.

단어 テスト 테스트, 시험 | 六日 6일

해설 「六 여섯 륙」은 날짜를 가리킬 때 「六日 6일」, 「十六日 16일」, 「二十六日 26일」로 읽는다. 따라서 정답은 4번이다. 또한 숫자를 셀 때는 기본적으로 음독인 「ろく」로 발음하지만 「六つ 여섯, 6개」, 「六百 6백」은 발음이 달라지므로 구분해서 기억해 두도록 하자.

실전문제 ②

もんだい 1 ＿＿＿의 단어는 히라가나로 어떻게 씁니까? 1・2・3・4에서 가장 적당한 것을 하나 고르세요.

문제편 91p

1 スーパーで 魚が とても やすかったです。

1 にく　　2 ふく
3 さかな　　4 さしみ

정답 3 슈퍼에서 생선이 매우 저렴했습니다.

단어 スーパー 슈퍼 | 魚 생선 | とても 매우 | 安い 저렴하다, 싸다 | 肉 고기 | 服 옷 | さしみ 생선회

해설 「魚 물고기 어」의 음독은 「ぎょ」, 훈독은 「魚 물고기, 생선」이므로 바르게 읽은 것은 3번이다. 한 글자 한자 문제에서는 몸, 자연, 방향 등 같은 테마 내에서 정답을 고르는 문제가 많다. 따라서 평소 학습할 때 관련 어휘들을 함께 정리해 두는 것이 좋다.

2 両親は いなかで すんで います。

1 そうしん　　2 そうおや
3 りょうしん　　4 りょうおや

정답 3 부모님은 시골에 살고 있습니다.

단어 両親 양친, 부모님 | 田舎 시골 | 住む 살다

해설 「両 두 량」은 음독 「りょう」만으로 읽으며, 「親 친할 친」의 음독은 「しん」, 훈독은 「親 부모」, 「親しい 친하다」 등이 있다. 「両親 부모님」은 음독 명사이므로 정답은 3번이다. 관련 어휘인 「父親 부친, 아버지」, 「母親 모친, 어머니」도 함께 기억해 두자.

---

3 ちちが たんじょうびの プレゼントに 時計を くれました。

1 じけい　　2 とけい
3 じしん　　4 としん

정답 2 아버지가 생일 선물로 시계를 주었습니다.

단어 父 아버지 | 誕生日 생일 | プレゼント 선물 | 時計 시계 | くれる 주다

해설 「時 때 시」의 음독은 「じ」이고 훈독은 「時 때, 시」이다. 훈독으로 읽는 부사인 「時々 때때로, 가끔」도 함께 기억해 두자. 제시문의 「時計 시계」는 특수 발음으로 읽는 단어이므로 발음을 별도로 기억해 두어야 한다. 정답은 2번 「とけい」이다.

---

4 やさいを 買って かえります。

1 あらって　　2 もって
3 つかって　　4 かって

정답 4 채소를 사서 돌아갑니다.

단어 野菜 채소, 야채 | 買う 사다 | 帰る 돌아가(오)다, 귀가하다 | 洗う 씻다 | 持つ 들다 | 使う 사용하다

해설 「買 살 매」의 훈독인 「買う 사다」를 바르게 읽은 것은 4번이다. 반의어인 「売る 팔다」도 함께 기억해 두도록 하자. 1번은 「野菜を 洗う 채소를 씻다」, 2번은 「かばんを 持つ 가방을 들다」, 3번은 「ペンを 使う 펜을 사용하다」와 같이 사용한다.

5 さかなは あまり 好きじゃ ないです。

1 すき　　2 げんき
3 いき　　4 さき

정답 1 생선은 별로 안 좋아해요.

단어 魚 물고기, 생선, 생선 요리 | あまり 그다지 | 好きだ 좋아하다 | 元気だ 활기차다, 건강하다

해설 「好 좋을 호」를 훈독으로 읽는 「好きだ 좋아하다」와 반의어인 「嫌いだ 싫어하다」는 기초 필수 어휘이므로 반드시 기억해 두어야 한다. 또한 「魚好き」, 「スポーツ好き」처럼 무언가를 좋아하는 사람이라는 합성어가 되면 탁음이 붙어서 「ずき」로 발음한다는 것도 기억해 두자. 참고로 한국에도 잘 알려진 일본 음식인 '오코노미야키'는 「お好み焼き」라고 쓰는데, 이때의 「好み」는 「好」의 또 다른 훈독이다.

6 ここには 古い おてらが あります。

1 まるい　　2 たかい
3 ながい　　4 ふるい

정답 4 여기에는 오래된 절이 있습니다.

단어 古い 오래되다 | お寺 절 | 丸い 둥글다 | 高い 높다, 비싸다 | 長い 길다

해설 '오래되다'라는 의미의 형용사 「古い」를 바르게 읽은 것은 4번이다. 반의어인 「新しい 새롭다」도 함께 기억해 두자. 「丸い テーブル 둥근 테이블」, 「背が 高い 키가 크다」, 「ねだんが 高い 가격이 비싸다」, 「長い 髪 긴 머리」처럼 사용한다. 「高い 높다, 비싸다」처럼 뜻이 여러 개 있거나 관용 표현이 있는 경우는 문장으로 기억하는 것이 뉘앙스를 파악하는 데 도움이 된다.

7 この おべんとうは 六百円です。

1 ろくひゃくえん　　2 ろっひゃくえん
3 ろっぴゃくえん　　4 ろっびゃくえん

정답 3 이 도시락은 600엔입니다.

단어 お弁当 도시락 | 六百円 600엔

해설 일본의 화폐 단위는 「円 엔」이고 「百 일백 백」은 「ひゃく」라고 읽는다. 보통 「百円 100엔」, 「二百円 200엔」과 같이 읽지만 「三百円 300엔」, 「六百円 600엔」, 「八百円 800엔」은 발음이 달라 출제 빈도가 높으므로 기초 어휘라도 방심하지 않는 것이 중요하다.

8 あさ 早く おきて こうえんで うんどうを します。

1 からく　　2 あまく
3 おそく　　4 はやく

정답 4 아침 일찍 일어나서 공원에서 운동을 합니다.

단어 朝 아침 | 早く 빨리 | 起きる 일어나다 | 公園 공원 | 運動 운동 | 辛い 맵다 | 甘い 달다 | 遅い 늦다, 느리다

해설 「早く」는 「早く して ください 빨리 해 주세요」처럼 '어서, 빨리'라는 의미와 「朝早く 아침 일찍」처럼 '이르게'라는 의미로 사용하는 부사이다. 훈독이 「はやい」인 한자는 「早 이를 조」와 「速 빠를 속」 두 개가 있는데 「早い 이르다, 빠르다」는 '시기나 때가 이르다'는 뜻이고, 「速い 빠르다」는 '속도가 빠르다'라는 뜻이다. 선택지 3번 「遅い 늦다, 느리다」는 「早い」와 「速い」 두 형용사 모두의 반의어로 사용할 수 있다.

9 にわに 赤い はなが さいて います。

1 しろい　　2 くろい
3 あかい　　4 あおい

정답 3 정원에 빨간 꽃이 피어 있습니다.

단어 庭 정원, 마당 | 赤い 빨갛다 | 花 꽃 | 咲く (꽃이) 피다 | 白い 하얗다, 희다 | 黒い 검다 | 青い 파랗다

해설 「赤 붉을 적」의 훈독은 「赤 빨강」, 「赤い 붉다, 빨갛다」이므로 정답은 3번이다. 색상 관련 어휘는 한자 읽기와 표기 파트에서 자주 출제된다. 「白い 희다」, 「黒い 검다」, 「青い 파랗다」, 「黄色い 노랗다」, 「茶色 갈색」, 「緑 녹색」 등 관련 어휘를 함께 정리해 두자.

10 学校の となりに びょういんが あります。

1 がっこう　　2 かっこう
3 がこう　　4 かこう

정답 1 학교 옆에 병원이 있습니다.

단어 学校 학교 | 隣 옆, 이웃 | 病院 병원 | ある 있다(사물·식물)

해설 「学 배울 학」의 음독은 「がく」인데 「校 학교 교」의 음독인 「こう」가 뒤에 오면 촉음화 현상으로 인해 「がっこう」로 발음된다. 정답은 1번이다. 「学校 학교」, 「作家 작가」, 「一個 한 개」, 「出張 출장」, 「一分 1분」, 「発表 발표」처럼 촉음화 현상으로 앞 글자의 마지막 발음이 「っ」로 바뀌는 단어는 특히 주의해서 외우도록 하자.

もんだい 2 표기

실전문제 정답 및 해설

정답

실전문제 ①	1 2	2 1	3 4	4 3	5 3	6 2	7 4	8 1	9 2	10 4
실전문제 ②	1 2	2 3	3 3	4 1	5 4	6 2	7 3	8 4	9 1	10 2

실전문제 ①

もんだい 2 ＿＿＿의 단어는 어떻게 씁니까? 1・2・3・4 에서 가장 적당한 것을 하나 고르세요.

문제편 92p

1 この みせの らーめんは とても おいしいです。

1 ラーメソ　2 ラーメン
3 ラーヌソ　4 ラーヌン

정답 2 이 가게 라면은 매우 맛있습니다.

단어 店(みせ) 가게 | ラーメン 라멘 | とても 매우, 굉장히 | おいしい 맛있다

해설 '라면'을 가타카나로 바르게 표기한 것은 2번이다. 선택지에 나온 「メ」와 「ヌ」, 「ソ」와 「ン」 외에 「シ」와 「ツ」, 「ヌ」와 「マ」 등도 서로 혼동하지 않도록 주의하자.

2 チンさんの かいしゃは どこですか。

1 会社(かいしゃ)　2 会杜
3 公社(こうしゃ)　4 公杜

정답 1 진 씨의 회사는 어디입니까?

단어 会社(かいしゃ) 회사 | 公社(こうしゃ) 공사(국가 법인 사업)

해설 「会 모을 회」와 「社 모일 사」의 음독으로 조합된 「かいしゃ」를 바르게 표기한 것은 1번이다. 「会」의 훈독인 「会(あ)う」는 '만나다'라는 뜻으로 '~를 만나다'라고 할 때에는 조사 「を」가 아닌 「に」를 써서 「~に 会(あ)う」라고 한다는 것도 잘 기억해 두자.

3 デパートより スーパーの ほうが やすく かえます。

1 広(ひろ)く　2 守く
3 宮く　4 安(やす)く

정답 4 백화점보다 슈퍼 쪽이 더 싸게 살 수 있어요.

단어 デパート 백화점 | スーパー 슈퍼 | 安(やす)い 싸다, 저렴하다 | 買(か)う 사다 | 広(ひろ)い 넓다

해설 「安 편안 안」은 '편안하고 손쉽다'라는 의미를 가진 한자로 음독은 「あん」, 훈독은 「安(やす)い 싸다, 저렴하다」이다. 따라서 정답은 4번이다. 음독 명사인 「安全(あんぜん) 안전」과 「安心(あんしん) 안심」도 함께 기억해 두자.

4 レストランは ごぜん 10じまでは あきません。

1 空(あ)きません　2 引(ひ)きません
3 開(あ)きません　4 置(お)きません

정답 3 레스토랑은 오전 10시까지는 열지 않습니다.

단어 レストラン 레스토랑 | 午前(ごぜん) 오전 | 開(あ)く 열다 | 空(あ)く 비다, 한가하다 | 引(ひ)く 끌다, 당기다, 빼다 | 置(お)く 두다, 놓다

해설 '문이 열리다, 가게를 열다'라는 의미의 동사는 「開 열 개」를 써서 「開く 열다」라고 표기한다. 발음이 같은 1번 「空く」는 「席が 空いて いる 자리가 비어 있다」, 「手が 空く 손이 비다, 한가하다」처럼 '어떠한 공간이나 속이 텅 비어 있다'라는 의미이다.

---

5 たなかさんの へやは あたらしくて とても きれいです。

1 楽しくて　2 涼しくて
3 新しくて　4 忙しくて

정답 3 다나카 씨의 방은 새롭고 매우 깨끗합니다.

단어 部屋 방 | 新しい 새롭다 | とても 매우, 굉장히 | きれいだ 깨끗하다, 예쁘다 | 楽しい 즐겁다 | 涼しい 시원하다, 선선하다 | 忙しい 바쁘다

해설 「新 새 신」의 음독은 「しん」이며 훈독으로는 「新しい 새롭다」, 「新た 새로움, 생생함」 등이 있다. 정답은 3번이다. 음독 명사인 「新聞 신문」, 「新年 신년, 새해」도 함께 기억해 두자.

---

6 きのうは しごとが いそがしくて たいへんでした。

1 元気　2 大変
3 大切　4 丈夫

정답 2 어제는 일이 바빠서 힘들었습니다.

단어 昨日 어제 | 仕事 일, 업무 | 忙しい 바쁘다 | 大変だ 힘들다, 큰일이다 | 元気だ 기운차다 | 大切だ 소중하다, 중요하다 | 丈夫だ 튼튼하다

해설 「たいへん」을 바르게 표기한 것은 2번으로, 「大変だ」는 '힘들다, 큰일이다'라는 의미의 な형용사이다. 이외에도 「大変」은 「大変 忙しい 몹시 바쁘다」처럼 '몹시, 매우, 대단히'라는 의미의 부사로도 사용한다. な형용사와는 형태나 쓰임이 전혀 다르므로 구분해서 기억해 두자. 다른 선택지의 형용사도 「元気な 子どもたち 기운찬 아이들」, 「大切な 時間 소중한 시간」, 「丈夫な 体 튼튼한 몸」과 같은 예시를 통해 잘 기억해 두자.

---

7 りゅうがくする ために べんきょうを して います。

1 修学　2 入学
3 進学　4 留学

정답 4 유학 가기 위해 공부를 하고 있습니다.

단어 留学する 유학하다, 유학 가다 | 勉強 공부 | 修学 수학(학문을 배움) | 入学 입학 | 進学 진학

해설 「留学 유학」은 「留 머무를 류/유」와 「学 배울 학」으로 조합된 음독 명사이다. 바르게 표기한 것은 4번이다. 1번은 「修学旅行に 行く 수학여행을 가다」, 2번은 「高校に 入学する 고등학교에 입학하다」, 「大学に 進学する 대학교에 진학하다」와 같은 예문을 통해 뜻과 뉘앙스를 파악해 두자.

---

8 ここから えきまで あるいて 5ふんぐらいです。

1 歩いて　2 書いて
3 置いて　4 着いて

정답 1 여기서 역까지 걸어서 5분 정도입니다.

단어 駅 역 | 歩く 걷다 | ～分(ふん·ぶん·ぷん) ～분(시간) | ～ぐらい ～정도 | 書く 쓰다, 적다 | 置く 놓다, 두다 | 着く 도착하다

해설 「歩 걸음 보」의 훈독은 「歩く 걷다」로, 바르게 표기한 것은 1번이다. 선택지 모두 「한 글자 한자 + く」의 구조로 된 동사로 혼동하지 않도록 뜻을 정확히 기억해 두어야 한다. 선택지 4번의 「着 붙을 착」의 다른 훈독 동사인 「着る (옷을) 입다」도 필수 어휘이므로 함께 기억해 두자.

---

9 この くるまは でんきでも はしる ことが できます。

1 電来　2 電気
3 伝来　4 伝気

정답 2 이 자동차는 전기로도 달릴 수 있습니다.

단어 車 차, 자동차 | 電気 전기 | 走る 달리다 | 伝来 전래

해설 '전기'를 바르게 표기한 것은 2번이다. 「電 번개 전」의 음독은 「でん」이며 「気 기운 기」의 음독은 「き·け」로, 두 한자 모두 음독으로만 읽는 한자이다. 관련 어휘인 「電車 전철」, 「電話 전화」, 「電球 전구」나 관용 표현인 「気が する 기분이 들다」, 「気を つける 조심하다, 주의하다」도 함께 기억해 두자.

10 わたしは えいごが へたですから あまり すきでは ありません。

1 小手　　2 大手
3 上手　　4 下手

정답 4 저는 영어를 잘 못하기 때문에 그다지 좋아하지 않습니다.

단어 英語 영어 | 下手だ 잘 못하다, 서투르다 | あまり 그다지, 별로 | 好きだ 좋아하다 | 大手 큰손, 대형, 대기업 | 上手だ 잘하다, 능숙하다

해설 「へた」를 바르게 표기한 것은 4번이다. 「上手だ 잘하다, 능숙하다」와 「下手だ 잘 못하다, 서투르다」는 특수 발음으로 읽는 필수 어휘로, 서로 반의어에 해당된다.

실전문제 ②

もんだい 2 ＿＿＿의 단어는 어떻게 씁니까? 1・2・3・4에서 가장 적당한 것을 하나 고르세요.

문제편 93p

1 あめりかに いった ことが ありますか。

1 アヌリカ　　2 アメリカ
3 アマリカ　　4 アフリカ

정답 2 미국에 가본 적이 있습니까?

단어 アメリカ 미국 | 行く 가다 | アフリカ 아프리카

해설 '미국'을 가타카나로 바르게 표기한 것은 2번이다. 4번의 「アフリカ 아프리카」도 함께 기억해 두자. 가타카나 표기 문제는 반드시 한 문제씩 출제되므로 「ロシア 러시아」, 「イギリス 영국」, 「ドイツ 독일」, 「カナダ 캐나다」, 「インド 인도」 등 다른 국가명의 표기도 참고로 기억해 두자.

2 しごとが いそがしくて へやの そうじは 1しゅうかんに 1かいです。

1 会屋　　2 外屋
3 部屋　　4 中屋

정답 3 일이 바빠서 방 청소는 일주일에 한 번입니다.

단어 仕事 일 | 忙しい 바쁘다 | 部屋 방 | 掃除 청소 | 一週間 일주일 | 一回 한 번, 1회

해설 「へや」는 특수 발음으로 읽는 단어로, 바르게 표기한 것은 3번이다. 「部 떼 부」의 음독은 「ぶ」이다. 「部長 부장(님)」, 「野球部 야구부」처럼 직위나 단체를 나타낼 때나 「一部 1부」, 「二部 2부」처럼 서적이나 인쇄물을 세는 단위로 쓰이는 경우가 많다. 「屋 집 옥」의 음독은 「おく」, 훈독은 「屋 ~가게, ~장이」로, 어떠한 가게나 어떠한 직업을 가진 사람을 나타내는 접미어로 쓰인다. 「本屋 서점」, 「ラーメン屋 라면 가게, 라면 가게를 하는 사람」과 같은 예시를 통해 뉘앙스를 파악할 수 있다.

3 しがつから えいごの がっこうに かよって います。

1 過って　　2 道って
3 通って　　4 送って

정답 3 4월부터 영어 학교에 다니고 있습니다.

단어 英語 영어 | 学校 학교 | 通う 다니다 | 送る 보내다

해설 「通 통할 통」의 음독은 「つう・つ」이며 훈독으로는 「通う 다니다」, 「通る 통하다」 등이 있다. 정답은 3번이다. 음독 명사인 「通学 통학」, 「交通 교통」도 함께 기억해 두자. 「英語が 通じる 영어가 통하다」처럼 사용하는 음독으로 읽는 동사 「通じる 통하다, 연결되다」도 참고로 알아 두자.

4 あさから つよい あめが ふって います。

1 強い　　2 長い
3 弱い　　4 遅い

정답 1 아침부터 거센 비가 내리고 있습니다.

단어 朝 아침 | 強い 강하다, 세다 | 雨 비 | 降る 내리다 | 長い 길다 | 弱い 약하다 | 遅い 늦다, 느리다

해설 '강하다'라는 뜻의 い형용사는 「強い」라고 표기한다. 정답은 1번이다. 반의어인 3번 「弱い 약하다」도 함께 기억해 두자. 「強 굳셀 강」의 음독은 「きょう・ごう」로 음독 명사로는 「勉強 공부」, 「最強 최강」 등이 있다.

5 ひるごはんは まいにち あの しょくどうで たべます。

1 植道　　2 食道
3 植堂　　4 食堂

정답 4 점심은 매일 저 식당에서 먹습니다.

단어 昼ご飯 점심밥 | 毎日 매일 | 食堂 식당 | 食べる 먹다

해설 식사를 할 수 있는 시설을 뜻하는 「食堂 식당」의 바른 표기는 4번이다. 「食 밥 식/먹을 식」의 음독은 「しょく·じき」로 관련 어휘인 「食事 식사」, 「食品 식품」도 함께 기억해 두자. 「堂 집 당」은 음독 「どう」로만 읽는 한자이다.

---

6 この ことばは かんじで どう かきますか。

1 間字　　2 漢字
3 感字　　4 韓字

정답 2 이 말은 한자로 어떻게 씁니까?

단어 言葉 말, 언어 | 漢字 한자 | どう 어떻게 | 書く 쓰다, 적다

해설 N5의 표기 문제는 제시문이 히라가나로만 표기되기 때문에 동음이의어에 주의해야 하며, 문맥을 보고 어떤 단어를 가리키는지를 유추해야 한다. 제시문의 술어가 '쓰다'라는 뜻의 「書く」이므로 「かんじ」는 종이에 쓰는 대상인 「漢字 한자」임을 알 수 있다. 정답은 2번이다. 발음이 같은 「感 느낄 감」의 음독 「感じ 느낌」과 혼동하지 않도록 주의하자.

---

7 からい ものは からだに よく ないです。

1 速い　　2 早い
3 辛い　　4 甘い

정답 3 매운 것은 몸에 좋지 않습니다.

단어 辛いもの 매운 것 | 体 몸 | よい 좋다 | 速い 빠르다(속도) | 早い 이르다(시간) | 甘い 달다

해설 '맵다'라는 뜻의 「からい」를 바르게 표기한 것은 3번이다. 「辛 매울 신」은 「辛い 맵다」와 「辛い 괴롭다」 두 가지 훈독이 있다는 것도 참고로 알아 두자. 선택지 1번과 2번은 발음이 같으므로 뜻과 표기를 구분해서 정확히 기억해 두어야 한다. 「速い 빠르다」는 속도가 빠르다는 의미이며 「早い 이르다」는 시기나 때가 이르다는 의미이다. 「スピードが 速い 스피드가 빠르다」, 「早い 時間に 起きた 이른 시간에 일어났다」와 같은 예문을 통해 뉘앙스의 차이를 파악해 두자.

---

8 ここでは たばこを すわないで ください。

1 使わないで　　2 言わないで
3 会わないで　　4 吸わないで

정답 4 여기에서는 담배를 피우지 마십시오.

단어 たばこ 담배 | 吸う (담배를) 피다, 들이마시다 | 使う 쓰다, 사용하다 | 言う 말하다 | 会う 만나다

해설 「吸 마실 흡」의 음독은 「きゅう」, 훈독은 「吸う 들이마시다」이므로 바르게 표기한 것은 4번이다. 「たばこを 吸う 담배를 피우다」는 시험에 자주 출제되는 관용 표현이므로 반드시 기억해야 한다.

---

9 せまい いえの なかより そとで あそびたいです。

1 狭い　　2 長い
3 暗い　　4 遠い

정답 1 좁은 집 안보다 밖에서 놀고 싶습니다.

단어 狭い 좁다 | 家 집 | 中 안 | 外 밖, 바깥 | 遊ぶ 놀다 | 長い 길다 | 暗い 어둡다 | 遠い 멀다

해설 「せまい」는 「狭 좁을 협」의 훈독으로 '좁다'라는 의미이다. 정답은 1번이다. 반의어인 「広い 넓다」도 함께 기억해 두자.

---

10 わたしの あには せんせいで おとうとは かいしゃいんです。

1 回社員　　2 会社員
3 回社貝　　4 会社貝

정답 2 나의 오빠는(형은) 선생님이고 남동생은 회사원입니다.

단어 兄 오빠, 형 | 先生 선생님 | 弟 남동생 | 会社員 회사원

해설 '회사원'을 바르게 표기한 것은 2번 「会社員」이다. 「会 모을 회」의 훈독인 「会う 만나다」도 기초 필수 어휘이므로 잘 기억해 두도록 하자. 「員」과 형태가 비슷한 선택지 3, 4번의 「貝 조개 패」와 혼동하지 않도록 주의해야 한다.

もんだい 3 문맥 규정

실전문제 정답 및 해설

정답

실전문제 ①	1 2	2 3	3 3	4 4	5 3	6 1	7 4	8 2	9 1	10 4
실전문제 ②	1 2	2 4	3 2	4 3	5 2	6 3	7 4	8 3	9 1	10 4

실전문제 ①

もんだい 3 (　　)에 무엇이 들어갑니까? 1・2・3・4에서 가장 적당한 것을 하나 고르세요. 문제편 94p

1 えんぴつを 1（　　）かして ください。

1 ぼん　　2 ぽん
3 ばい　　4 ぱい

정답 2 연필을 한 자루 빌려주세요.

단어 えんぴつ 연필 | ～本(ほん·ぼん·ぽん) ～자루 | 貸(か)す 빌려주다

해설 선택지는 모두 수를 세는 단위를 나타내는 조수사이다. 연필이나 우산과 같이 가늘고 긴 것을 세는 단위는「本」인데, 숫자 1, 6, 8 다음에서는 반탁음이 붙어「ぽん」이 되므로 정답은 2번이다. 숫자 3 다음에 붙을 때는「3本(さんぼん) 세 자루」로 탁음이 붙는다는 것도 잘 기억해 두어야 한다.「杯(はい·ばい·ぱい)」는 잔을 세는 조수사이다.

---

2 1(いっ)かいから 30(さんじゅっ)かいまで（　　）で 1(いっ)ぷんも かかりませんでした。

1 タクシー　　2 バス
3 エレベーター　　4 インターネット

정답 3 1층부터 30층까지 엘리베이터로 1분도 걸리지 않았습니다.

단어 ～階(かい·がい) ～층 | かかる (시간이) 걸리다, (비용이) 들다 | タクシー 택시 | バス 버스 | エレベーター 엘리베이터 | インターネット 인터넷

해설 '30층까지 1분도 걸리지 않았다'라는 문장이므로 건물 층 사이를 다니는 수단인 3번「エレベーター 엘리베이터」가 정답이다. 괄호 뒤의 조사「～で」는 수단·방법의 용법으로 쓰였으며 '～로'라고 해석한다는 것도 잘 기억해 두자.

---

3 これから いっしょに えいがを（　　）。

1 はいりませんか　　2 かいませんか
3 みませんか　　4 とりませんか

정답 3 지금부터 함께 영화를 보지 않겠습니까?

단어 これから 지금부터, 이제부터 | 一緒(いっしょ)に 함께 | 映画(えいが) 영화 | 入(はい)る 들어가(오)다 | 買(か)う 사다 | 取(と)る 잡다, 쥐다

해설 영화는 '보는 것'이므로 괄호 안에는 3번「見(み)ませんか 보지 않겠습니까?」가 들어가는 것이 가장 자연스럽다. 선택지 4번의「取(と)る」는 '잡다, 쥐다, 예약하다'처럼 다양한 의미를 가지고 있는 동사이다.「手(て)に 取(と)る 손에 들다」,「一番(いちばん) 前(まえ)の 席(せき)を 取(と)る 가장 앞자리를 예약하다」와 같은 예문을 통해 기억해 두자.

4 スマホも（　　）も なくて じかんが わかりません。

1 かぎ　　2 じしょ
3 つくえ　　4 とけい

정답 4 스마트폰도 시계도 없어서 시간을 모르겠습니다.

단어 スマホ 스마트폰 | 時計 시계 | 時間 시간 | わかる 알다 | かぎ 열쇠 | 辞書 사전 | 机 책상

해설 '시간을 모른다'는 말에서 시간을 보는 도구인 4번 「時計 시계」가 정답임을 쉽게 알 수 있다. 1번은 「かぎを かける 열쇠(자물쇠)를 잠그다」, 2번은 「辞書を 引く 사전을 찾다」, 3번은 「机で 勉強する 책상에서 공부하다」와 같은 예문을 통해 기억해 두자.

---

5 きょうの テストは（　　）もんだいが おおかったです。

1 うつくしい　　2 まるい
3 むずかしい　　4 おそい

정답 3 오늘 시험은 어려운 문제가 많았습니다.

단어 今日 오늘 | テスト 테스트, 시험 | 難しい 어렵다 | 問題 문제 | 多い 많다 | 美しい 아름답다 | 丸い 둥글다 | 遅い 늦다, 느리다

해설 '시험'에 대해 이야기하고 있는 문장이므로 난이도를 나타내는 형용사인 「易しい 쉽다」, 「簡単だ 간단하다」, 「難しい 어렵다」 등이 들어가야 한다. 따라서 정답은 3번이다.

---

6 わたしは（　　）とき えを かきます。

1 ひまな　　2 へたな
3 しずかな　　4 にぎやかな

정답 1 저는 한가할 때 그림을 그립니다.

단어 暇だ 한가하다 | 絵 그림 | 描く 그리다 | 下手だ 서투르다, 잘 못하다 | 静かだ 조용하다 | にぎやかだ 번화하다, 떠들썩하다

해설 '시간'에 대한 수식어이므로 1번 「暇な 한가한」이 들어가 '한가할 때 그림을 그린다'라는 문맥이 되어야 한다. 3, 4번 역시 「静かな とき 조용할 때」, 「賑やかな とき 떠들썩할 때」로 '시간'에 대한 수식어가 될 수는 있지만 전체 문맥상 어울리지 않는다.

---

7 A「きょうは あめは（　　）ですね。」
B「はい、とても いい てんきですよ。」

1 こない　　2 あびない
3 さかない　　4 ふらない

정답 4 A 오늘은 비는 오지 않네요.
B 네, 매우 좋은 날씨네요.

단어 今日 오늘 | 雨 비 | 降る 내리다 | とても 매우, 대단히 | いい 좋다 | 天気 날씨 | 来る 오다 | 浴びる 뒤집어 쓰다, 흠뻑 쓰다 | 咲く (꽃이) 피다

해설 B의 대답에서 힌트를 얻을 수 있다. 문장 끝에 종조사 「よ」를 사용하여 '네, 매우 좋은 날씨네요'라고 동의하고 있는 문장이므로 A는 「雨は 降らないですね 비는 내리지 않네요」라고 한 것을 알 수 있다. 정답은 4번이다. 단어의 뜻만 보고 「来ない 오지 않는다」를 답으로 고르지 않도록 주의하자. 일본어로 '비가 오다'라고 할 때 동사는 「降る (눈·비가) 내리다」만을 사용한다.

---

8 めがねを（　　）テレビを みます。

1 しめて　　2 かけて
3 ぬいで　　4 はいて

정답 2 안경을 쓰고 텔레비전을 봅니다.

단어 眼鏡をかける 안경을 쓰다 | テレビ 텔레비전 | 見る 보다 | 閉める 닫다 | 脱ぐ 벗다 | はく (하의를) 입다, (신발을) 신다

해설 「めがねを かける 안경을 쓰다」라는 관용 표현을 알면 쉽게 풀 수 있다. 정답은 2번이다. 1번은 「窓を 閉める 창문을 닫다」, 3번은 「服を 脱ぐ 옷을 벗다」, 「くつを 脱ぐ 신발을 벗다」, 4번은 「スカートを はく 치마를 입다」, 「くつを はく 신발을 신다」와 같은 예문을 통해 기억해 두자.

---

9 あしたは テストですから（　　）に べんきょうします。

1 いっしょうけんめい　　2 すぐ
3 まっすぐ　　4 すこし

정답 1 내일은 시험이니까 열심히 공부하겠습니다.

단어 明日 내일 | テスト 테스트, 시험 | 一生懸命(に) 열심히 | 勉強する 공부하다 | すぐ 곧, 바로, 즉시 | まっすぐ 쭉, 똑바로, 곧장 | 少し 조금, 약간

해설 내일은 시험이라고 했으므로 '열심히 공부한다'로 이어지는 것이 가장 자연스럽다. 정답은 1번이다. 「一生懸命(に) 열심히」는 일상생활에서도 자주 사용하는 표현으로, 「一生懸命 がんばります 열심히 노력하겠습니다」, 「一生懸命に 働く 열심히 일하다」와 같은 예문도 함께 익혀 두자.

---

10 この にくを（　　）きって ください。

1 あまく　　2 にがく
3 からく　　4 うすく

정답 4 이 고기를 얇게 썰어 주세요.

단어 肉 고기 | 薄い 얇다 | 切る 자르다 | 甘い 달다 | 苦い 쓰다 | 辛い 맵다

해설 괄호 뒤에 「切る 자르다, 썰다」가 있으므로 잘린 고기의 상태를 나타낼 수 있는 「小さい 작다」, 「大きい 크다」, 「薄い 얇다」, 「厚い 두껍다」와 같은 형용사가 들어가야 한다. 따라서 정답은 4번이다. 나머지 선택지의 형용사는 「甘い 달다」, 2번은 「苦い 쓰다」, 3번은 「辛い 맵다」로 맛을 표현하는 형용사이다.

실전문제 ②

もんだい 3 （　　）에 무엇이 들어갑니까? 1・2・3・4에서 가장 적당한 것을 하나 고르세요. 문제편 95p

1 いえの ちかくに（　　）が あって べんりです。

1 トイレ　　2 コンビニ
3 アパート　　4 ロビー

정답 2 집 근처에 편의점이 있어서 편리합니다.

단어 家 집 | 近く 근처, 부근 | 便利だ 편리하다 | トイレ 화장실 | コンビニ 편의점 | アパート 아파트 | ロビー 로비

해설 선택지 모두 장소를 나타내는 가타카나어로 「便利だ 편리하다」와 호응하는 장소는 편의 시설인 2번 「コンビニ 편의점」이다.

2 これを 10（　　）コピーして ください。

1 かい　　2 だい
3 ひき　　4 まい

정답 4 이것을 10장 복사해 주세요.

단어 ～枚 ～매, ～장 | コピーする 복사하다

해설 '복사를 해 달라'고 부탁하는 문장이므로 괄호 안에는 종이나 판자 등 얇은 것을 셀 때 사용하는 단위인 4번 「～枚 ～장」이 들어가야 한다. 선택지 1번 「～回 ～회」는 횟수를 셀 때, 2번 「～台 ～대」는 자동차나 기계를 셀 때, 3번 「～匹(ひき・びき・ぴき) ～마리」는 물고기나 개, 고양이 등 작은 동물을 셀 때 사용하는 조수사이다.

---

3 こうえんに さんぽして いる ひとが（　　）いました。

1 ちょうど　　2 たくさん
3 たいへん　　4 もっと

정답 2 공원에 산책하고 있는 사람이 많이 있었습니다.

단어 公園 공원 | 散歩 산책 | 人 사람 | たくさん 많이 | いる 있다(사람・동물) | ちょうど 꼭, 정확히, 마침 | 大変 몹시, 대단히 | もっと 좀 더

해설 '산책하는 사람이 많았다'라는 문맥이므로 정답은 2번 「たくさん 많이」이다. 부사는 술어를 강조하는 역할을 하기 때문에 선택지를 괄호에 넣어 보고 흐름상 가장 매끄럽고 자연스러워지는 표현을 찾아야 한다.

---

4 きのうの ごごは としょかんで（　　）いました。

1 うんどうして　　2 りゅうがくして
3 べんきょうして　　4 りょこうして

정답 3 어제 오후는 도서관에서 공부하고 있었습니다.

단어 昨日 어제 | 午後 오후 | 図書館 도서관 | 勉強する 공부하다 | 運動する 운동하다 | 留学する 유학하다 | 旅行する 여행하다

해설 괄호 앞으로 '도서관'이라는 장소가 나오고 있으며 선택지 모두 '~하다'의 활용형이므로 도서관에서 하는 일인 3번이 들어가 「勉強して いました 공부하고 있었습니다」가 되어야 자연스러운 문장이 된다.

5 あたらしく できた カフェは（　　）しずかです。

1 すくなくて　　2 ひろくて
3 ながくて　　4 ふるくて

정답 **2** 새로 생긴 카페는 넓고 조용합니다.

단어 新しい 새롭다 | カフェ 카페 | 広い 넓다 | 静かだ 조용하다 | 少ない 적다 | 長い 길다 | 古い 오래되다

해설 '새로 생긴 카페'에 대한 설명이므로 '넓고 조용합니다'로 이어지는 것이 자연스럽다. 따라서 정답은 2번이다. 4번「古い 오래되다」는 제시문의「新しい 새롭다」와 상반되는 표현이므로 답이 될 수 없으며 1번과 3번은 문장 전체와 어울리지 않는 어휘이다.

---

6 がいこくに すむ ともだちが にほんに（　　）きました。

1 あるきに　　2 なおりに
3 あそびに　　4 がんばりに

정답 **3** 외국에 사는 친구가 일본에 놀러 왔습니다.

단어 外国 외국 | 住む 살다 | 友だち 친구 | 遊ぶ 놀다 | 来る 오다 | 歩く 걷다 | 治る 낫다, 치료되다 | がんばる 노력하다, 분발하다

해설 '외국인 친구가 일본에 온 목적'을 표현할 수 있는 동사 활용형을 찾아야 한다. 괄호 안에는 3번「遊びに 놀러」가 들어가는 것이 가장 자연스럽다. 나머지 선택지의 동사는 '목적'을 설명하는 동사로는 어울리지 않는다.

---

7 みちが わからないから（　　）で ききました。

1 たてもの　　2 だいどころ
3 こうえん　　4 こうばん

정답 **4** 길을 몰라서 파출소에서 물었습니다.

단어 道 길 | わからない 모르다 | 交番 파출소 | 聞く 묻다, 듣다 | 建物 건물 | 台所 부엌 | 公園 공원

해설 길을 모를 때 가는 곳은 4번「交番 파출소」이다.「交番」은 한자를 보고 뜻을 유추하기 어려운 단어이므로 의미를 정확하게 기억해 두도록 하자. 다른 선택지 모두 장소와 관련된 어휘이지만 문맥상 어울리지 않는다.

---

8 テストは えんぴつで かきます。ボールペンは（　　）ください。

1 つくらないで　　2 かかないで
3 つかわないで　　4 けさないで

정답 **3** 시험은 연필로 씁니다. 볼펜은 사용하지 마세요.

단어 テスト 테스트, 시험 | えんぴつ 연필 | 書く 쓰다, 적다 | ボールペン 볼펜 | 作る 만들다 | 使う 사용하다 | 消す 지우다, 없애다

해설 시험의 주의 사항을 말하고 있는 문장이다. 선택지 중 '볼펜'의 술어로 적당한 동사는 2번「書く 쓰다, 적다」와 3번「使う 쓰다, 사용하다」가 있는데,「書く」가 들어가려면 볼펜 뒤의 조사가 수단·방법·도구를 나타내는「で」가 되어야 한다. 따라서 괄호 안에는 3번이 들어가「使わないで ください 사용하지 마세요」가 되어야 자연스럽다.

---

9 しゅうまつは（　　）やすみたいです。

1 ゆっくり　　2 あまり
3 だんだん　　4 まだ

정답 **1** 주말은 푹 쉬고 싶습니다.

단어 週末 주말 | 休む 쉬다 | ゆっくり 느긋하게, 푹, 천천히 | あまり 그다지, 별로 | だんだん 차차, 점점 | まだ 아직

해설 '주말에는 여유 있게 쉬고 싶다'라는 문맥이므로 정답은 1번「ゆっくり 느긋하게, 푹, 천천히」이다. 선택지 2번「あまり 그다지, 별로」는 부정 표현과 함께 쓰는 부사이다.「甘いものは あまり 好きではない 달콤한 것은 별로 좋아하지 않는다」와 같은 예문으로 기억해 두자.

---

10 ぼうしを（　　）いる ひとが わたしの あねです。

1 かけて　　2 かえって
3 かかって　　4 かぶって

정답 **4** 모자를 쓰고 있는 사람이 우리 누나(언니)입니다.

단어 帽子 모자 | かぶる 쓰다 | 人 사람 | 姉 누나, 언니 | かける 걸다, 걸치다

해설「帽子を かぶる 모자를 쓰다」,「眼鏡を かける 안경을 쓰다」,「服を 着る 옷을 입다」,「ズボン(スカート)を はく 바지(치마)를 입다」,「アクセサリーを つける 액세서리를 하다」처럼 몸에 착용하는 물품은 관용 표현으로 사용하는 경우가 많다. 정답은 4번이다.

もんだい 4 유의 표현

실전문제 정답 및 해설

정답

실전문제 ① 1 2 2 2 3 4 4 1
실전문제 ② 1 3 2 4 3 1 4 3

실전문제 ①

もんだい 4 ＿＿＿의 문장과 거의 같은 의미의 문장이 있습니다. 1・2・3・4에서 가장 적당한 것을 하나 고르세요.

문제편 96p

1 りょうしんは えいごの せんせいです。

1 あにと おとうとは えいごの せんせいです。
2 ちちと ははは えいごの せんせいです。
3 おじさんと おばさんは えいごの せんせいです。
4 ともだちは えいごの せんせいです。

정답 2 아버지와 어머니는 영어 선생님입니다.

단어 両親 양친, 부모님 | 英語 영어 | 先生 선생님 | 兄 형, 오빠 | 弟 남동생 | おじさん 아저씨, 삼촌 | おばさん 아주머니, 이모, 고모 | 友だち 친구

해설 「両親 부모님」을 「父と 母 아버지와 어머니」로 풀어서 표현한 2번이 정답이다. 3번의 「おじさん 아저씨, 삼촌, 큰(작은)아버지」는 「母(父)の 兄(弟)」로, 4번의 「おばさん 아주머니, 이모, 고모」은 「母(父)の 姉(妹)」로 바꿔 쓸 수 있다는 것도 함께 기억해 두자.

2 あの、おてあらいは どこでしょうか。

1 あの、おふろは どこに ありますか。
2 あの、トイレは どこに ありますか。
3 あの、でる ところは どこに ありますか。
4 あの、はいる ところは どこに ありますか。

정답 2 저, 화장실은 어디에 있나요?

단어 お手洗い 손 씻는 곳, 화장실 | お風呂 목욕, 목욕탕 | トイレ 화장실 | 出る 나가(오)다 | 入る 들어가(오)다 | ところ 곳, 장소

해설 「お手洗い 손 씻는 곳, 화장실」과 서로 바꿔 쓸 수 있는 것은 「トイレ 화장실」이므로 정답은 2번이다. 일본에서는 화장실과 욕실을 구분하여 사용하므로 1번은 답이 될 수 없으며, 3번과 4번은 서로 반대되는 표현에 해당한다.

3 つくえの うえは きたないです。

1 つくえの うえは あまり つかわないです。
2 つくえの うえは せまく ないです。
3 つくえの うえは なにも ないです。
4 つくえの うえは きれいじゃ ないです。

정답 4 책상 위는 깨끗하지 않습니다.

단어 机 책상 | 上 위 | 汚い 더럽다 | あまり 별로, 그다지 | 使う 사용하다 | 狭い 좁다, 협소하다 | きれいだ 예쁘다, 깨끗하다

해설 「汚いです 더럽습니다」를 반의어인 「きれいだ 깨끗하다」의 부정 표현 「きれいじゃ ないです 깨끗하지 않습니다」로 바꿔 표현한 4번이 정답이다. 2번 「狭い 좁다」와 바꿔 쓸 수 있는 「広く ない 넓지 않다」도 함께 기억해 두자.

---

4 いえを でる とき かぎを かけませんでした。

1 いえの ドアが あいて います。
2 いえの ドアが しまって います。
3 いえの でんきが ついて います。
4 いえの でんきが ついて いません。

정답 1 집 문이 열려 있습니다.

단어 家 집 | 出る 나가(오)다 | 時 때 | 鍵 열쇠 | かける 걸다, 잠그다 | ドア 문 | 開く 열다 | 閉まる 닫히다, 잠기다 | 電気 전기, (전깃)불 | つく 붙다, 켜지다

해설 '열쇠를 잠그지 않았습니다'가 의미하는 것은 '집 문이 잠기지 않았다'는 것이므로 「家の ドアが 開いて います 집 문이 열려 있습니다」로 바꿔 표현한 1번이 정답이다. 이 밖에도 「ドアを閉める 문을 닫다」, 「鍵をかける 열쇠(자물쇠)를 잠그다」, 「電気を 消す (전깃)불을 끄다」, 「電気が つく (전깃)불이 켜지다」와 같은 표현은 시험에 자주 나오므로 함께 기억해 두자.

실전문제 ②

もんだい 4 ＿＿＿의 문장과 거의 같은 의미의 문장이 있습니다. 1・2・3・4에서 가장 적당한 것을 하나 고르세요.

문제편 97p

1 くだものを かって きました。

1 たまごを かって きました。
2 コーヒーを かって きました。
3 いちごを かって きました。
4 おかしを かって きました。

정답 3 딸기를 사 왔습니다.

단어 果物 과일 | 買う 사다 | たまご 달걀 | コーヒー 커피 | いちご 딸기 | お菓子 과자

해설 사 온 것이 「果物 과일」이므로 과일의 한 종류인 「いちご 딸기」로 바꿔 표현한 3번이 정답이다. 마찬가지로 바꿔 쓸 수 있는 「みかん 귤」, 「ぶどう 포도」, 「バナナ 바나나」, 「りんご 사과」 등도 함께 기억해 두자. 1번과 4번 「たまご 계란, 달걀」, 「お菓子 과자」의 유의 표현은 「食べ物 먹을 것, 음식」이고 2번 「コーヒー 커피」의 유의 표현은 「飲み物 마실 것, 음료」이다.

---

2 まいあさ こうえんを さんぽします。

1 きょうの あさ こうえんを さんぽします。
2 あしたの あさ こうえんを さんぽします。
3 あさは すぐに こうえんを さんぽします。
4 あさは いつも こうえんを さんぽします。

정답 4 아침에는 항상 공원을 산책합니다.

단어 毎朝 매일 아침 | 公園 공원 | 散歩 산책 | 今日 오늘 | 朝 아침 | 明日 내일 | すぐに 곧바로, 바로, 곧장, 즉시 | いつも 항상, 늘

해설 「毎朝 매일 아침」은 '아침에는 하루도 빠짐없이'라는 의미이므로 유의 표현은 「朝は いつも 아침에는 항상」이다. 따라서 정답은 4번이다. 선택지 1번 「今日の 朝 오늘 아침」의 유의 표현인 「今朝 오늘 아침」도 함께 기억해 두자.

---

3 あしたまで かいしゃは やすみです。

1 あしたまで しごとは しません。
2 あしたまで しごとを して います。
3 あしたまで しごとが いそがしいです。
4 あしたまで しごとは おわりません。

정답 1 내일까지 일은 하지 않습니다.

단어 明日 내일 | 会社 회사 | 休み 휴일, 쉬는 날, 휴가 | 仕事 일, 업무 | 忙しい 바쁘다 | 終わる 끝나다, 마치다

해설 「会社は 休みです 회사는 휴무입니다」를 「仕事は しません 일은 하지 않습니다」로 바꿔 표현한 1번이 정답이다. 선택지 2번은 '일을 하고 있습니다', 3번은 '일이 바쁩니다', 4번은 '일은 끝나지 않습니다'라는 의미로 「休み 휴일, 쉼, 휴식, 휴가」라는 단어와는 상반되는 문장이다.

4 おふろに はいった あと ごはんを たべます。

1 トイレに いってから ごはんを たべます。
2 トイレに いく まえに ごはんを たべます。
3 シャワーを あびてから ごはんを たべます。
4 シャワーを あびる まえに ごはんを たべます。

정답 3 샤워를 하고 나서 밥을 먹습니다.

단어 お風呂 목욕, 목욕탕 | 入る 들어가(오)다 | 後 후, 뒤, 다음 | ご飯 밥 | トイレ 화장실 | シャワー 샤워 | 浴びる 뒤집어쓰다 | 前 전, 앞

해설 「お風呂に 入る 목욕을 하다」의 유의 표현은 「シャワーを 浴びる 샤워를 하다」이므로 정답은 3번이다. 선택지 3번 「シャワーを 浴びてから 샤워를 하고 나서」의 「～てから」는 '～한 다음에, ～한 후에, ～하고 나서'라는 의미의 문형으로 제시문과 동일한 어휘를 사용해서 「お風呂に 入ってから 목욕을 하고 나서」라고 해도 같은 의미가 된다.

MEMO

Part 2

JLPT N5

Part 2

もんだい 1 문법형식 판단

연습문제 정답 및 해설

정답

연습문제 ①	1 2	2 3	3 4	4 2	5 2	6 2	7 3	8 2	9 3
연습문제 ②	1 2	2 2	3 4	4 1	5 4	6 4	7 3	8 2	9 2

연습문제 ①

もんだい 1 (　　)에 무엇을 넣습니까? 1・2・3・4에서 가장 적당한 것을 하나 고르세요. 문제편 130p

1 トムさんは こえ（　　）とても 大(おお)きいです。

1 に　　2 が　　3 を　　4 で

정답 **2** 톰 씨는 목소리가 매우 큽니다.

단어 声(こえ) 목소리 | とても 매우, 대단히 | 大(おお)きい 크다

해설 '톰 씨는 목소리가 매우 큽니다'라는 문장이므로 괄호 안에는 주격 조사인 2번「~が ~이/가」가 들어가야 한다. 1번은 장소나 방향을 나타내는「~に ~에」, 3번은 목적격 조사인「~を ~을/를」, 4번은 장소나 수단을 나타내는「~で ~에서, ~로」이다.

---

2 この しゃしんの（　　）人(ひと)が お兄(にい)さんですか。

1 どれ　　2 どんな　　3 どの　　4 どこの

정답 **3** 이 사진의 어느 사람이 오빠(형)입니까?

단어 写真(しゃしん) 사진 | お兄(にい)さん 오빠, 형 | どんな 어떤

해설 지시어를 묻는 문제로 괄호 안에는 불특정한 대상을 가리키는「どの 어느, 어떤」가 들어가야 한다. 따라서 정답은 3번이다. 선택지 1번「どれ」는 '어느 것'이라는 뜻으로 물건을 물을 때 사용한다. 2번「どんな 어떤」은「お兄(にい)さんは どんな 人(ひと)ですか 오빠는 어떤 사람입니까?」처럼 성격이나 성질, 성향을 물을 때, 4번「どこの 어디의」는 장소를 물을 때 사용하는 지시어이다.

---

3 ゆうびんきょくは こうさてん（　　）わたって 右(みぎ)に あります。

1 が　　2 へ　　3 に　　4 を

정답 4 우체국은 교차로를 건너 오른쪽에 있습니다.

단어 郵便局 우체국 | 交差点 교차로, 사거리 | 渡る 건너다 | 右 오른쪽 | ある 있다(사물·식물)

해설 조사「~を ~을/를」은 이동을 나타내는 동사와 쓰일 때 기점이 되는 시기나 장소 등을 나타내는 용법으로도 사용한다.「交差点を 渡る 교차로를 건너다」,「右側を 歩く 오른쪽을 걷다」,「角を 曲がる 모퉁이를 돌다」와 같은 표현은 길에 대해 설명할 때 자주 사용한다. 청해에서도 자주 나오는 표현이므로 잘 기억해 두자. 정답은 4번이다.

---

4 くだものは ぶどう（　　　）好きです。

1 を　　2 が　　3 に　　4 で

정답 2 과일은 포도를 좋아합니다.

단어 果物 과일 | ぶどう 포도 | 好きだ 좋아하다

해설 '좋아하다'라는 의미의 형용사「好きだ」는 목적격 조사를「~を ~을/를」이 아닌「~が ~이/가」로 써야 하는 형용사이므로, 정답은 2번이다. 형용사「嫌いだ 싫어하다」,「上手だ 잘하다, 능숙하다」,「下手だ 못하다, 서투르다」, 희망을 표현하는「~たい ~하고 싶다」, 동사「分かる 알다, 이해하다」,「できる 할 수 있다」도 목적격 조사를「~を」가 아닌「~が」로 쓰는 표현이므로 조사와 함께 기억해 두자.

---

5 くつを はいて へやの 中に（　　　）ください。

1 入らない　　2 入らないで　　3 入り　　4 入った

정답 2 신발을 신고 방 안으로 들어가지 마십시오.

단어 くつ 신발, 구두 | 履く (신발을) 신다, (바지·치마를) 입다 | 部屋 방 | 中 안, 속 | 入る 들어가(오)다

해설 '방 안에 신발을 신은 채 들어가지 말라'는 의미의 문장이다.「~ないで ください」는 상대에게 '~하지 마세요'라며 금지 사항을 요청할 때 사용하는 문형으로 동사 부정형에 접속한다. 따라서「入る 들어가(오)다」의 부정 활용형인 2번이 정답이다. 뒤에 있는「~ください」를 빼고「~ないで」가 문말 표현이 되면 '~하지 말아 줘, ~하지 마'라는 반말 표현이 된다는 것도 참고로 알아두자.

---

6 毎日 やさい（　　　）作った ジュースを 飲みます。

1 の　　2 で　　3 を　　4 に

정답 2 매일 채소로 만든 주스를 마십니다.

단어 毎日 매일 | 野菜 채소, 야채 | 作る 만들다 | ジュース 주스 | 飲む 마시다

해설 '채소를 사용해서 만든 주스'라는 문맥으로 괄호 안에는 2번「~で ~로」가 들어가야 한다. 조사「~で」는 ①「教室で 勉強する 교실에서 공부하다」와 같이 '장소', ②「風邪で 休みました 감기로 쉬었습니다」와 같이 '이유·원인', ③「えんぴつで 書く 연필로 쓰다」와 같이 '수단·방법', ④「紙で 作った 紙飛行機 종이로 만든 종이비행기」와 같이 '재료', ⑤「全部で 100円です 전부 다해서 100엔입니다」와 같이 '(시간·수량) 범위' 등의 다양한 용법으로 사용되므로 예시를 통해 용법과 쓰임새를 익혀 두자.

7 この りょうりは すきやき（　　　）ものです。

1 だけ　　2 の　　3 という　　4 から

정답 3 이 요리는 스키야키라는 것입니다.

단어 料理(りょうり) 요리 | すき焼(や)き 스키야키(일본의 고기 전골 요리)

해설 「～という ～라는, ～라고 하는」은 대상을 소개하거나 설명할 때 쓰는 문형으로 정답은 3번이다. 「～と言(い)う ～라고 말하다」를 히라가나 표기한 것으로 제시문처럼 「～という＋명사」의 형태로 문장 내에서 문형으로 사용하면 히라가나로 표기하는 것이 일반적이며, 「これは すき焼(や)きと 言(い)います 이것은 스키야키라고 합니다」처럼 문말 표현으로 사용할 때는 한자로 표기하기도 한다.

---

8 あしたは 友(とも)だち（　　　）公園(こうえん)へ 行(い)きます。

1 を　　2 と　　3 に　　4 で

정답 2 내일은 친구와 공원에 갑니다.

단어 明日(あした) 내일 | 友(とも)だち 친구 | 公園(こうえん) 공원

해설 '친구와 함께 공원에 간다'라는 의미의 문장이 되어야 하므로 괄호 안에는 '～와/과'라는 의미의 조사 「～と」가 들어가야 한다. 따라서 정답은 2번이다. '함께, 같이'라는 의미의 부사 「一緒(いっしょ)に」도 함께 기억해 두자.

---

9 ケン「夏(なつ)やすみの しゅくだいが 多(おお)いですね。」
キム「はい。でも、もう 全部(ぜんぶ) しましたよ。ケンさんは どうですか。」
ケン「私(わたし)は（　　　）です。」

1 よく　　2 もう　　3 まだ　　4 もっと

정답 3 켄 여름 방학 숙제가 많네요.
김 네. 하지만 이미 다 했어요. 켄 씨는 어때요?
켄 저는 아직이에요.

단어 夏休(なつやす)み 여름 방학, 여름휴가 | 宿題(しゅくだい) 숙제 | 多(おお)い 많다 | 全部(ぜんぶ) 전부 | よく 잘, 자주 | もう 벌써, 이미 | まだ 아직 | もっと 더욱

해설 켄 씨의 대답을 보면 조사로 '대조·반대'의 의미를 가지는 「～は ～은/는」을 사용하고 있다. 따라서 켄 씨는 아직 숙제를 하지 않았음을 유추할 수 있다. 선택지 중 '아직'이라는 의미로 쓸 수 있는 부사는 「まだ 아직」이므로 정답은 3번이다. 이처럼 아직 완료하지 않았음을 말할 때는 「まだです 아직입니다」이나 「まだ ～て いません 아직 ～지 않았습니다」라고 한다.

연습문제 ②

もんだい 1 （　　　）에 무엇을 넣습니까? 1・2・3・4에서 가장 적당한 것을 하나 고르세요. 문제편 131p

1 ぎゅうにゅうと さとう（　　　）おかしを 作(つく)ります。

1 が　　2 で　　3 を　　4 に

정답 **2** 우유와 설탕으로 과자를 만듭니다.

단어 牛乳 우유 | 砂糖 설탕 | お菓子 과자 | 作る 만들다

해설 '재료'를 나타낼 때 조사「～で」를 사용하므로 정답은 2번이다. 3번「～を ～을/를」을 사용하여「牛乳と さとうを 使って おかしを 作ります 우유와 설탕을 사용해서 과자를 만듭니다」라고 해도 같은 의미가 된다. 유의 표현으로 함께 익혀 두자.

---

2 今朝 たまご（　　　）パンを 食べました。

1 を　　2 と　　3 は　　4 が

정답 **2** 오늘 아침 달걀과 빵을 먹었습니다.

단어 今朝 오늘 아침 | たまご 달걀 | パン 빵

해설 명사와 명사를 연결하거나 열거할 때는 '～와/과'라는 의미의 조사「～と」를 사용한다. 정답은 2번이다.

---

3 かんじは まだ（　　　）。

1 書きます　　2 書きました　　3 書いて ください　　4 書く ことが できません

정답 **4** 한자는 아직 쓸 수 없습니다.

단어 漢字 한자 | まだ 아직 | 書く 쓰다, 적다

해설「동사 기본형 + ことが できる」는 '～할 수 있다'라는 가능 표현이며, 가능 부정 표현은「동사 기본형 + ことが できない ～할 수 없다, ～하는 것이 불가능하다」라는 문형을 사용한다. 따라서 '쓸 수 없다(없습니다)'라고 할 때는「書く ことが できない(できません)」이라고 해야 한다. 정답은 4번이다. 부사「まだ 아직」 뒤로는 주로 부정 표현이 온다는 점도 기억해 두자.

---

4 どの かさが 山田さん（　　　）ですか。

1 の　　2 に　　3 と　　4 を

정답 **1** 어느 우산이 야마다 씨의 것입니까?

단어 どの 어느, 어떤 | 傘 우산

해설 '야마다 씨의 우산은 어느 것입니까'라는 문맥이며 괄호 앞에 사람 이름이 나와 있으므로「山田さんの 야마다 씨의 것」이 되어야 한다. 따라서 정답은 1번이다. ①「명사 + の ～의(소유격 조사)」, ②「사람 + の ～의 것」,「동사/형용사 + の ～한 것, ～하는 것」 등「の」의 다양한 용법은 출제 빈도가 높으므로 잘 기억해 두어야 한다.

---

5 いえの まどから（　　　）海を 見る ことが できます。

1 きれいだ　　2 きれいの　　3 きれい　　4 きれいな

정답 **4** 집 창문으로 예쁜 바다를 볼 수 있습니다.

단어 家 집 | 窓 창문 | 海 바다 | きれいだ 예쁘다, 깨끗하다

해설 な형용사의 명사 수식형은「な형용사 어간 + な + 명사」이다. 따라서 괄호 뒤의 명사「海 바다」를 수식하는 형태인 4번「きれいな」가 정답이다.「きれいに 예쁘게, 깨끗하게」,「簡単に 간단하게, 손쉽게」에서와 같이 な형용사의 부사형인「な형용사 어간 + に ～하게」도 함께 기억해 두자.

6 ここから ちかてつ（　　）乗って 会社に 行きます。

1 を　　2 で　　3 と　　4 に

정답 4 여기서 지하철을 타고 회사에 갑니다.

단어 地下鉄 지하철 | 乗る (탈 것·교통수단을) 타다 | 会社 회사

해설 「乗る (탈 것·교통수단을) 타다」는 「車に乗る 차를 타다」, 「エレベーターに 乗る 엘리베이터를 타다」처럼 조사 「～に」와 함께 사용하므로 정답은 4번이다. 마찬가지로 「会う 만나다」 역시 「友だちに 会う 친구를 만나다」처럼 조사 「～を」가 아닌 「～に」를 사용한다는 것도 반드시 기억해야 한다.

---

7 公園に さんぽ（　　）行きました。

1 を　　2 で　　3 に　　4 は

정답 3 공원에 산책하러 갔습니다.

단어 公園 공원 | 散歩 산책

해설 「散歩 산책」, 「買い物 쇼핑」, 「食事 식사」, 「旅行 여행」, 「出張 출장」같은 동작성 명사에 조사 「～に」가 붙으면 '~하러'라는 이동 목적을 표현하는 문형이 된다. 따라서 정답은 3번이다. 또한 동사를 사용하여 '~하러 가다/오다'라고 할 때에는 문형 「동사 ます형 + に行く/に来る」를 사용한다. 「遊びに 行く 놀러 가다」, 「イベントを 見に 来る 이벤트를 보러 오다」와 같은 예시를 통해 기억해 두자.

---

8 にほんご（　　）えいごと どちらが 難しいですか。

1 も　　2 と　　3 が　　4 に

정답 2 일본어와 영어 중 어느 쪽이 어렵습니까?

단어 日本語 일본어 | 英語 영어 | どちら 어느 쪽 | 難しい 어렵다

해설 비교 대상 두 개중 하나를 고를 때 사용하는 「AとBと どちらが A와 B중 어느 쪽이」라는 문형을 잘 기억해 두자. 정답은 2번이다. 또한 'A보다 B쪽이'라는 의미의 문형 「Aより Bの ほうが A보다 B쪽이 더」도 비교를 나타내는 문형이므로 함께 기억해 두자.

---

9 森　「きのうは たくさん 食べました。」
西川　「そうですか。（　　）ものを 食べましたか。」
森　「すしと ラーメンを 食べました。」

1 いくつ　　2 どんな　　3 いかが　　4 どこ

정답 2 모리　어제는 많이 먹었습니다.
니시카와　그래요? 어떤 것을 드셨어요?
모리　초밥과 라면을 먹었습니다.

단어 昨日 어제 | たくさん 많이 | すし 초밥 | ラーメン 라면 | いくつ 몇 개 | どんな 어떤 | いかが 어떻게, 어떤 | どこ 어디

해설 「どんな 어떤, 어떠한」은 성격이나 성질, 성향, 특성, 종류 등을 물을 때 사용하는 지시어이다. 어제 어떤 것을 먹었는지 구체적인 사항을 묻고 있으므로 괄호 안에는 2번이 들어가야 한다. 3번 「いかが 어떻게, 어떤」은 「どう 어떻게」의 정중한 표현으로 「これは いかがですか 이건 어떠신가요?」처럼 사용한다.

もんだい 2 문장 만들기

연습문제 정답 및 해설

정답

연습문제 ①	1 3 (4→2→3→1)	2 3 (2→3→4→1)	3 4 (3→1→4→2)	4 1 (2→4→1→3)
	5 3 (2→4→3→1)	6 2 (1→3→2→4)	7 2 (1→3→2→4)	8 4 (3→2→4→1)
연습문제 ②	1 4 (1→4→2→3)	2 2 (3→1→2→4)	3 1 (2→4→1→3)	4 3 (2→4→3→1)
	5 3 (2→1→4→3)	6 1 (2→3→1→4)	7 4 (1→2→4→3)	8 1 (2→4→1→3)

연습문제 ①

もんだい 2 ＿★＿에 들어갈 단어는 어느 것입니까? 1・2・3・4에서 가장 적당한 것을 하나 고르세요.

문제편 133p

1 私(わたし)は 一週間(いっしゅうかん)＿＿ ＿＿ ＿★＿ ＿＿ します。

1 練習(れんしゅう)を　2 一回(いっかい)　3 ギターの　4 に

정답 3 (4→2→3→1) 나는 일주일에 한 번 기타 연습을 합니다.

단어 一週間(いっしゅうかん) 일주일 | 練習(れんしゅう) 연습 | 一回(いっかい) 1회, 한 번 | ギター 기타

해설 4번「に」는 시간이나 횟수를 나타내는 조사이므로 밑줄 바로 앞의 기간을 나타내는「一週間(いっしゅうかん)」과 연결되어야 하며, '일주일에 한 번(4→2)'의 순서가 되는 것이 의미상 자연스럽다. 선택지 3번「ギターの」의「の」는 명사의 연결형이므로 1번과 연결되어 '기타 연습을(3→1)'의 순서로 한 묶음이 된다. 전체를 의미에 맞게 나열하면 4→2→3→1이 된다.

---

2 (銀行(ぎんこう)で)

A 「すみませんが、この 番号(ばんごう)＿＿ ＿★＿ ＿＿ ＿＿を 書(か)いて ください。」

B 「はい。わかりました。」

1 なまえ　2 の　3 右(みぎ)　4 に

정답 3 (2→3→4→1) (은행에서) A 죄송합니다만, 이 번호의 오른쪽에 이름을 써 주세요.

B 네, 알겠습니다.

단어 銀行(ぎんこう) 은행 | 番号(ばんごう) 번호 | 名前(なまえ) 이름 | 右(みぎ) 오른쪽 | 書(か)く 쓰다, 적다

해설 밑줄 바로 뒤에 목적격 조사인「～を ～을/를」이 있으므로 맨 마지막 밑줄에는 명사가 들어가야 한다. 문장 마지막의 술어가 '써 주세요'이므로 의미상 1번「なまえ」가 제일 마지막에 들어가야 한다. 또한 4번「～に ～에」는 시간이나 장소를 나타내는

조사이므로 선택지 중 장소를 나타낼 수 있는 3번과 한 묶음이 되어 '오른쪽에(3→4)'가 되어 1번으로 이어지는 것이 의미상 자연스럽다. 나머지 2번의 「の」는 명사의 연결형이므로 명사인 밑줄 앞의 「番号(ばんごう) 번호」의 뒤에 위치해 '번호의 오른쪽에 이름(2→3→4→1)을'의 순서가 된다.

---

3 エレベーターで ＿＿ ＿＿ ★ ＿＿ を おしました。

1 の　　2 ボタン　　3 となり　　4 人(ひと)が

정답 4 (3→1→4→2) 엘리베이터에서 옆 사람이 버튼을 눌렀습니다.

단어 エレベーター 엘리베이터 | ボタン 버튼, 단추 | 押(お)す 누르다, 밀다 | 隣(となり) 옆, 이웃 | 人(ひと) 사람

해설 '누가 무엇을'했는지를 생각하고 문장을 만들어야 한다. 행동 주체를 나타내는 주격 조사가 있는 것은 4번이며 의미상 '옆에 있는 사람'이 되어야 하므로 3→1→4의 순서로 한 묶음이 된다. 또한 밑줄 뒤로 '~를 눌렀습니다'가 술어로 제시되고 있으므로 마지막 밑줄에는 2번 「ボタン 버튼」이 들어가는 것이 의미상 자연스럽다. 순서대로 나열하면 3→1→4→2가 된다.

---

4 (学校(がっこう)で)

A「教科書(きょうかしょ)を 忘(わす)れました。すみませんが、あなた ＿＿ ＿＿ ★ ＿＿ ください。」

B「いいですよ。」

1 を　　2 の　　3 見(み)せて　　4 教科書(きょうかしょ)

정답 1 (2→4→1→3) (학교에서) A 교과서를 깜빡 잊었어요. 죄송하지만 당신의 교과서를 보여 주세요.
B 좋아요.

단어 学校(がっこう) 학교 | 教科書(きょうかしょ) 교과서 | 忘(わす)れる 잊다, 잊고 오다 | 見(み)せる 보여 주다

해설 「~て ください」는 '~해 주세요'라는 의미의 문형으로 동사 て형에 접속하므로 3번이 맨 마지막 밑줄에 들어가서 「見(み)せて ください 보여 주세요」가 되어야 한다. 보여 달라고 하는 대상이 되는 목적어는 '교과서를(4→1)'이며 나머지 선택지인 2번 「の」는 명사 연결형으로 밑줄 앞의 「あなた 당신」과 연결되는 것이 자연스럽다. 전체를 순서대로 연결하면 '당신의 교과서를 보여(2→4→1→3) 주세요'가 된다.

---

5 コーヒーとケーキですね。 ＿＿ ＿＿ ★ ＿＿ なります。

1 に　　2 全部(ぜんぶ)　　3 550円(ごひゃくごじゅうえん)　　4 で

정답 3 (2→4→3→1) 커피와 케이크지요? 전부 다 해서 550엔입니다.

단어 コーヒー 커피 | ケーキ 케이크 | 全部(ぜんぶ) 전부, 모두, 다 | ~円(えん) ~엔(화폐 단위)

해설 「全部(ぜんぶ) 전부」와 조사 「で」를 합치면 '전부 다 해서, 모두'라는 의미의 부사가 되므로 2→4의 순서로 한 묶음이 된다. 「~になる」는 '~이 되다, ~게 되다'라는 의미의 문형이므로 1번이 맨 마지막 밑줄에 들어가며, 의미상 '전부 합쳐 550엔'이 되는 것이 자연스럽다. 전체 선택지를 의미가 통하도록 나열하면 2→4→3→1이 된다.

---

6 初(はじ)めて ＿＿ ＿＿ ★ ＿＿ は、学校(がっこう)の 教室(きょうしつ)です。

1 田中(たなか)さん　　2 会(あ)った　　3 と　　4 の

정답 2 (1→3→2→4) 처음 다나카 씨와 만난 것은 학교 교실입니다.

단어 初(はじ)めて 처음, 처음으로 | 会(あ)う 만나다 | 学校(がっこう) 학교 | 教室(きょうしつ) 교실

해설 밑줄 바로 뒤에 주격 조사인 「～は ～은/는」이 있으므로 맨 마지막 밑줄에는 주어가 될 수 있는 명사가 와야 하는데 선택지에 있는 명사 중 1번이 맨 뒤에 위치하면 '다나카 씨는 학교 교실입니다'가 되므로 어색한 문장이 된다. 따라서 동사를 명사화한 「会(あ)ったの 만난 것(2→4)」이 들어가야 한다. 또한 만난 대상이 되는 '다나카 씨와(1→3)'가 밑줄 앞부분에는 들어가야 한다. 올바른 순서는 1→3→2→4이다.

---

7 あまい ＿＿＿ ＿＿＿ ★ ＿＿＿ ありません。

1 もの　　2 あまり　　3 は　　4 食(た)べたく

정답 2 (1→3→2→4) 단 것은 별로 먹고 싶지 않습니다.

단어 甘(あま)いもの 단 것 | あまり 그다지

해설 「あまり 별로, 그다지」는 부정 표현과 함께 사용하는 부사이며, 4번 「食(た)べたく」는 「食(た)べたく ありません 먹고 싶지 않습니다」의 일부분이므로 '별로 먹고 싶지(2→4) 않습니다'의 순서로 밑줄의 뒷부분에 들어가야 한다. 문맥상 '단 것은 먹고 싶지 않다'라는 내용이 되어야 하므로 전체를 의미가 통하도록 나열하면 1→3→2→4의 순서가 된다.

---

8 いつも ＿＿＿ ＿＿＿ ★ ＿＿＿ しゅくだいを します。

1 に　　2 する　　3 ゲームを　　4 まえ

정답 4 (3→2→4→1) 항상 게임을 하기 전에 숙제를 합니다.

단어 いつも 늘, 항상 | ゲーム 게임 | 前(まえ) 전, 앞 | 宿題(しゅくだい) 숙제

해설 「～前(まえ)に ～하기 전에」는 동작의 순서를 나타내는 문형으로 「동사 기본형」과 「명사 + の」의 형태로 접속한다. 따라서 2→4→1이 한 묶음이 되며, 2번 「する 하다」의 목적어인 3번 「ゲームを 게임을」이 맨 앞에 들어가 '게임을 하기 전에(3→2→4→1)'가 되는 것이 가장 자연스럽다.

연습문제 ②

もんだい 2 ＿★＿ 에 들어갈 단어는 어느 것입니까? 1・2・3・4에서 가장 적당한 것을 하나 고르세요.

문제편 134p

1 学校(がっこう) ＿＿＿ ★ ＿＿＿ ＿＿＿ 出(だ)して 来(き)ます。

1 へ　　2 まえに　　3 てがみを　　4 行(い)く

정답 4 (1→4→2→3) 학교에 가기 전에 편지를 부치고 올게요.

단어 学校(がっこう) 학교 | 前(まえ) 전, 앞 | 手紙(てがみ) 편지 | 出(だ)す 내다, (편지를) 보내다, 부치다

해설 먼저 1번과 4번을 연결하여 「学校(がっこう)へ 行(い)く 학교에 가다」를 만들고, 동작의 순서를 나타내는 2번 「前(まえ)に ～전에」와 연결하면 '학교에 가기 전에(1→4→2)'가 된다. 「手紙(てがみ)を 出(だ)す」는 '편지를 부치다'라는 의미의 관용 표현이므로 3번 「手紙(てがみ)を 편지를」이 맨 마지막 밑줄에 들어가면 '학교에 가기 전에 편지를 부치고 올게요'가 된다. 올바른 순서는 1→4→2→3이다.

2 スマホを ____ ____ ★ ____ あぶないです。

1 あるく　2 の　3 見(み)ながら　4 は

정답 2 (3→1→2→4) 스마트폰을 보면서 걷는 것은 위험합니다.

단어 スマホ 스마트폰 | 危(あぶ)ない 위험하다 | 歩(ある)く 걷다 | ～ながら ~하면서

해설 4번은 주격 조사이므로 앞에 명사가 와야 한다. 하지만 선택지에 명사가 없으므로 「あるくの 걷는 것(1→2)」으로 동사를 명사화 한 후 4번을 연결하면 '걷는 것은(1→2→4)'이 된다. 3번의 「～ながら」는 '~하면서'라는 의미의 문형이므로 의미상 맨 앞에 위치해 '스마트폰을 보면서'로 이어지는 것이 자연스럽다. 올바른 순서는 3→1→2→4이다.

---

3 先週(せんしゅう) 行(い)った きっさてんの ____ ____ ★ ____ でした。

1 色(いろ)も　2 飲(の)み物(もの)は　3 きれい　4 おいしくて

정답 1 (2→4→1→3) 지난주에 갔던 찻집의 음료는 맛있고 색도 예뻤습니다.

단어 先週(せんしゅう) 지난주 | 喫茶店(きっさてん) 찻집 | 色(いろ) 색, 색깔 | 飲(の)み物(もの) 마실 것, 음료 | きれいだ 예쁘다, 깨끗하다 | おいしい 맛있다

해설 밑줄 뒤에 있는 「でした」에 연결할 수 있는 선택지는 な형용사의 어간인 「きれい」뿐이므로 3번이 맨 마지막에 들어가야 한다. 1번 「色(いろ) 색」을 설명하는 술어는 3번이 되어야 하므로 1→3의 순서로 한 묶음이며, 4번의 「い형용사 + くて」는 '~하고, ~해서'라는 의미의 술어 연결형 문법이므로 '맛있고 색도 예뻤다'라는 문맥이 되어야 하므로 4→1→3의 순서가 되어야 자연스러워진다. 남은 2번을 맨 앞에 넣고 전체를 나열하면 '음료는 맛있고 색도 예뻤(2→4→1→3)습니다'가 된다.

---

4 てんきが わるくて ____ ____ ★ ____ やめました。

1 を　2 ひこうき　3 乗(の)るの　4 に

정답 3 (2→4→3→1) 날씨가 나빠서 비행기 타는 것을 그만뒀어요.

단어 天気(てんき) 날씨 | 悪(わる)い 나쁘다 | 飛行機(ひこうき) 비행기 | 乗(の)る (탈 것·교통수단을) 타다 | やめる 그만두다

해설 밑줄 앞부분에 '날씨가 나빠서'라는 원인·이유에 관한 내용이 나오고 있으므로 뒷부분에는 결과에 해당되는 내용이 와야 한다. '교통수단에 타다'는 「～に 乗(の)る」라고 하므로 '비행기에 타는 것(2→4→3)'이 한 묶음이 된다. 밑줄 뒤의 「やめる 그만두다」는 타동사이므로 '~을 그만두다'로 목적어가 앞에 있어야 한다. 따라서 목적격 조사인 1번 「～を」가 맨 뒤에 위치해 '비행기를 타는 것을(2→4→3→1)'의 순서가 된다.

---

5 A 「こちらは どうですか。」

B 「もっと ____ ____ ____ ★ いいんですが。」

1 小(ちい)さい　2 かわいくて　3 が　4 の

정답 3 (2→1→4→3) A 이쪽은 어떠세요?

B 좀 더 귀엽고 작은 것이 좋겠는데요.

단어 どう 어떻게 | もっと 좀 더 | 小(ちい)さい 작다 | かわいい 귀엽다 | いい 좋다

해설 물건을 추천받고 다른 것이 더 좋겠다고 대답하는 상황이다. 먼저 2번의 「い형용사+くて」는 '~하고, ~해서'라는 의미의 형용사 연결형 문법이므로 '귀엽고 작은(2→1)'이 한 묶음이 된다. 또한 「小(ちい)さい 작다」뒤에 4번 「～の ~것」과 3번의 주격

조사 「～が ～이/가」가 차례대로 위치하면 밑줄 뒤의 「いいんですが 좋겠는데요」와 자연스럽게 연결된다. 올바른 순서는 2→1→4→3이다.

---

6 きのう としょかん ＿＿＿ ＿＿＿ ★ ＿＿＿ も かりました。

1 五 　　2 で 　　3 ほんを 　　4 さつ

정답 **1** (2→3→1→4) 어제 도서관에서 책을 5권이나 빌렸습니다.

단어 昨日 어제 | 図書館 도서관 | ～冊 ～권 | 本 책 | 借りる 빌리다

해설 밑줄 앞에 '도서관'이라는 장소가 있으므로 장소를 나타내는 조사인 2번이 맨 처음 밑줄에 들어간다. 4번 「～冊 ～권」은 책을 세는 조수사이므로 숫자인 1번 뒤로 연결하여 '다섯 권(1→4)'의 순서로 한 묶음이 된다. 나머지 선택지인 3번이 맨 뒤에 위치하면 조사가 중복되므로 3번은 두 번째 밑줄에 들어가야 문장이 매끄러워진다. 전체를 의미가 통하도록 나열하면 '도서관에서 책을 다섯 권(2→3→1→4)이나'가 된다.

---

7 おさけは ＿＿＿ ＿＿＿ ★ ＿＿＿ 飲みましょう。

1 はたち 　　2 に 　　3 から 　　4 なって

정답 **4** (1→2→4→3) 술은 스무 살이 되고 나서 마십시다.

단어 お酒 술 | 二十歳 스무 살

해설 「～になる ～이 되다」는 변화를 나타내는 문형으로 な형용사의 어간이나 명사에 접속한다. 또한 「～てから」는 '～한 후, ～하고 나서'라는 의미의 문형으로 동사 て형에 접속한다. 따라서 명사인 1번 다음에 2→4→3의 순서로 연결되어야 자연스러운 문장이 된다. 전체를 순서대로 나열하면 '스무 살이 되고 나서(1→2→4→3)'이다.

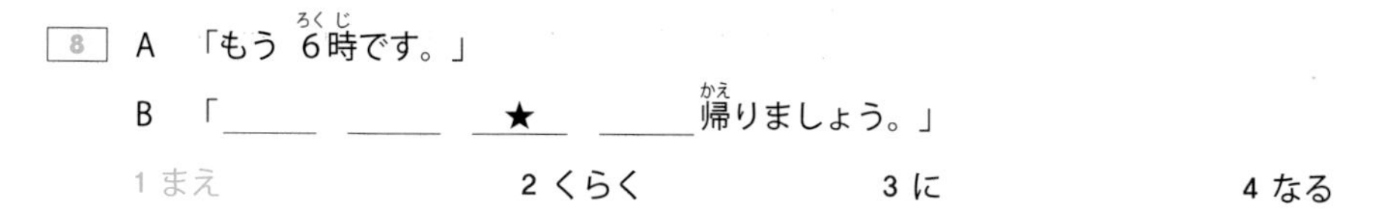

8 A 「もう 6時です。」

B 「＿＿＿ ＿＿＿ ★ ＿＿＿ 帰りましょう。」

1 まえ 　　2 くらく 　　3 に 　　4 なる

정답 **1** (2→4→1→3) A 벌써 6시예요.
B 어두워지기 전에 돌아갑시다.

단어 もう 이미, 벌써 | 帰る 돌아가(오)다 | 前 전(시간), 앞(공간) | 暗い 어둡다

해설 「～前に ～하기 전에」는 동사 기본형에 접속하는 문형이므로 4→1→3의 순서로 연결된다. 「～くなる」는 '～해지다'라는 의미로 い형용사의 어간에 접속하는 문형이다. 따라서 '어두워지다(2→4)'가 한 묶음이 된다. 올바른 순서는 (2→4→1→3)이다.

もんだい 3 글의 문법

연습문제 정답 및 해설

정답

연습문제 ① [1] 4 [2] 1 [3] 3 [4] 1 [5] 2
연습문제 ② [1] 2 [2] 3 [3] 1 [4] 4 [5] 2

연습문제 ①

もんだい 3 [1] 부터 [5] 에 무엇을 넣습니까? 글의 의미를 생각해서 1・2・3・4에서 가장 적당한 것을 하나 고르세요.

문제편136p

다음은 김 씨가 수업에서 쓴 '어려운 일본어' 작문입니다.

일본어를 공부할 때 잘 모르는 것이 있습니다. 맛있는 과자를 [1] 받았기 때문에 다른 사람에게도 주었지만, 그 사람은 '괜찮습니다'라고 말했습니다. 이 '괜찮습니다'는 오케이(OK)라는 게 [2] 아니라 '안 먹어요'라는 것입니다. '몸에 좋아요'라고 할 때는 '건강해[3] 집니다'입니다. [4] 그리고 '머리가 좋아요'는 [5] 뭐든지 잘 아는 사람을 말합니다. '좋아요'라는 말에는 여러 가지 의미가 있군요.

단어 次(つぎ) 다음 | 授業(じゅぎょう) 수업 | 書(か)く 쓰다, 적다 | 難(むずか)しい 어렵다 | 作文(さくぶん) 작문 | 勉強(べんきょう) 공부 | よく 잘, 자주 | わかる 알다, 이해하다 | おいしい 맛있다 | お菓子(かし) 과자 | 他(ほか)の人(ひと) 다른 사람 | あげる 주다 | いい 좋다 | オーケー OK, 좋다, 알았다 | 体(からだ) 몸 | 元気(げんき)だ 건강하다, 활기차다 | 頭(あたま) 머리 | 知(し)る 알다 | 言葉(ことば) 말, 언어 | いろいろな 여러 가지의, 다양한 | 意味(いみ) 의미

[1] 1 あげる 2 もらう 3 あげた 4 もらった

정답 4

해설 '받은 과자를 나누어 주었다'라는 문맥이므로 「もらう 받다」를 과거형으로 활용한 4번 「もらった 받았다」가 정답이다.

---

[2] 1 なくて 2 あって 3 あるし 4 ないし

정답 1

해설 'OK라는 말이 아니라 먹지 않겠다는 의미'라는 내용이다. [2] 앞 내용의 부정 및 뒷 내용으로 자연스럽게 이어지는 연결형 문법을 사용한 표현이 들어가야 한다. 따라서 부정형인「ない 아니다」의 연결형인 1번「なくて 아니고, 아니라서」가 정답이다.「명사 + では(じゃ) なくて」에는 '①연결(~이 아니라), ②이유(~이 아니라서)' 두 가지 의미가 있다.「これは 本(ほん)じゃ なくて ノートです 이것은 책이 아니라 노트입니다」,「風邪(かぜ)じゃ なくて 安心(あんしん)しました 감기가 아니라서 안심했습니다」와 같은 예문을 통해 차이를 구분할 수 있다.

---

[3] 1 います 2 いいます 3 なります 4 あります

정답 3

해설 '건강해집니다'라 되어야 문맥상 자연스러우므로 [3]에는 3번이 들어가야 한다.「~なる」는 상태 변화를 나타내는 문형으로 품사별 접속 형태가 다르다. な형용사 어간이나 명사에 접속할 때는「~になる ~해지다/~가 되다」가, い형용사 어간과 접속할 때는「~くなる ~해지다, ~하게 되다」가, 동사 기본형과 접속할 때는「~ようになる ~하게 되다」가 된다.

---

[4] 1 そして 2 なぜ 3 それでも 4 どうでも

정답 1

해설 문맥에 맞는 접속사를 고르는 문제이다. [4] 앞뒤에서는「いいです」라는 말은 상황에 따라 다른 의미로 사용한다는 것의 예를 나열하고 있다. 따라서 비슷한 내용을 연결하는 순접 접속사인 1번「そして 그리고」가 정답이다. 2번은 '왜, 어째서', 3번은 '그래도, 그러나', 4번은 '어떻든, 아무튼, 어떤 일이 있어도'이다. 각 접속사의 의미를 잘 기억해 두자.

---

[5] 1 いつでも 2 なんでも 3 どこでも 4 それでも

정답 2

해설 각 선택지는「いつでも 언제라도」,「なんでも 뭐든지」,「どこでも 어디든지」,「それでも 그래도, 그러나」이다. '머리가 좋다'는 '뭐든지 잘 알고 있다'라는 의미이다. 따라서 [5]에는 2번「なんでも 뭐든지, 무엇이든」이 들어간다.

연습문제 ②

もんだい3 [1] 부터 [5] 에 무엇을 넣습니까? 글의 의미를 생각해서 1・2・3・4에서 가장 적당한 것을 하나 고르세요.

문제편137p

다음은 한 씨의 작문입니다.

내 남동생

저의 가족은 부모님과 남동생으로 4명입니다. 남동생은 중학생이지만 저 [1] 보다 키가 큽니다. 공부는 별로 [2] 좋아하지 않지만 스포츠를 좋아해서 쉬는 날도 운동장이나 밖에서 운동을 하고 있습니다. [3] 그래서 밥도 많이 먹습니다. 저는 아침에 시간이 없어서 안 먹는 날도 있지만, 동생은 [4] 다 먹을 때까지 학교에 가지 않습니다. 그래도 [5] 항상 건강하고 밝은 남동생이 저는 정말 좋습니다.

단어 次(つぎ) 다음 | 作文(さくぶん) 작문 | 弟(おとうと) 남동생 | 家族(かぞく) 가족 | 両親(りょうしん) 양친, 부님 | 中学生(ちゅうがくせい) 중학생 | 背(せ)が 高(たか)い 키가 크다 | 勉強(べんきょう) 공부 | あまり 별로, 그다지 | スポーツ 스포츠 | 好(す)きだ 좋아하다 | 休(やす)みの 日(ひ) 쉬는 날, 휴일 | 運動場(うんどうじょう) 운동장 | 外(そと) 밖, 바깥 | 運動(うんどう) 운동 | ご飯(はん) 밥 | たくさん 많이 | 朝(あさ) 아침 | 時間(じかん) 시간 | 学校(がっこう) 학교 | 元気(げんき)だ 건강하다, 활기차다 | 明(あか)るい 밝다 | 大好(だいす)きだ 매우 좋아하다

1 1 まで　2 より　3 でも　4 だけ

정답 2

해설 '남동생의 키가 본인 보다 크다'라고 비교하는 문장이다. 따라서 1 에는 비교의 의미를 가지는 조사인 2번 「～より ～보다」가 들어가야 한다.

2 1 好きですから　2 好きですが
3 好きじゃ ありませんが　4 好きじゃ ありませんから

정답 3

해설 「あまり」는 '별로, 그다지'라는 의미로 부정 표현과 함께 사용하는 부사이다. 선택지 모두 な형용사인 「好きだ 좋아하다」를 활용한 표현으로 긍정 표현인 1, 2번은 답이 될 수 없다. 2 의 뒤에서 '공부'와 대립하는 어휘인 '스포츠'에 대해 '스포츠는 좋아한다'라고 설명하고 있으므로 「好きじゃ ありません 좋아하지 않습니다」와 역접 조사 「～が ～지만」가 합쳐진 3번이 들어가야 문맥상 자연스러워진다.

3 1 だから　2 では　3 でも　4 それから

정답 1

해설 3 앞뒤의 문장 '남동생은 스포츠를 좋아해서 쉬는 날도 운동장이나 밖에서 운동하고 있다'와 '밥도 많이 먹습니다'를 자연스럽게 연결해 주는 접속사를 찾아야 한다. '스포츠를 좋아하고 운동을 많이 해서'라는 원인이 나온 후 '그래서 밥도 많이 먹는다'가 되어야 매끄러운 흐름이 된다. 따라서 원인·이유를 나타내는 접속사인 1번 「だから 그래서」가 정답이다. 같은 의미인 「ですから 그렇기 때문에」도 함께 기억해 두자.

4 1 ちょっと　2 すこし　3 とても　4 ぜんぶ

정답 4

해설 부사 문제는 단어가 가진 뜻만으로는 정확한 문맥을 파악하기 어려운 경우도 있으므로 선택지의 단어를 대입해서 가장 자연스러운 흐름이 되는 것을 고르는 것이 좋다. '밥을 먹지 않는 날도 있는 나와는 달리 동생은 다 먹은 후 학교에 간다'라는 문맥이므로 4 에는 4번 「全部 전부」가 들어가서 '전부 먹을 때까지 학교에 가지 않는다'라는 문장이 되어야 한다. 다른 선택지의 「ちょっと 조금, 좀」, 「少し 조금」, 「とても 매우, 굉장히」도 잘 기억해 두자.

5 1 いくら　2 いつも　3 どうぞ　4 あまり

정답 2

해설 각 선택지는 「いくら 얼마」, 「いつも 늘, 항상」, 「どうぞ 아무쪼록, 어서」, 「あまり 별로, 그다지」이다. 금액을 물을 때 사용하는 1번이나 권유할 때 사용하는 3번은 의미상 맞지 않으며 4번은 부정 표현과 함께 사용해야 하므로 답이 될 수없다. 정답은 2번이다.

もんだい 1 문법형식 판단

실전문제 정답 및 해설

정답

	1	2	3	4	5	6	7	8	9
실전문제 ①	1	1	4	3	4	2	1	2	3
실전문제 ②	3	1	3	2	4	3	4	1	2

실전문제 ①

もんだい 1 (　　)에 무엇을 넣습니까? 1・2・3・4에서 가장 적당한 것을 하나 고르세요. 문제편 140p

1 きのうは 8時(はちじ)に うち (　　) 出(で)ました。

1 を　　2 と　　3 の　　4 が

정답 1 어제는 8시에 집을 나왔습니다.

단어 昨日(きのう) 어제 | うち 집, 우리 집 | 出(で)る 나가(오)다, 나서다

해설 빈칸에 선택지를 하나씩 넣어서 읽었을 때 가장 자연스러운 것은 「～を ～을/를」이므로 정답은 1번이다. 조사 「～を」는 이동을 나타내는 동사와 함께 쓰일 때 기점이나 경과하는 때·장소를 나타낸다. 「家(いえ)を 出(で)る 집을 나서다」, 「駅(えき)を 出発(しゅっぱつ)する 역을 출발하다」, 「道(みち)を 渡(わた)る 길을 건너다」, 「角(かど)を 曲(ま)がる 모퉁이를 돌다」와 같은 예문을 통해 익혀 두자.

---

2 わからない ことは (　　) ください。

1 聞(き)いて　　2 聞(き)いで　　3 聞(き)いた　　4 聞(き)き

정답 1 모르는 것은 물어보세요.

단어 わかる 알다 | 聞(き)く 듣다, 묻다

해설 「～ください ～해 주세요」는 정중하게 지시하거나 명령할 때 사용하는 표현으로, 동사 て형에 접속한다. 따라서 「聞(き)く 묻다」의 て형인 1번이 정답이다.

---

3 この町(まち)は 10年前(じゅうねんまえ)は にぎやか (　　) でした。

1 ない　　2 ありません　　3 じゃない　　4 じゃ ありません

정답 4 이 동네는 10년 전에는 번화하지 않았습니다.

단어 町(まち) 동네, 마을 | にぎやかだ 번화하다, 활기차다, 북적이다

해설 な형용사의 부정형은 「な형용사 어간 + では(じゃ) ない(ありません)」이다. 3, 4번이 な형용사의 부정형이지만 3번은 「～じゃ ない」의 과거 정중형인 「～じゃ なかったです」가 되어야 하므로 괄호 뒤의 문말 표현과 맞지 않는다.

---

4 きのう 駅(えき)で 先生(せんせい)（　　　）会(あ)いました。

1 で　　2 を　　3 に　　4 の

정답 **3** 어제 역에서 선생님을 만났습니다.

단어 昨日(きのう) 어제 | 駅(えき) 역 | 先生(せんせい) 선생님 | 会(あ)う 만나다

해설 일본어로 '~을/를 만나다'라고 할 때에는 「～を」가 아닌 「～に」를 사용해서 「～に 会(あ)う」라고 해야 한다. 따라서 정답은 3번이다. 이 밖에도 「バスに 乗(の)る 버스를 타다」, 「お風呂(ふろ)に 入(はい)る 목욕을 하다」, 「電話(でんわ)に 出(で)る 전화를 받다」처럼 특정 조사와 함께 사용하는 동사 문제는 출제 빈도가 높으므로 잘 기억해 두어야 한다.

---

5 来週(らいしゅう)の 月(げつ)よう日(び)（　　　）金(きん)よう日(び)まで テストです。

1 でも　　2 まで　　3 には　　4 から

정답 **4** 다음 주 월요일부터 금요일까지 시험입니다.

단어 来週(らいしゅう) 다음 주 | テスト 테스트, 시험

해설 「～から ～まで」는 시간·때·장소를 나타내는 명사와 함께 쓰여 기간이나 범위를 말할 때 쓰는 문형이다. 정답은 4번이다.

---

6 きのう 買(か)った りんごは 四(よっ)つ（　　　）350円(さんびゃくごじゅうえん)でした。

1 の　　2 で　　3 は　　4 に

정답 **2** 어제 산 사과는 4개에 350엔이었습니다.

단어 昨日(きのう) 어제 | 買(か)う 사다 | りんご 사과 | ～円(えん) ~엔

해설 조사 「～で」에는 「いくらで 얼마에」, 「何人(なんにん)で 몇 명이서」, 「何分(なんぷん)で 몇 분만에」, 「全部(ぜんぶ)で 전부 다」, 「みんなで 다 함께」와 같은 표현에서 알 수 있듯이 '(시간·수량) 범위의 한정이나 통합'을 나타내는 용법이 있다. 정답은 2번이다.

---

7 私(わたし)は にほんへ べんきょう（　　　）来(き)ました。

1 に　　2 は　　3 を　　4 と

정답 **1** 저는 일본에 공부하러 왔습니다.

단어 勉強(べんきょう) 공부

해설 「勉強(べんきょう) 공부」는 동작성 명사로 「명사＋に 来(く)る」는 '~하러 오다'의 뜻이 된다. 「～に 行(い)く/来(く)る ~하러 가다/오다」는 동사 ます형과도 접속한다. 제시문을 동사 ます형에 접속한 문장으로 바꾸면 「勉強(べんきょう)しに 来(き)ました 공부하러 왔습니다」가 된다.

8 いしゃ「お体は どうですか。」
林　「（　　）よく ありません。もっと 強い 薬が ほしいです。」
1 たくさん　2 あまり　3 だんだん　4 ちょうど

정답 2 의사　몸은 어떠세요?
하야시　별로 좋지 않습니다. 좀 더 센 약이 필요합니다.

단어 医者 의사 | お体 몸 | いい 좋다 | もっと 좀 더 | 強い 강한 | 薬 약 | ほしい 원하다, 바라다 | たくさん 많이 | あまり 별로, 그다지 | だんだん 점점 | ちょうど 꼭, 정확히, 마침

해설 「あまり」는 '별로, 그다지'라는 의미로 부정 표현과 함께 사용하여 '별로 ~하지 않다'라는 문형으로 사용한다. 따라서 정답은 2번이다.

---

9 森　「来週の 日よう日、山川さんの うちで パーティーを します。私も 行きます。リンさんも（　　）。」
リン「いいですね。行きたいです。」
1 行きます　2 行きましたか　3 行きませんか　4 行きませんでしたか

정답 3 모리　다음 주 일요일, 야마카와 씨 집에서 파티를 합니다. 저도 갈 거예요. 린 씨도 가지 않을래요?
린　좋아요. 가고 싶어요.

단어 来週 다음 주 | うち 집 | パーティー 파티

해설 남에게 무언가를 권할 때 쓰는 표현인「동사 ます형 + ませんか」를 사용해서「リンさんも 行きませんか」라고 말한 3번이 정답이다. 1번은 '갑니다', 2번은 '갔습니까?', 3번은 '가지 않았습니까?'라는 뜻이므로 문맥상 맞지 않는다.

실전문제 ②

もんだい 1　(　　)에 무엇을 넣습니까? 1・2・3・4에서 가장 적당한 것을 하나 고르세요.

문제편 141p

1 ここには 小さい 子どもが いますから、たばこを（　　）ください。
1 吸う　2 吸って　3 吸わないで　4 吸った

정답 3 여기에는 어린아이가 있으니 담배를 피우지 마세요.

단어 小さい 작다 | 子ども 아이, 어린이 | いる 있다(사람·동물) | たばこ 담배 | 吸う (담배를) 피우다, 흡입하다

해설 「동사 부정형 + ないで ください」는 '~하지 마세요'라며 금지·요청할 때 사용하는 문형이다. 선택지 모두 '담배를 피우다'라는 의미의 동사「吸う」의 활용형으로 정답은 3번「吸わないで」이다.

---

2 なまえは カタカナ（　　）書いても いいです。
1 で　2 が　3 に　4 は

정답 1 이름은 가타카나로 써도 됩니다.

단어 名前 이름 | 書く 쓰다, 적다

해설 이름을 쓰는데 가타카나라는 '수단'을 이용해도 된다는 문장이다. 따라서 괄호안에는 '수단·방법·재료'를 나타내는 용법이 있는 조사인 1번「～で ～로」가 들어가야 한다. 문장 맨 마지막의「～ても いい ～해도 된다, ～해도 좋다」라는 문형도 잘 기억해 두자.

---

3 この としょかんは 学生(がくせい)（　　　）入(はい)る ことが できません。

1 まで　　2 とは　　3 しか　　4 だけ

정답 3 이 도서관은 학생밖에 들어갈 수 없습니다.

단어 図書館(としょかん) 도서관 | 学生(がくせい) 학생 | 入(はい)る 들어가(오)다

해설 「しか」는 '~밖에'라는 의미로 부정 표현과 함께 사용해「～しか～ない ～밖에 ～않다」라는 문형으로 사용한다. 정답은 3번이다. 단순한 조사의 뜻만으로 4번의「～だけ ～만」을 정답으로 고르지 않도록 주의하자.「～だけ」는 '~뿐, ~만'으로 긍정이나 부정 모두에 사용할 수 있지만 이 문장에서는 문맥상 의미가 맞지 않으며,「～だけ」가 들어가려면「学生(がくせい)だけ 入(はい)る ことが できます 학생만 들어갈 수 있습니다」가 되어야 한다.

---

4 としょかんでは 本(ほん)を（　　　）レポートを 書(か)いたり します。

1 読(よ)みたり　　2 読(よ)んだり　　3 読(よ)む こと　　4 読(よ)んでも

정답 2 도서관에서는 책을 읽거나 리포트를 쓰거나 합니다.

단어 図書館(としょかん) 도서관 | 本(ほん) 책 | 読(よ)む 읽다 | レポート 리포트, 보고서 | 書(か)く 쓰다, 적다

해설 「～たり～たり する ～하기도 하고 ～하기도 하다」는 여러 가지 동작이나 상태를 열거할 때 쓰는 문형으로,「동사 た형」에 접속한다. 따라서「読(よ)む 읽다」를「読(よ)んだり 읽거나」로 활용한 2번이 정답이다.

---

5 びょういん（　　　）しずかに して ください。

1 には　　2 へは　　3 とは　　4 では

정답 4 병원에서는 조용히 해 주세요.

단어 病院(びょういん) 병원 | 静(しず)かだ 조용하다

해설 모든 선택지의「～は」는 '~은/는'이라는 주격 조사이므로, 결합된 다른 조사에 맞추어 해석해 정답을 고르도록 하자. 조사 앞에 병원이라는 조용히 해야 할 '장소'가 있으므로 공간이나 장소를 나타내는 조사「～で ～에서」와 결합한 3번「～では ～에서는」이 정답이다. 1번 역시 장소를 나타내는 조사이지만「～に ～에」는「病院(びょういん)に 行(い)く 병원에 가다」,「病院(びょういん)に いる 병원에 있다」처럼 장소로의 이동이나 존재 여부를 나타낼 때 사용한다는 차이점이 있다.

---

6 ぎゅう肉(にく)（　　　）好(す)きですが、ぶた肉(にく)（　　　）好(す)きでは ありません。

1 も／も　　2 を／を　　3 は／は　　4 に／に

정답 3 소고기는 좋아하지만 돼지고기는 좋아하지 않습니다.

단어 牛肉(ぎゅうにく) 소고기 | 好(す)きだ 좋아하다 | 豚肉(ぶたにく) 돼지고기

해설 「Aは ～が、Bは」는 'A는 ~지만, B는'이라는 의미로 비슷한 두 가지 사항을 비교할 때 사용하는 문형이다. 중간에 역접을 의미하는「～が ～지만」이 있으므로 쉼표 앞 뒤의 술어는 반대되는 내용이 온다는 것을 기억해 두면 문제를 풀 때 도움이 된다. 정답은 3번이다.

7 たくさん 食(た)べましたが まだ（　　　）。

1 食(た)べません　　2 食(た)べましょう
3 食(た)べらないです　　4 食(た)べる ことが できます

정답 4 많이 먹었지만 아직 먹을 수 있습니다.

단어 たくさん 많이, 많은 | まだ 아직

해설 괄호 앞 부사「まだ」의 의미가 '아직'이라는 것만 확실히 알아도 수월하게 문제를 풀 수 있을 것이다. '많이 먹었지만 아직 더 먹을 수 있다'라는 문맥이므로 괄호 안에는 가능 표현이 들어가야 한다. 동사의 가능 표현은「동사 기본형 + ことが できる」이므로 4번이 정답이다.

---

8 ジョン 「林(はやし)さん、（　　　）の 本(ほん)を 取(と)って ください。」
林(はやし)　「これですか。」

1 そこ　　2 どこ　　3 ここ　　4 どの

정답 1 존　하야시 씨, 거기 책 좀 집어 주세요.
하야시　이거요?

단어 本(ほん) 책 | 取(と)る 잡다, 쥐다, 들다

해설 장소를 나타내는 지시어는 쉽게 느껴지지만 혼동하기 쉬우므로 뉘앙스의 차이를 잘 기억해 두어야 한다. 말하는 사람에게 가까운 곳은「ここ 여기」, 듣는 사람에게 가까운 곳은「そこ 거기」, 말하는 사람과 듣는 사람 양쪽 다 먼 곳은「あそこ 저기」라고 해야 한다. 대답을 하는 하야시 씨가「これ 이것」이라고 했으므로 책은 하야시 씨와 가까운 곳에 있음을 알 수 있다. 따라서 질문자인 존 씨는「そこの 本(ほん) 거기 (있는) 책」이라고 해야 한다. 정답은 1번이다.

---

9 新(あたら)しい カーテンを 買(か)って へやを（　　　）しました。

1 明(あか)るい　　2 明(あか)るく　　3 明(あか)るくて　　4 明(あか)るくない

정답 2 새 커튼을 사서 방을 밝게 했습니다.

단어 新(あたら)しい 새롭다 | カーテン 커튼 | 買(か)う 사다 | 部屋(へや) 방 | 明(あか)るい 밝다

해설「い형용사 어간 + くする」및「な형용사 어간/명사 + にする」는 '~게 하다, 하게 만들다'라는 뜻으로 상태 변화를 나타내는 문형이다. 선택지의「明(あか)るい」는 い형용사이므로 어간인「明(あか)る」에「く」를 붙인 2번이 바른 접속 형태이다.

もんだい 2 문장 만들기

실전문제 정답 및 해설

정답

실전문제 ①	1 4 (3→1→4→2)	2 4 (3→1→4→2)	3 3 (4→2→3→1)	4 4 (3→1→4→2)
	5 4 (2→4→3→1)	6 1 (4→2→1→3)	7 1 (4→2→1→3)	8 1 (3→4→1→2)
실전문제 ②	1 3 (1→3→4→2)	2 3 (4→2→3→1)	3 4 (1→2→4→3)	4 1 (4→2→1→3)
	5 3 (2→4→3→1)	6 2 (3→4→2→1)	7 2 (3→4→2→1)	8 4 (3→2→4→1)

실전문제 ①

もんだい 2 __★__에 들어갈 단어는 어느 것입니까? 1・2・3・4에서 가장 적당한 것을 하나 고르세요. 문제편 142p

1 せが ____ ____ __★__ ____ すわります。

1 人(ひと)は　　2 うしろに　　3 高(たか)い　　4 教室(きょうしつ)の

정답 4 (3→1→4→2) 키가 큰 사람은 교실 뒤에 앉습니다.

단어 背(せ)が 高(たか)い 키가 크다 | 座(すわ)る 앉다 | 人(ひと) 사람 | 後(うし)ろ 뒤 | 教室(きょうしつ) 교실

해설 '키가 크다'라는 의미의「背(せ)が 高(たか)い」는 하나의 관용 표현으로 기억해 두자. 괄호 앞에「背(せ)が」가 있으므로 맨 앞 밑줄에 3번이 들어간다. 선택지 4번의「の」는 명사 연결형으로 4번 뒤에는 1번이나 2번이 위치해야 하는데, 의미상 '교실 뒤에(4→2)'가 되어야 자연스럽다. 키가 큰 대상은 '사람(1)'이므로 3→1이 먼저 온 후 뒷부분에 4→2가 들어가야 한다.

---

2 ____ ____ __★__ ____で、毎日(まいにち) 買(か)い物(もの)を して います。

1 に　　2 スーパー　　3 向(む)こう　　4 ある

정답 4 (3→1→4→2) 건너편에 있는 슈퍼에서 매일 장을 보고 있습니다.

단어 毎日(まいにち) 매일 | 買(か)い物(もの) 쇼핑, 장보기 | スーパー 슈퍼 | 向(む)こう 건너편, 저쪽, 맞은편

해설 선택지를 조합해 보면 '~에 있는 ~'이 되는데, 장소를 나타내는 명사인 2번과 3번 모두 밑줄 뒤의「～で ~에서」와 나열할 경우 '슈퍼에서', '건너편에서'가 되므로 의미와 문법상 어색하지 않다. 이럴 경우 문법에 어긋나지 않도록 조합한 후 전체 문맥이 매끄러운 것을 찾아야 한다. '슈퍼에 있는 건너편'은 어색한 문장이 되므로 올바른 순서는 '건너편에 있는 슈퍼(3→1→4→2)'이다.

3 友だちの＿＿＿ ＿＿＿ ＿★＿ ＿＿＿あげました。

1 を　2 に　3 プレゼント　4 たんじょうび

정답 3 (4→2→3→1) 친구 생일에 선물을 주었습니다.

단어 友だち 친구 | あげる 주다 | プレゼント 선물 | 誕生日 생일

해설 밑줄 앞의「の」는 명사 연결형이므로 첫 번째 밑줄에는 3번이나 4번이 위치해야 하는데, '친구의 생일'이 문맥상 자연스러우며 시간이나 시기를 나타내는 조사인 2번「～に ～에」가 그 뒤로 이어지는 것이 자연스럽다. 목적어가 되는 나머지 선택지를 넣고 전체를 의미가 통하도록 나열하면 '친구 생일에 선물을(4→2→3→1) 주었습니다'가 된다.

---

4 先生「教室に だれか のこって いますか。」
学生「でんきが＿＿＿ ＿＿＿ ＿★＿ ＿＿＿いないと 思います。」

1 いる　2 だれも　3 きえて　4 から

정답 4 (3→1→4→2) 선생님 교실에 누군가 남아 있습니까?
학생 전깃불이 꺼져 있으니까 아무도 없을 거예요.

단어 先生 선생님 | 教室 교실 | だれか 누군가 | 残る 남다 | 学生 학생 | 電気 전깃불, 전기 | 思う 생각하다 | だれも 아무도 | 消える 꺼지다, 사라지다

해설 밑줄 뒤의「～と思う ~라고 생각하다」는 주관적인 판단을 말할 때 사용하는 표현이므로 이유·원인·근거에 대한 내용이 밑줄 안에 들어가야 한다.「자동사 + ている」는 '~해 있다'라는 의미로 상태를 나타내는 문형이므로 3→1은 한 묶음이고, 이유를 나타내는 조사인 4번「～から ~이니까」가 그 뒤로 이어져「電気が 消えて いるから 전깃불이 꺼져 있으니까」의 순서로 근거를 이야기한 후, 마지막 밑줄에 2번「だれも 아무도」를 넣으면 자연스러운 문장이 된다.

---

5 山下さん＿＿＿ ＿★＿ ＿＿＿ ＿＿＿行く よていです。

1 ほんやに　2 に　3 から　4 会って

정답 4 (2→4→3→1) 야마시타 씨를 만나고 나서 서점에 갈 예정입니다.

단어 予定 예정 | 本屋 책방, 서점 | 会う 만나다

해설 '~를 만나다'는「～に 会う」이므로 2→4는 한 묶음이고,「～てから ~하고 나서」는 동작의 순서를 나타내는 문형이므로 3번이 그 뒤로 이어진다. 또한 전체 문맥을 볼 때 만날 사람은 야마시타 씨이므로 2→4→3이 밑줄 앞부분에 위치하며, 장소 명사인 1번「本屋に 서점에」가 맨 마지막에 들어가 '서점에 갈 예정입니다'로 연결되는 것이 자연스럽다.

---

6 A「つくえの 上に＿＿＿ ＿＿＿ ＿★＿ ＿＿＿ですか。」
B「カレンさんのです。」

1 スマホは　2 ある　3 だれの　4 おいて

정답 1 (4→2→1→3) A 책상 위에 놓여 있는 스마트폰은 누구의 것입니까?
B 카렌 씨 것입니다.

단어 机 책상 | 上 위 | スマホ 스마트폰 | ある 있다(사물·식물) | だれ 누구 | 置く 놓다, 두다

해설 「타동사 + てある ~해 있다」는 상태를 나타내는 문형이므로 '놓여 있는(4→2)'은 한 묶음이다. '스마트폰은(1)'이 마지막 밑줄에 들어가면 '스마트폰은 입니까?'가 되어 어색한 문장이 되므로 3번 「だれの 누구의 것」이 맨 마지막 밑줄에 들어가야 한다. 전체 선택지를 의미가 통하도록 나열하면 '책상 위에 놓여 있는 스마트폰은 누구의 것(4→2→1→3)'이 된다.

---

7 友(とも)だちを ____ ____ ★ ____ いました。

1 テレビを　　2 あいだ　　3 見(み)て　　4 待(ま)つ

정답 1 (4→2→1→3) 친구를 기다리는 동안 텔레비전을 보고 있었습니다.

단어 友(とも)だち 친구 | テレビ 텔레비전 | ~間(あいだ) ~동안, ~사이 | 待(ま)つ 기다리다

해설 「間(あいだ) ~동안, ~사이」는 어떤 동작·상태가 지속되고 있는 기간을 나타내는 문형으로 동사 보통형에 접속한다. 따라서 4→2는 한 묶음이다. 또한 3번 「見(み)て」는 동사의 て형이므로 밑줄 뒤의 「いました」와 연결하여 과거 진행형인 「見(み)て いました 보고 있었습니다」가 되는 것이 흐름상 자연스러우며, 목적어인 1번이 그 앞에 위치해야 한다. 올바른 순서는 4→2→1→3이다.

---

8 帰(かえ)るの ____ ____ ★ ____ 教(おし)えて ください。

1 とき　　2 は　　3 が　　4 おそく なる

정답 1 (3→4→1→2) 귀가하는 것이 늦어질 때는 알려 주세요.

단어 帰(かえ)る 돌아가(오)다 | 教(おし)える 가르치다 | 遅(おそ)く なる 늦어지다

해설 조사 「~の」가 동사 기본형에 접속하고 있으므로 밑줄 앞부분은 '귀가하는 것'이라는 의미의 명사가 된다. 따라서 첫 번째 밑줄에는 주격 조사가 들어가야 하며 선택지에 주격 조사는 2번과 3번이 있는데, 이 밖에 특별한 문형이나 문법 사항이 눈에 띄지 않는다. 따라서 선택지만으로 자연스러운 문장을 만들어야 한다. 4번은 '늦어지다'라는 의미이므로 '귀가하는 것이 늦어질 때는(3→4→1→2)'의 순서가 가장 자연스럽다.

실전문제 ②

もんだい2 ★ 에 들어갈 단어는 어느 것입니까? 1・2・3・4에서 가장 적당한 것을 하나 고르세요. 문제편 143p

1 今日(きょう)は ____ ★ ____ ____ はやく 寝(ね)ます。

1 テレビ　　2 で　　3 を　　4 見(み)ない

정답 3 (1→3→4→2) 오늘은 텔레비전을 보지 않고 일찍 잡니다.

단어 今日(きょう) 오늘 | 早(はや)く 일찍, 빨리 | 寝(ね)る 자다 | テレビ 텔레비전

해설 「~ないで」는 '~하지 않고'라는 뜻으로 동사 부정형에 접속하는 문형이다. 따라서 '보지 않고(4→2)'의 순서로 한 묶음이 되며, 보지 않는 대상인 '텔레비전을(1→3)'이 목적어로 그 앞에 위치한다. 전체 선택지를 의미가 통하도록 나열하면 '텔레비전을 보지 않고(1→3→4→2)'가 된다.

2 ときどき おかしを ＿＿ ＿＿ ★ ＿＿ 人(ひと)が います。

1 あるく　2 ながら　3 道(みち)を　4 食(た)べ

정답 3 (4→2→3→1) 가끔 과자를 먹으면서 길을 걷는 사람이 있습니다.

단어 時々(ときどき) 가끔, 때때로 | お菓子(かし) 과자 | 人(ひと) 사람 | 歩(ある)く 걷다 | 道(みち) 길

해설 「～ながら ~하면서」는 동사 ます형에 접속하는 문형이므로 4→2는 한 묶음이 되며 '먹는 대상인 '과자'가 밑줄 앞에 있으므로 4→2가 밑줄 앞부분에 들어간다. 1, 3번은 의미상 '길을(3) 걷는(1)'으로 연결되는 것이 자연스럽다. 올바른 순서는 '먹으면서 길을 걷는(4→2→3→1)'이다.

---

3 しゅくだい ＿＿ ＿＿ ★ ＿＿ までですから わすれないで 出(だ)して くださいね。

1 は　2 今週(こんしゅう)　3 金(きん)よう日(び)　4 の

정답 4 (1→2→4→3) 숙제는 이번 주 금요일까지니까 잊지 말고 제출해 주세요.

단어 宿題(しゅくだい) 숙제 | 忘(わす)れる 잊다, 망각하다 | 出(だ)す 제출하다, 내다 | 今週(こんしゅう) 이번 주

해설 제시문의 「～まで ~까지」는 기한에 대해 말할 때 사용하는 표현이므로 숙제를 제출하는 날에 대한 문장이라는 것을 알 수 있다. 따라서 의미상 '이번 주(2)의(4) 금요일(3)'이 제출 기한이 된다. 주격 조사인 1번이 맨 처음 밑줄에 들어가 '숙제는 이번 주의 금요일(1→2→4→3)까지니까'가 되면 자연스러운 문장이 된다.

---

4 夜(よる) はやく ねた ＿＿ ＿＿ ★ ＿＿ ことが できます。

1 はやく　2 朝(あさ)　3 おきる　4 ひは

정답 1 (4→2→1→3) 밤에 일찍 잔 날은 아침 일찍 일어날 수 있습니다.

단어 夜(よる) 밤 | 早(はや)く 일찍, 빨리 | 寝(ね)る 자다 | 朝(あさ) 아침 | 起(お)きる 일어나다 | 日(ひ) 날

해설 밑줄 앞 내용은 '밤에 일찍 잔(잤던)'이므로 뒤에는 명사가 와야 하는데 의미상 4번이 들어가는 것이 자연스럽다. 또한 제시문 맨 끝에 동사의 가능형을 만드는 문형「ことが できます」가 있으므로 마지막 밑줄에는 동사의 기본형인 3번이 들어가야 한다. 나머지 선택지를 포함해 의미가 통하도록 나열하면 '일찍 잔 날은 아침에 일찍 일어날(4→2→1→3) 수 있습니다'가 된다.

---

5 テスト ＿＿ ＿＿ ★ ＿＿ ください。

1 あけないで　2 の　3 まだ　4 問題(もんだい)は

정답 3 (2→4→3→1) 시험 문제는 아직 열지 마십시오.

단어 テスト 테스트, 시험 | 開(あ)ける 열다 | まだ 아직 | 問題(もんだい) 문제

해설 「～ないで ください」는 상대에게 '~하지 마십시오'라고 금지·요청할 때 사용하는 문형이다. 따라서 1번이 마지막 밑줄에 들어간다. 또한 2번은 명사 연결 용법의 조사「の」이므로 맨 첫 번째 밑줄에 들어가며 뒤로 명사인 4번이 이어져야 한다. 나머지 선택지인 3번을 포함하여 의미가 통하도록 나열하면 '시험의 문제는 아직 열지 마십(2→4→3→1)시오'가 된다.

---

6 たんじょうびに 友(とも)だち ＿＿ ＿＿ ★ ＿＿ うれしかったです。

1 もらって　2 ゲームを　3 から　4 好(す)きな

정답 2 (3→4→2→1) 생일에 친구에게 좋아하는 게임을 받아서 기뻤습니다.

단어 誕生日(たんじょうび) 생일 | 友(とも)だち 친구 | 嬉(うれ)しい 기쁘다 | もらう 받다 | ゲーム 게임 | 好(す)きだ 좋아하다

해설 「~に(から) ~を もらう ~에게(로부터) ~을 받다」라는 문장 구조가 되도록 선택지를 나열해 보면, 맨 첫 번째 밑줄에 3번 「から」가 들어가며, 4번은 な형용사의 명사 수식형이므로 4→2의 순서로 3번 뒤로 이어진다. 동사 て형은 '~하고, ~해서'라는 의미가 있으므로 '게임을(2) 받아서(1) 기뻤다'의 순서가 되면 문장이 자연스러워진다. 올바른 순서는 3→4→2→1이다.

---

7 A 「今日(きょう)は きのう ＿＿ ＿＿ ★ ＿＿。」
B 「てんきが いいから さんぽしませんか。」

1 ね　2 ありません　3 より　4 さむく

정답 2 (3→4→2→1) A 오늘은 어제보다 춥지 않네요.
B 날씨가 좋으니까 산책하지 않을래요?

단어 今日(きょう) 오늘 | 昨日(きのう) 어제 | 天気(てんき) 날씨 | いい 좋다 | 散歩(さんぽ) 산책 | 寒(さむ)い 춥다

해설 3번 「~より ~보다」는 비교할 때 사용하는 조사이므로 '오늘'의 비교 대상인 '어제' 뒤에 위치해야 한다. 따라서 3번이 첫 번째 밑줄에 위치한다. 「ね」는 '~군요, ~네요'라는 의미의 문말 표현이므로 1번이 맨 마지막에 들어가며, 4→2는 い형용사 부정형의 형태이므로 한 묶음이다. 전체를 의미가 통하도록 나열하면 '어제보다 춥지 않네요(3→4→2→1)'가 된다.

---

8 キム 「学校(がっこう)の ＿＿ ＿＿ ★ ＿＿ あります。いっしょに どうですか。」
西田(にしだ) 「いいですね。行(い)きましょう。」

1 しょくどうが　2 おいしくて　3 近(ちか)くに　4 やすい

정답 4 (3→2→4→1) 김 학교 근처에 맛있고 싼 식당이 있어요. 같이 어때요?
니시다 좋아요. 가요.

단어 学校(がっこう) 학교 | 近(ちか)く 근처 | おいしい 맛있다 | 安(やす)い 싸다, 저렴하다 | 食堂(しょくどう) 식당

해설 의미상 밑줄 앞의 '학교'에 이어지는 것은 3번 「近(ちか)くに 근처에」이다. 선택지에 형용사가 2번과 4번 두 개가 있으며 2번은 형용사의 연결형이므로 2→4의 순서로 한 묶음이 된다. 맨 마지막 밑줄에 전체 문장의 주어가 되는 1번 「食堂(しょくどう)が 식당이」를 넣으면 '학교 근처에 맛있고 싼 식당이(3→2→4→1) 있어요'라는 문장이 완성된다.

もんだい 3 글의 문법

실전문제 정답 및 해설

정답

실전문제 ① [1] 3 [2] 1 [3] 1 [4] 1 [5] 3
실전문제 ② [1] 1 [2] 2 [3] 2 [4] 3 [5] 4

실전문제 ①

もんだい 3 [1] 부터 [5] 에 무엇을 넣습니까? 글의 의미를 생각해서 1・2・3・4에서 가장 적당한 것을 하나 고르세요.

문제편144p

김 씨가 수업에서 쓴 '매일 하고 있는 일'의 작문입니다.

제가 좋아하는 나라는 일본입니다. 언젠가 일본에 [1] 가고 싶기 때문에 매일 일본어를 공부하고 있습니다. 일본어는 한자가 [2] 많이 있어서 어렵습니다. [3] 하지만 굉장히 재미있습니다. 매일 라디오로 일본어를 [4] 들으면서 공원을 산책합니다. 공원에는 늘 사람이 많이 있습니다. 어제는 공원에서 라디오를 듣고 있을 때에 개가 가까이 와서 함께 놀았습니다. 그날은 그 밖에 아무도 [5] 만나지 않았습니다.

단어 授業(じゅぎょう) 수업 | 書(か)く 쓰다 | 毎日(まいにち) 매일 | 作文(さくぶん) 작문 | 好(す)きだ 좋아하다 | 国(くに) 나라, 국가, 본국 | いつか 언젠가 | 勉強(べんきょう) 공부 | 漢字(かんじ) 한자 | 難(むずか)しい 어렵다, 곤란하다, 힘들다 | とても 굉장히, 매우 | おもしろい 재미있다 | ラジオ 라디오 | 公園(こうえん) 공원 | 散歩(さんぽ) 산책 | いつも 늘, 항상 | 人(ひと) 사람 | たくさん 많이 | 犬(いぬ) 개 | 近(ちか)くに 가까이 | 一緒(いっしょ)に 함께, 같이 | 遊(あそ)ぶ 놀다 | 他(ほか)に 이 외에, 그 밖에 | だれにも 아무도, 누구와도, 누구에게도

[1] 1 行(い)きました 2 行(い)かない 3 行(い)きたい 4 行(い)こう

정답 3

해설 좋아하는 나라인 일본에 '가기 위해서'나 '가고 싶어서'라는 문맥이 되어야 한다. 소망이나 바람을 표현하는 문형은 「~たい」로 동사 ます형에 접속한다. 따라서 정답은 3번이다. 1번은 '갔습니다', 2번은 '가지 않는다', 4번은 '가자'로 의미가 맞지 않는다.

---

[2] 1 たくさん 2 もっと 3 ちょっと 4 いつも

정답 1

해설 '일본어는 한자가 많아서 어렵다'라는 내용이므로 [2] 안에는 수량이나 분량이 많은 것을 표현하는 부사인 1번 「たくさん 많이」가 들어가야 한다. 선택지 2번은 「もっと ください 좀 더 주세요」, 3번은 「ちょっと 待って ください 잠깐 기다려 주세요」, 4번은 「田中さんは いつも 笑って います 다나카 씨는 늘 웃고 있습니다」처럼 사용한다. 각 부사의 의미를 잘 기억해 두자.

---

[3] 1 でも　2 それでは　3 それから　4 たぶん

정답 1

해설 [3] 앞뒤로 '한자가 많이 있어서 어렵습니다'와 '재미있습니다'라는 상반되는 내용이 나오고 있다. 따라서 「でも 하지만」, 「しかし 그러나」 등의 역접 접속사가 들어가야 한다. 정답은 1번이다. 선택지 2번 「それでは 그렇다면」은 화제 전환, 3번 「それから 그러고 나서, 그다음에」는 순서를 나타내는 접속사이며, 4번 「たぶん 아마도」는 추측을 나타내는 부사이다.

---

[4] 1 聞き　2 聞く　3 聞いて　4 聞かない

정답 1

해설 [4] 뒤로 동시 동작을 표현하는 문형인 「~ながら」가 있다. 「~ながら」는 '~하면서'라는 뜻으로 동사 ます형에 접속한다. 따라서 「聞く 듣다」를 ます형으로 활용한 1번이 정답이다.

---

[5] 1 会いました　2 会いたかったです　3 会いませんでした　4 会って いました

정답 3

해설 [5] 앞에 '그 밖에 아무도'라고 하고 있으므로 '그 밖에 만난 사람이 없다'라는 내용이 이어져야 한다. 동사의 과거 부정형 정중체는 「동사 ます형 + ませんでした」의 형태로 사용하므로 정답은 3번이다. 다른 선택지는 문맥상 의미가 맞지 않는다.

실전문제 ②

もんだい 3 [1] 부터 [5] 에 무엇을 넣습니까? 글의 의미를 생각해서 1・2・3・4에서 가장 적당한 것을 하나 고르세요.

문제편145p

이것은 수업에서 쓴 작문입니다.

여름 방학에 하고 싶은 일

마리아 스미스

올해 여름 방학에는 일본에 [1] 갈 예정입니다. 도쿄에서 오사카까지 신칸센 [2] 으로 갑니다. [3] 그다음에는 교토에도 가서 유명한 절을 볼 겁니다.

저는 [4] 아직 고베에는 간 적이 없습니다. 고베에는 일본에서 처음 생긴 [5] 찻집이 있습니다. 거기에서 커피를 마시고 싶습니다. 그리고 근처에 있는 깔끔하고 조용한 식당에 가서 맛있는 소고기도 먹고 싶습니다.

단어 授業 수업 | 書く 쓰다, 적다 | 作文 작문 | 夏休み 여름 방학, 여름휴가 | 今年 올해 | 予定 예정 | 新幹線 신칸센(일본의 고속 철도) | 後 다음, 후, 나중 | 有名だ 유명하다 | お寺 절 | 初めて 처음으로 | できる 생기다, 할 수 있다, 완성하다 | コーヒー 커피 | 近く 근처, 가까이 | きれいだ 깨끗하다, 예쁘다 | 静かだ 조용하다 | 食堂 식당 | おいしい 맛있다 | 牛肉 소고기

1 1 行く 2 行かない 3 行った 4 行きます

정답 1

해설 「～予定だ ～예정이다」는 말하는 사람의 의지보다는 이미 정해진 일정에 대해 쓰는 문형으로 동사 기본형에 접속한다. 따라서 정답은 1번이다.

---

2 1 に 2 で 3 が 4 の

정답 2

해설 도쿄에서 오사카까지 신칸센을 이동 수단으로 사용한다는 내용이므로 수단·방법·도구의 용법이 있는 조사인 2번 「～で」가 들어가는 것이 자연스럽다.

---

3 1 この 2 その 3 あの 4 どの

정답 2

해설 지시어를 묻는 문제이다. 먼저 도쿄에서 오사카까지 신칸센으로 가고, 그 후 교토에도 가서 유명한 절을 볼 예정이라며 시간의 순서대로 여행 일정을 이야기하고 있다. 따라서 3 안에는 앞에서 이미 이야기한 대상을 가리킬 때 사용하는 지시어인 2번 「その 그」가 들어가야 한다.

---

4 1 いま 2 あと 3 まだ 4 なぜ

정답 3

해설 4 뒤로 '고베에는 간 적이 없습니다'라고 하고 있으므로 '아직'이라는 의미의 부사인 3번 「まだ」가 정답이다. 1번은 「今 지금」이고, 2번 「あと」는 '다음, 이후'라고 시간적으로 나중을 가리키거나 「あと 10分で 着きます 앞으로 10분이면 도착합니다」처럼 '앞으로, 아직'이라고 여유가 있는 상태를 나타낼 때 사용하는 부사이며, 4번은 이유나 원인을 묻는 의문사이다.

---

5 1 としょかん 2 えき 3 びょういん 4 きっさてん

정답 4

해설 '고베에는 일본에서 처음 생긴 가게가 있고, 거기서 커피를 마시고 싶다'고 했으므로, 5 안에 들어가야 하는 것은 '커피를 마시는 곳'이다. 따라서 '찻집, 카페'라는 의미의 4번 「喫茶店」이 정답이다. 이렇게 단어를 통해 연상하는 문제는 문자·어휘 영역의 〈유의 표현〉 파트에서 다양한 어휘를 학습해 두면 도움이 된다.

Part 3

JLPT N5

Part 3

독해

もんだい 4 내용 이해(단문)

연습문제 정답 및 해설

정답

연습문제 1 4 2 3

연습문제

もんだい 4 다음 (1)부터 (2)의 글을 읽고 질문에 답하세요. 답은 1・2・3・4에서 가장 적당한 것을 하나 고르세요.

(1) 학생이 이 종이를 보고 있습니다.

문제편 149p

동물원에 갑시다!

내일은 동물원에 갑니다. 8시 50분까지 학교로 오세요. 동물원은 지하철의 하나코엔 역에서 10분 정도 걸어갑니다. 동물원에서 2시간 정도 동물을 보겠습니다. 그때 동물에게 음식을 주지 마십시오. 다 같이 사진도 찍습니다. 비가 와도 갑니다.

5월 1일 나카무라

단어 学生(がくせい) 학생 | 紙(かみ) 종이 | 動物園(どうぶつえん) 동물원 | 明日(あした) 내일 | 学校(がっこう) 학교 | 地下鉄(ちかてつ) 지하철 | 公園(こうえん) 공원 | 駅(えき) 역 | ～くらい·ぐらい ~정도 | 歩く(あるく) 걷다 | 時間(じかん) 시간 | 食べ物(たべもの) 먹을 것, 음식 | あげる 주다 | みんなで 다 같이, 함께 | 写真(しゃしん) 사진 | 撮る(とる) (사진을) 찍다, 촬영하다 | 雨(あめ) 비 | 乗る(のる) 타다

1 동물원에서는 무엇을 합니까?

1 10분 정도 걷습니다.
2 지하철을 탑니다.
3 동물에게 음식을 줍니다.
4 사진을 찍습니다.

정답 4

해설 네 번째 줄에서 '동물원에서 두 시간 정도 동물을 보겠습니다'라고 한 후 다섯 번째 줄에서 '다 같이 사진도 찍습니다'라고 했으므로 정답은 4번이다. 1번과 2번은 동물원에 가기 전까지의 과정이므로 오답이고, 동물에게 음식을 주지 말라고 했으므로 3번 역시 답이 될 수 없다.

(2) 문제편 150p

나는 매일 아침밥을 먹습니다. 대개 빵을 먹습니다. 가끔 시리얼을 먹습니다. 빵일 때는 치즈나 샐러드를 같이 먹습니다. 시리얼일 때는 과일도 먹습니다. 음료는 항상 홍차입니다. 밀크티를 정말 좋아합니다.

단어 毎日(まいにち) 매일 | 朝(あさ)ごはん 아침밥 | たいてい 대개 | パン 빵 | 時々(ときどき) 가끔, 때때로 | シリアル 시리얼 | チーズ 치즈 | サラダ 샐러드 | 一緒(いっしょ)に 같이, 함께 | フルーツ 과일 | 飲(の)み物(もの) 마실 것, 음료 | いつも 항상, 늘 | 紅茶(こうちゃ) 홍차 | ミルクティー 밀크티 | 大好(だいす)きだ 매우 좋아하다 | ごはん 밥, 쌀밥

2 '나'는 아침에 무엇을 먹습니까?

1 매일 쌀밥을 먹습니다.

2 항상 빵을 먹습니다.

3 대개 빵이나 시리얼을 먹습니다.

4 아침밥은 먹지 않습니다.

정답 3

해설 제일 처음 문장에서 '대개 빵을 먹지만 가끔 시리얼을 먹습니다. 가끔 시리얼을 먹습니다'라고 했으므로 정답은 3번이다. '쌀밥'에 대한 언급은 없으며, 가끔 시리얼도 먹으므로 1번과 2번은 답이 될 수 없다. 매일 아침밥을 먹는다고 했으므로 4번도 오답이다. 1번의 「ごはん」은 일반적인 '밥, 끼니'를 의미하기도 하지만 이 문제에서처럼 '쌀밥'을 뜻하기도 한다는 것도 알아 두도록 하자.

もんだい 5 내용 이해(중문)

연습문제 정답 및 해설

정답

연습문제 1 2 2 3

연습문제

もんだい5 다음 글을 읽고 질문에 답하세요. 답은 1・2・3・4에서 가장 적당한 것을 하나 고르세요.

문제편 152p

이것은 체시카 씨가 쓴 작문입니다.

금요일 밤

체시카

금요일 밤은 대개 집에 있습니다. 그리고 잠을 많이 잡니다. 하지만 지난주 금요일 밤에는 친구와 함께 유학생 파티에 갔습니다. 파티에는 다양한 나라의 사람이 있었습니다. 대학교 건물 2층에서 저녁을 먹었습니다. 다코야키와 가라아게를 먹었습니다. 그 후 게임을 했습니다. 게임은 매우 재미있었습니다. 저는 게임에서 1등을 했습니다. 그리고 예쁜 일본 그림엽서를 받았습니다.

파티에서 다양한 나라의 사람과 이야기했습니다. 예를 들어 케냐나 인도네시아나 한국에서 온 학생입니다. 모두 굉장히 좋은 사람이었습니다. 그러고 나서 모두 춤을 췄습니다. 하지만 저는 춤을 추지 않았습니다. 그리고 9시에 친구와 함께 돌아왔습니다. 파티는 정말 즐거웠습니다.

단어 書く(か) 쓰다, 적다 | 作文(さくぶん) 작문 | 夜(よる) 밤 | たいてい 대개 | うち 집, 우리 집 | たくさん 많이 | 寝る(ね) (잠을) 자다 | 先週(せんしゅう) 지난주 | 友だち(とも) 친구 | いっしょに 함께 | 留学生(りゅうがくせい) 유학생 | パーティー 파티 | いろいろ 다양한, 여러 가지 | 国(くに) 나라, 국가, 본국 | 人(ひと) 사람 | 大学(だいがく) 대학 | 建物(たてもの) 건물 | ばんご飯(はん) 저녁(밥) | たこやき 다코야키(문어 빵) | からあげ 가라아게(닭고기 튀김) | それから 그 후, 그러고 나서 | ゲーム 게임 | とても 매우, 굉장히 | おもしろい 재미있다 | 一番(いちばん) 첫째, 최고, 1등 | きれいだ 예쁘다, 깨끗하다 | 絵はがき(え) 그림엽서 | もらう 받다 | 話す(はな) 이야기하다 | たとえば 예를 들어 | ケニア 케냐 | インドネシア 인도네시아 | 韓国(かんこく) 한국 | 学生(がくせい) 학생 | みんな 모두 | ダンス 댄스, 춤 | 帰る(かえ) 돌아가(오)다 | 本当に(ほんとう) 정말로 | 楽しい(たの) 즐겁다 | 買う(か) 사다, 구입하다 | 前(まえ) 전, 앞

1 체시카 씨는 지난주 금요일 밤에 무엇을 했습니까?

1 집에서 많이 잤습니다.

2 유학생 파티에 갔습니다.

3 집에서 친구와 함께 파티를 했습니다.

4 일본 그림엽서를 사러 갔습니다.

정답 2

해설 세 번째 문장을 보면 「でも 하지만」 이후에 '지난주 금요일 밤에는 친구와 함께 유학생 파티에 갔습니다'라고 하고 있다. 따라서 답은 2번이다. 1번은 평소 금요일에 하는 일이므로 답이 될 수 없다. 파티를 한 곳은 집이 아닌 학교이며 그림엽서는 파티 경품으로 받은 것이므로 3번과 4번 역시 오답이다.

2 체시카 씨는 귀가하기 바로 전에 무엇을 했습니까?

1 저녁을 먹었습니다.

2 게임을 했습니다.

3 그림엽서를 받았습니다.

4 다 같이 춤을 췄습니다.

정답 3

해설 유학생 파티에서 한 일을 순서대로 정리하면 '저녁 식사 → 게임 → 게임에서 1등 선물로 그림엽서를 받음 → 여러 나라 사람들과 대화'가 된다. 따라서 주어진 선택지 내용 중에서 체시카 씨가 귀가하기 바로 전에 한 것은 3번이다.

もんだい 6 정보 검색

연습문제 정답 및 해설

정답

연습문제 [1] 2

연습문제

もんだい6 오른쪽 페이지를 보고 아래의 질문에 답하세요. 답은 1・2・3・4에서 가장 적당한 것을 하나 고르세요. 문제편 156p

[1] 하스나 씨는 채소나 달콤한 것을 매우 좋아하고 돼지고기는 먹지 않습니다. 그리고 술은 마실 수 없습니다. 좋아하는 것을 많이 먹고 싶지만 저렴한 것이 좋습니다. 하스나 씨는 어떤 코스로 합니까?

1 A코스

2 B코스

3 C코스

4 D코스

정답 **2**

해설 하스나 씨는 돼지고기와 술은 먹지 않는다고 했으므로, 포크스테이크와 맥주가 들어 있는 A코스와 맥주가 들어있는 D코스는 답에서 우선 제외된다. B와 C코스는 둘 다 좋아하는 채소(샐러드)와 달콤한 것(아이스크림, 케이크)이 들어 있는데, 조건 중에 저렴한 것이 좋다고 했으므로 둘 중에 더 저렴한 쪽인 2번 B코스가 정답이 된다.

단어 野菜(やさい) 채소, 야채 | 甘い物(あまいもの) 단 것, 달콤한 음식 | 大好きだ(だいすきだ) 매우 좋아하다 | ぶた肉(にく) 돼지고기 | そして 그리고 | お酒(さけ) 술 | 飲む(のむ) 마시다 | 好きだ(すきだ) 좋아하다 | たくさん 많이 | 安い(やすい) 저렴하다, 싸다 | いい 좋다 | コース 코스 | レストラン 레스토랑 | 食べ物(たべもの) 먹을 것, 음식 | 飲み物(のみもの) 마실 것, 음료 | ポークステーキ 포크스테이크(돼지고기 스테이크) | ビーフステーキ 비프스테이크(소고기 스테이크) | フライドポテト 감자튀김 | パスタ 파스타 | サラダ 샐러드 | アイスクリーム 아이스크림 | ミネラルウォーター 미네랄 워터, 생수 | ウーロン茶(ちゃ) 우롱차 | お茶(ちゃ) 차, 녹차 | ビール 맥주 | ケーキ 케이크 | ソフトドリンク 소프트드링크(알코올 성분이 들어 있지 않은 가벼운 음료, 탄산음료, 차, 커피, 주스 등) | ピザ 피자

그린 플레이트

Restaurant

	음식	음료
A코스 1,200엔	포크스테이크, 감자튀김, 파스타, 샐러드, 아이스크림	미네랄 워터 우롱차 맥주
B코스 2,000엔	비프스테이크, 감자튀김, 파스타, 샐러드, 아이스크림, 케이크	미네랄 워터 우롱차
C코스 3,000엔	비프스테이크, 프라이드 치킨, 감자튀김, 파스타, 샐러드, 아이스크림, 케이크	미네랄 워터 소프트 드링크
D코스 4,000엔	비프스테이크, 프라이드 치킨, 감자튀김, 파스타, 피자, 샐러드, 아이스크림, 케이크	미네랄 워터 소프트 드링크 맥주

※ 소프트드링크는 우롱차, 녹차, 커피, 콜라, 오렌지 주스 중에서 하나 선택해 주세요.

Part 3 독해

연습문제

もんだい 4 내용 이해(단문)

실전문제 정답 및 해설

정답

실전문제　1 1　2 4

실전문제

もんだい4　다음 (1)부터 (2)의 글을 읽고 질문에 답하세요. 답은 1・2・3・4에서 가장 적당한 것을 하나 고르세요.

(1) (학교에서)

학생이 이 종이를 보고 있습니다.

문제편 160p

A반 여러분께

오늘 수업은 휴강입니다. A반 아오타 선생님이 아프십니다. 내일은 수업이 있습니다. A반은 B반과 함께 공부합니다. 선생님은 B반의 아카기 선생님입니다. A반 학생은 내일 B반 교실로 가 주십시오.

4월 15일

미도리 일본어 학교

단어　学校(がっこう) 학교 | 学生(がくせい) 학생 | 紙(かみ) 종이 | クラス 클래스, 반 | みなさん 여러분 | 今日(きょう) 오늘 | 授業(じゅぎょう) 수업 | 休(やす)み 쉼, 휴식, 쉬는 시간, 휴일, 휴가 | 先生(せんせい) 선생님 | 病気(びょうき) 병, 질병 | 明日(あした) 내일 | いっしょに 함께 | 勉強(べんきょう) 공부 | 教室(きょうしつ) 교실

1　학교는 A반 학생에게 무엇을 말하고 싶습니까?

1 오늘 수업은 없습니다. 내일은 B반과 함께 공부합니다.
2 오늘은 아오타 선생님이 쉬시기 때문에, 아카기 선생님이 A반 수업을 합니다.
3 오늘도 내일도 아오타 선생님이 쉬시기 때문에, 수업이 없습니다.
4 오늘은 아오타 선생님이 쉬시기 때문에, B반과 함께 공부합니다.

정답　1

해설　학교에서 학생에게 전달하고 싶은 것은 A반 아오타 선생님이 아파서 오늘은 휴강이고, 내일은 A반과 B반이 통합 수업을 하게 되었다는 것이다. 따라서 정답은 1번이다.

(2)

문제편 161p

여러분은 하루에 몇 번 밥을 먹나요? 아침, 점심, 저녁, 하루에 세 번 먹는 사람이 많겠지요. 하지만 항상 같은 시간에 밥을 먹는 것은 어렵습니다. 그래서 하루에 두 번 먹는 게 좋다고 하는 사람도 있습니다. 아침은 바쁘기 때문에 밥을 먹지 못하는 사람이나 다이어트로 하루에 한 번밖에 먹지 않는 사람도 많이 있습니다. 하지만 건강해지기 위해서는 몇 번 먹는지 보다는 어떤 식사를 하는지가 중요합니다.

단어 みなさん 여러분 | 一日(いちにち) 하루 | 何回(なんかい) 몇 번, 몇 회 | ご飯(はん) 밥 | 朝(あさ) 아침 | 昼(ひる) 점심 | 夜(よる) 저녁, 밤 | 多(おお)い 많다 | いつも 항상, 늘 | 同(おな)じだ 같다, 동일하다 | 時間(じかん) 시간 | 難(むずか)しい 어렵다, 힘들다 | だから 그래서, 그러니까 | 忙(いそが)しい 바쁘다 | ダイエット 다이어트 | ～回(かい) ～번, ～회 | 元気(げんき)になる 건강해지다 | ～より ～보다 | 食事(しょくじ) 식사 | 大切(たいせつ)だ 중요하다, 소중하다

2 건강해지기 위해서는 무엇이 중요합니까?

1 밥을 하루 세 번 먹는 것
2 밥을 하루 두 번 먹는 것
3 아침에는 밥을 먹지 않는 것
4 어떤 밥을 먹느냐 하는 것

정답 4

해설 건강을 위한 식사란 무엇인지에 대해 묻고 있다. 마지막 문장에 '건강해지기 위해서는 몇 번 먹는지 보다는 어떤 식사를 하는지가 중요합니다'라고 하였으므로 정답은 4번이다.

もんだい 5 내용 이해(중문)

실전문제 정답 및 해설

정답

실전문제 [1] 2 [2] 1

실전문제

もんだい5 다음 글을 읽고 질문에 답하세요. 답은 1・2・3・4에서 가장 적당한 것을 하나 고르세요.

문제편 162p

우리 학교는 조금 먼 곳에 있습니다. 집에서 버스를 타고 가지만, 내린 후에 20분 정도 걷습니다. 자전거로 갈 수도 있지만, 버스가 달리는 길은 자동차가 많이 오기 때문에 무섭습니다.

학교 근처에는 작은 강이 있습니다. 강물은 매우 깨끗하고 물고기도 헤엄치고 있습니다. 여름에는 그 강에서 친구와 함께 놉니다. 저는 강에서 노는 것을 매우 좋아합니다.

강 바로 옆에 새롭고 커다란 집이 있습니다. 이 집은 학교에서 가깝기 때문에 귀가하면 바로 강에 가서 친구와 놀 수 있습니다. 그래서 '나도 언젠가 저런 집에 살고 싶다'고 생각합니다. 친구와 함께 실컷 놀고 식사 시간에 돌아갈 겁니다. 매일이 너무 즐거울 거예요.

단어 学校 학교 | 少し 조금, 약간, 다소 | 遠い 멀다 | ところ 곳, 장소 | 家 집 | バス 버스 | 乗る 타다 | 降りる 내리다 | ～くらい·ぐらい ~정도 | 歩く 걷다 | 自転車 자전거 | 走る 달리다 | 道 길 | 車 차, 자동차 | たくさん 많이, 잔뜩, 실컷 | 怖い 무섭다 | 近く 근처, 가까운 곳 | 小さい 작다 | 川 강 | 水 물 | とても 매우, 굉장히 | きれいだ 깨끗하다, 예쁘다 | 魚 물고기, 생선 | 泳ぐ 헤엄치다, 수영하다 | 夏 여름 | 友だち 친구 | いっしょに 함께 | 遊ぶ 놀다 | 大好きだ 매우 좋아하다 | すぐ 바로, 곧 | そば 옆, 곁, 근처 | 新しい 새롭다 | 大きい 크다 | 近い 가깝다 | 帰る 돌아가(오)다, 귀가하다 | いつか 언젠가 | 住む 살다 | 思う 생각하다 | ご飯 밥 | 時間 시간 | 毎日 매일 | 楽しい 즐겁다 | 危ない 위험하다 | 勉強 공부

[1] 이 사람은 어째서 자전거로 학교에 가지 않습니까?

1 집이 멀기 때문에

2 자동차가 많아서 위험하기 때문에

3 버스를 타고 싶기 때문에

4 걸으면서 강을 보고 싶기 때문에

정답 2

해설 글쓴이의 학교는 조금 먼 곳에 있는데 버스가 달리는 길은 자동차가 많이 달려 무섭기 때문에 버스에서 내린 후 20분이나 걸어야 하는데도 버스로 통학하고 있다고 말하고 있다. 따라서 이를 '자동차가 많아서 위험하기 때문에'라고 바꿔 말한 2번이 정답이다.

2 이 사람은 저런 집에 살면서 무엇을 하고 싶습니까?

1 친구들과 강에서 놀고 싶다.
2 친구들과 집에서 놀고 싶다.
3 친구들과 공부를 하고 싶다.
4 친구들과 집에서 밥을 먹고 싶다.

정답 1

해설 '저런 집'이란 강 바로 옆에 새롭고 커다란 집을 말하는 것이며, 밑줄이 있는 문장의 앞 문장에서 이 집은 학교에서 가까워서 귀가하면 바로 친구와 놀 수 있을 것 같다고 살고 싶은 이유를 설명하고 있으므로 정답은 1번이다.

もんだい 6 정보 검색

실전문제 정답 및 해설

정답

실전문제　1 3

실전문제

もんだい6　오른쪽 페이지를 보고 아래의 질문에 답하세요. 답은 1・2・3・4에서 가장 적당한 것을 하나 고르세요. 문제편 164p

1

가족 세 명이서 토요일에 여행을 갑니다. 가방이 두 개 있어서 역에서 가까운 곳이 좋습니다. 저녁은 호텔에서 먹고 싶습니다. 아침은 역 근처 식당에서 맛있는 것을 먹고 싶다고 생각합니다. 호텔에서 쓸 돈은 전부 다해서 35,000엔까지입니다.

이 가족은 어느 호텔에 갑니까?

1 나기사 호텔
2 꽃의 호텔
3 녹색 하우스
4 바다의 나라

정답 3

해설 가방이 두 개 있어서 역에서 가까운 곳이 좋다고 했으므로 역에서 버스로 이동하는 나기사 호텔과 바다의 나라는 답에서 제외된다. 꽃의 호텔은 1인당 비용이 12,000엔으로 세 명이면 36,000엔이 되므로 호텔에서 쓸 전체 예산인 35,000엔보다 많다. 그리고 아침은 역 근처에서 먹고 저녁은 호텔에서 먹고 싶다고 했으므로 정답은 3번 녹색 하우스이다.

단어 家族(かぞく) 가족 | 旅行(りょこう) 여행 | かばん 가방 | 駅(えき) 역 | 近(ちか)い 가깝다 | 所(ところ) 곳, 장소 | いい 좋다 | ばんご飯(はん) 저녁밥 | ホテル 호텔 | 朝(あさ) 아침 | 駅(えき) 역 | 近(ちか)く 근처 | 食堂(しょくどう) 식당 | おいしい 맛있다 | 思(おも)う 생각하다 | 使(つか)う 쓰다, 사용하다 | お金(かね) 돈 | 全部(ぜんぶ)で 전부 합쳐서, 모두 다 해서 | ～まで ～까지

바다 근처에 이런 호텔이!!!

가족끼리 즐거운 여행을 하지 않겠습니까?

호텔	돈(금액)	식사	역 ↔ 호텔
나기사 호텔	1인 8,000엔	없습니다	버스로 20분
꽃의 호텔	1인 12,000 엔	아침밥 + 저녁밥	걸어서 5분
녹색 하우스	1인 10,000 엔	저녁밥만	걸어서 5분
바다의 나라	1인 15,000 엔	아침밥 + 저녁밥	버스로 10분

Part 4

JLPT N5

Part 4

청해

もんだい 1 과제 이해

연습문제 정답 및 해설

정답

연습문제　1 4　2 3　3 4　4 4　5 1　6 2　7 3

연습문제

もんだい 1　문제 1에서는 우선 질문을 들으세요. 그리고 이야기를 듣고 문제지의 1에서 4 중에서 가장 적당한 것을 하나 고르세요.

1　16　문제편 179p

クラスで 先生と 学生が 話して います。学生は、今日 うちで 何を 勉強しますか。

男 今日は教科書の 11 ページと 12 ページの 漢字を勉強しました。宿題は 13 ページと 14 ページの練習です。

女 全部ですか。

男 ええ、そうです。がんばって ください。

学生は、今日 うちで 何を 勉強しますか。

반에서 선생님과 학생이 이야기하고 있습니다. 학생은 오늘 집에서 무엇을 공부합니까?

남 오늘은 교과서 11페이지와 12페이지의 한자를 공부했습니다. 숙제는 13페이지와 14페이지의 연습입니다.

여 전부인가요?

남 네, 그렇습니다. 힘내세요.

학생은 오늘 집에서 무엇을 공부합니까?

1
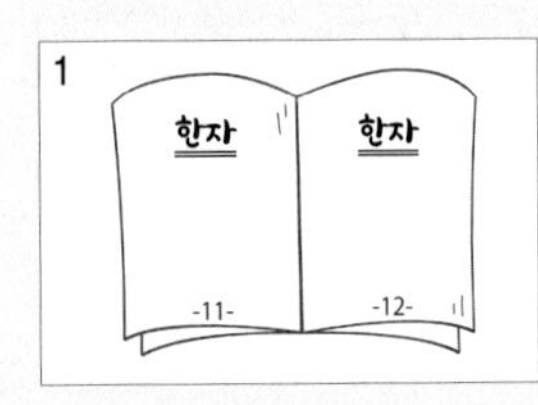

2
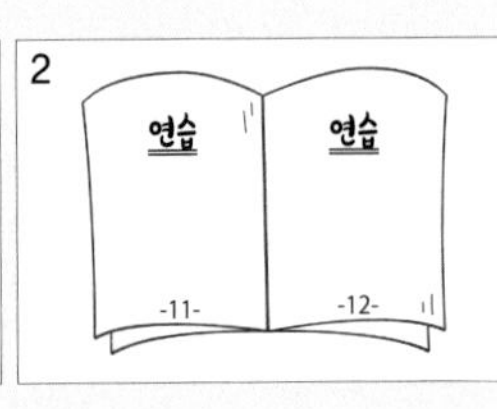

3
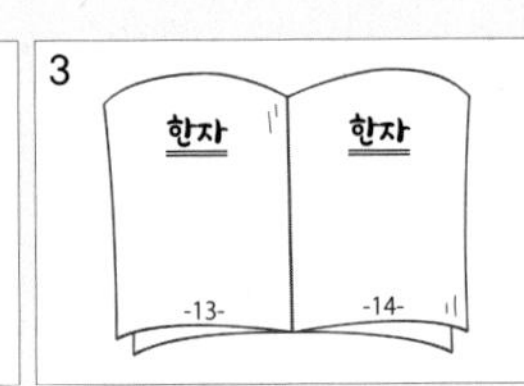

4
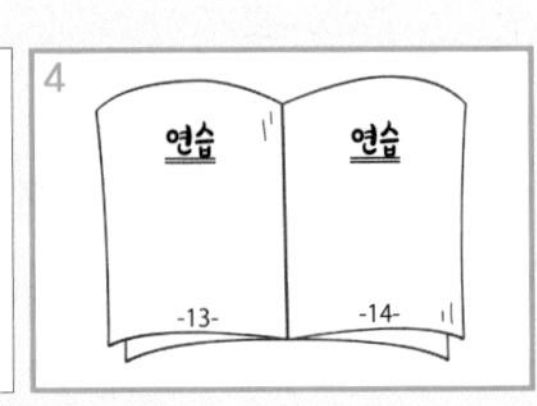

정답 4

단어 クラス 클래스, 반, 학급 | 先生 선생님 | 学生 학생 | 今日 오늘 | うち 집 | 勉強 공부 | 教科書 교과서 | ページ 페이지 | 漢字 한자 | 宿題 숙제 | 練習 연습 | 全部 전부 | がんばる 힘내다, 열심히 하다, 분발하다

해설 선생님이 숙제는 13페이지와 14페이지 연습이라고 하자 여자가 전부 다 해야 하는지 묻고, 이에 남자가 '그렇다'고 대답했으므로, 4번 13페이지, 14페이지의 연습이 정답이다.

---

2 17 문제편 180p

スーパーで 男の 人と 女の 人が 話して います。女の 人は 何を 買いますか。

슈퍼에서 남자와 여자가 이야기하고 있습니다. 여자는 무엇을 삽니까?

男 いらっしゃいませ。今日は トマトを 安く しますよ。

女 あ、でも 今日は カレーを つくるから トマトは いりません。

男 便利な カレーセットも ありますよ。カレーで 使う やさいは 全部 入って います。

女 やさいは 家に たくさん あります。ぶた肉は ありませんか。

男 あちらの たまご コーナーの となりに あります。

남 어서 오세요. 오늘은 토마토를 싸게 드립니다.

여 아, 하지만 오늘은 카레를 만들기 때문에 토마토는 필요 없어요.

남 편리한 카레 세트도 있습니다. 카레에 쓰는 야채는 모두 들어 있어요.

여 야채는 집에 많이 있어요. 돼지고기는 없나요?

남 저쪽 계란 코너 옆에 있습니다.

女の 人は 何を 買いますか。

여자는 무엇을 삽니까?

1

2

3
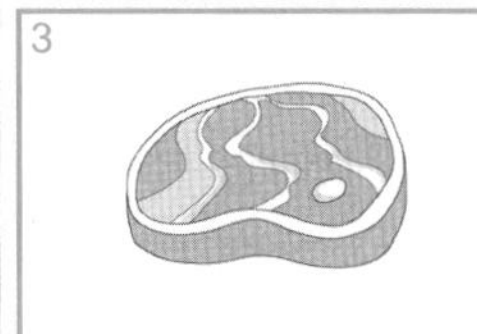

4
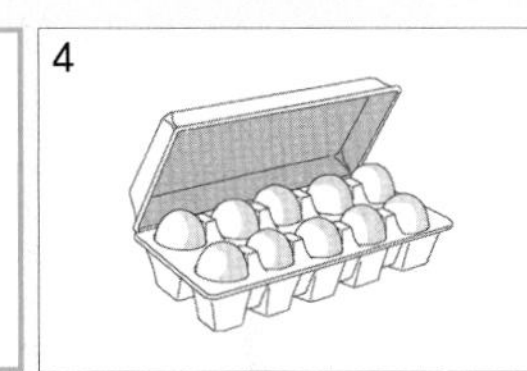

정답 3

단어 スーパー 슈퍼 | 男の 人 남자 | 女の 人 여자 | 買う 사다 | いらっしゃいませ 어서오십시오, 어서 오세요(가게에서 손님에게 하는 인사말) | トマト 토마토 | 安い 싸다, 저렴하다 | カレー 카레 | 作る 만들다 | いらない 필요 없다 | 便利だ 편리하다 | セット 세트 | 野菜 채소, 야채 | 全部 모두, 전부 | 入る 들어가다, 들어오다 | 家 집 | たくさん 많이 | ぶた肉 돼지고기 | あちら 저쪽 | たまご 달걀 | コーナー 코너 | 隣 옆, 이웃

해설 슈퍼에서 오가는 대화문으로, 여자가 사는 것은 무엇인지 묻고 있다. 여자는 오늘 메뉴가 카레라고 하고, 남자가 야채를 권하자 야채는 집에 많이 있고, 그것보다 돼지고기는 없냐고 묻는다. 이에 남자가 계란 코너 옆에 있다고 안내하고 있으므로, 여자가 구매할 것은 3번 돼지고기이다.

---

3 18 문제편 180p

男の 学生と 学校の 人が 話しています。学生は いつ 学校に 来ますか。

남학생과 학교 사람이 이야기하고 있습니다. 학생은 언제 학교에 옵니까?

男 すみません。田中先生に 質問が ありますが。

女 田中先生は 火曜日は 学校に 来ませんよ。

男 じゃあ、今週は いつが いいでしょうか。

女 あしたは 午前中は いますが 午後は 休みです。あさっての 午後は 大丈夫でしょう。

男 あしたの 午前中は 授業ですから…。じゃ、木曜日に また 来ます。

남 실례합니다. 다나카 선생님께 질문이 있는데요.

여 다나카 선생님은 화요일은 학교에 오지 않아요.

남 그럼 이번 주는 언제가 좋을까요?

여 내일은 오전 중에는 있지만 오후에는 쉽니다. 모레 오후는 괜찮을 거예요.

남 내일 오전 중에는 수업이라서요…. 그럼 목요일에 다시 올게요.

学生は いつ 学校に 来ますか。

1 あしたの ごぜんちゅう

2 あしたの ごご

3 あさっての ごぜんちゅう

4 あさっての ごご

학생은 언제 학교에 옵니까?

1 내일 오전 중

2 내일 오후

3 내일모레 오전 중

4 내일모레 오후

정답 4

단어 質問 질문 | 学校 학교 | 今週 이번 주 | いつ 언제 | あした 내일 | 午前中 오전 중 | 午後 오후 | 休み 휴일, 쉬는 시간, 휴식 | あさって 내일모레 | 大丈夫だ 괜찮다 | 授業 수업

해설 남학생이 다나카 선생님을 만나러 언제 오면 좋을지 묻자 여자는 내일 오전과 모레 오후가 괜찮다고 한다. 이에 남학생은 내일 오전 중에는 수업이 있으므로 목요일에 다시 온다고 대답한다. 대화 맨 처음에 다나카 선생님께 질문이 있다는 남학생의 말에 여자는 화요일에는 다나카 선생님이 오지 않는다고 한다. 즉, 질문한 시점인 오늘은 선생님이 안 계시는 화요일임을 알 수 있다. 목요일은 내일모레이므로 정답은 4번이다.

4 19 문제편 181p

女の 人と 男の 人が 話して います。女の 人は 何曜日の 何時の クラスで 勉強しますか。

女 すみません。週末の クラスは ありますか。

男 はい、週末の クラスは 毎週 土曜日の クラスと、毎月 第1 日曜日だけの クラスが あります。土曜日の クラスは、毎週 午前 10 時、午後 2時、午後 4時の 3つの クラスが あります。日曜日の クラスは、午前 10 時からの クラスだけです。どの クラスも、全部 60 分です。

女 うーん、土曜日、毎週は ちょっと むずかしいですね。

여자와 남자가 이야기하고 있습니다. 여자는 무슨 요일의 몇 시 클래스에서 공부합니까?

여 실례합니다. 주말반은 있나요?

남 네, 주말반은 매주 토요일 클래스과 매월 첫째 주 일요일만 하는 클래스가 있습니다. 토요일 클래스는 매주 오전 10시, 오후 2시, 오후 4시의 세 개 클래스가 있습니다. 일요일 클래스는 오전 10시부터의 클래스뿐입니다. 어느 클래스나 전부 60분입니다.

여 음, 토요일 매주는 좀 어렵네요.

男 そうですか。じゃあ、日曜日が いいですよ。

女 その クラス、10時からですね。じゃ、来月から勉強したいですが、いいですか。

男 はい。わかりました。

女の 人は 何曜日の 何時の クラスで 勉強しますか。

남 그러신가요? 그럼 일요일이 좋겠군요.

여 그 클래스, 10시부터지요? 그럼 다음 달부터 공부하고 싶은데 괜찮을까요?

남 네. 알겠습니다.

여자는 무슨 요일의 몇 시 클래스에서 공부합니까?

수업 안내

토요일	일요일
매주 아. 오전 10:00 ~ 이. 오후 2:00 ~ 우. 오후 4:00 ~	매달 첫째 주 일요일만 에. 오전 10:00 ~

1 ア
2 イ
3 ウ
4 エ

1 아
2 이
3 우
4 에

정답 4

단어 勉強 공부 | クラス 클래스, 반, 학급 | 週末 주말 | 毎週 매주 | 毎月 매월, 매달 | 第一 제일, 첫 번째 | 午前 오전 | 午後 오후 | どの 어느 | 全部 전부, 모두 | 来月 다음 달

해설 여자는 주말반에 대해 문의하고 있다. 주말반은 매주 토요일 클래스와 매월 첫째 주 일요일만 하는 클래스가 있는데, 여자는 토요일 매주는 어렵다고 하였으므로 일요일로 선택지가 좁혀진다. 따라서 정답은 4번이다.

---

5 20

문제편 182p

男の 人が 女の 人の 家に 行きました。男の 人は はじめに 何を しますか。

남자가 여자의 집에 갔습니다. 남자는 처음에 무엇을 합니까?

男 こんにちは。

女 いらっしゃい。どうぞ。私の 部屋は 二階です。

男 あ、でも さきに お母さんに あいさつを…。

女 母は 今 買い物に 行って いるから。

남 안녕하세요.

여 어서 오세요. 들어오세요. 제 방은 2층입니다.

남 아, 그런데 먼저 어머니께 인사를….

여 어머니는 지금 쇼핑하러 가서요.

男 そうですか。あ、ちょっと 手(て)を あらって きても いいですか。
女 ええ、そこの トイレの 前で あらって ください。
男 しつれいします。

남 그런가요? 아, 잠시 손을 씻고 와도 될까요?
여 네, 거기 화장실 앞에서 씻으세요.
남 실례하겠습니다.

男(おとこ)の 人(ひと)は はじめに 何(なに)を しますか。
1 てを あらう
2 トイレに いく
3 おかあさんに あいさつする
4 かいものに いく

남자는 처음에 무엇을 합니까?
1 손을 씻는다
2 화장실에 간다
3 어머니께 인사한다
4 쇼핑하러 간다

정답 1

단어 はじめに 처음, 먼저 | いらっしゃい 어서 오세요 | どうぞ 부디, 어서, 아무쪼록(상대방에게 무엇을 권하거나 부탁할 때 쓰는 표현) | 部屋(へや) 방 | ~階(かい·がい) ~층 | さきに 먼저, 전에 | お母(かあ)さん 어머니 | あいさつ 인사 | 買(か)い物(もの) 쇼핑, 장보기 | ちょっと 조금, 잠깐 | 手(て) 손 | 洗(あら)う 씻다 | そこ 거기 | トイレ 화장실 | 前(まえ) 앞 | 失礼(しつれい)します 실례합니다, 실례하겠습니다

해설 남자가 여자의 집에서 제일 처음에 하는 일을 찾아야 한다. 여자의 집에 들어선 후 남자는 먼저 어머니께 인사를 하려고 했지만 부재중이라는 이야기를 듣는다. 그 후, 손을 씻고 와도 되는지 묻고, 여자는 화장실 앞의 세면대 위치를 안내하였으므로 정답은 1번이다.

---

6 21 문제편 182p

子(こ)どもと お母(かあ)さんが 話(はな)して います。子(こ)どもは これから 何(なに)を しますか。

아이와 엄마가 이야기하고 있습니다. 아이는 이제부터 무엇을 합니까?

男 お母(かあ)さん、おなか すいた。ごはんは まだ？
女 今(いま)から 作(つく)るよ。その 間(あいだ)、犬(いぬ)の 散歩(さんぽ) お願(ねが)いしても いい？
男 おなかが すいて 散歩(さんぽ)は 無理(むり)！
女 じゃあ、部屋(へや)の そうじか せんたくは？
男 ええ？ 行(い)って きます！

남 엄마, 배고파. 밥은 아직이야?
여 지금부터 만들 거야. 그동안 강아지 산책 부탁해도 될까?
남 배고파서 산책은 무리야!
여 그럼 방 청소나 빨래는?
남 네? 다녀오겠습니다!

子(こ)どもは これから 何(なに)を しますか。

아이는 이제부터 무엇을 합니까?

1 
2 
3 
4 

정답 2

단어 おなかが すく 배가 고프다 | まだ 아직 | 今から 지금부터, 이제부터 | 作る 만들다 | 間 ~동안, ~사이 | 犬 개 | 散歩 산책 | お願いする 부탁하다 | 無理だ 무리이다 | 部屋 방 | 掃除 청소 | 洗濯 세탁, 빨래

해설 아이가 할 것을 묻고 있다. 아이의 배가 고프다는 말에 엄마는 밥을 하는 동안 강아지 산책을 아이에게 부탁했다. 하지만 배가 고픈 아이가 산책은 어렵다고 하자 엄마는 대신 방 청소나 빨래를 부탁한다. 아이는 강아지 산책이 더 낫겠다고 생각하고 서둘러 집을 나서고 있으므로 정답은 2번이다. 아이의 마지막 대사의「ええ？」는 억양과 말투에 따라 '응, 네(긍정)', '앗!(놀람)', '음(망설임)' 등 여러 가지로 해석할 수 있다. 이런 경우 대화의 앞뒤 상황을 보고 적절히 내용을 파악해야 한다.

---

7 22

문제편 183p

男の 人と 女の 人が 話して います。二人は 今から 何を しますか。

남자와 여자가 이야기하고 있습니다. 두 사람은 지금부터 무엇을 합니까?

男 あー、お昼ですね。何か 食べましょう。

女 そうですね。でも この 時間は 食堂に 人が 多く ないですか？

男 じゃ、コンビニで べんとうを 買いましょうか。

女 えーっ… あまり おいしく ないでしょ。

男 あ、駅の 近くに おにぎりの みせが ありますね。

女 いいですね！ おいしいの たくさん 買って きて、公園で 食べましょう。

남 아, 벌써 점심(시간)이네요. 뭐 좀 먹읍시다.

여 그래요. 근데 이 시간에는 식당에 사람이 많지 않아요?

남 그럼 편의점에서 도시락을 살까요?

여 아… 별로 맛없지 않아요?

남 아, 역 근처에 주먹밥 가게가 있네요.

여 좋네요! 맛있는 거 많이 사 와서 공원에서 먹어요.

二人は 今から 何を しますか。

두 사람은 지금부터 무엇을 합니까?

정답 3

단어 お昼 점심 | 何か 뭔가 | 食べる 먹다 | でも 그러나, 하지만 | 時間 시간 | 食堂 식당 | 多い 많다 | コンビニ 편의점 | 弁当 도시락 | 買う 사다 | あまり~ない 별로 ~않다, 그다지 ~않다 | 駅 역 | 近く 근처 | おにぎり 주먹밥 | 店 가게 | 公園 공원

해설 두 사람이 지금부터 해야 할 일을 묻고 있다. 여자는 식당에는 사람들이 많을 것 같고, 편의점 도시락은 맛이 없다며 난감해 한다. 마지막에 남자가 역 근처 주먹밥 가게를 권했고, 여자도 동의하고 있으므로 정답은 3번이다.

もんだい 2 포인트 이해

연습문제 정답 및 해설

정답

연습문제 1 4 2 2 3 3 4 4 5 3 6 3

연습문제

もんだい 2 문제 2에서는 우선 질문을 들으세요. 그다음에 이야기를 듣고, 문제지의 1에서 4 중에서 가장 적당한 것을 하나 고르세요.

1 23

문제편 185p

男の 人が 話しています。男の 人は 雨の 日は どうやって 学校へ 行きますか。

남자가 이야기하고 있습니다. 남자는 비 오는 날은 어떻게 학교에 갑니까?

男 私の 家から 学校までは 2キロぐらい あります。電車で 行っても 駅から 学校まで 歩く 時間が かかりますから あまり 早く 着きません。バスは 学校の 近くまで 行きますが、1時間に 2回しか 来ないから 時間が 合いません。一番 いいのは 自転車ですが、雨の 日は ちょっと あぶないです。それで 天気が 悪い 時は 歩きます。家を 早く 出て 40 分くらい 歩くのは いい 運動に なります。

남 저의 집에서부터 학교까지는 2킬로미터 정도 됩니다. 전철로 가도 역에서 학교까지 걷는 시간이 걸리기 때문에 그다지 빨리 도착하지 않습니다. 버스는 학교 근처까지 가지만, 한 시간에 두 번밖에 오지 않아서 시간이 맞지 않습니다. 제일 좋은 건 자전거인데 비 오는 날은 좀 위험합니다. 그래서 날씨가 나쁠 때는 걷습니다. 집을 일찍 나와서 40분 정도 걷는 것은 좋은 운동이 됩니다.

男の 人は 雨の 日は どうやって 学校へ 行きますか。

남자는 비 오는 날에는 어떻게 학교에 갑니까?

1

2

3

4

정답 4

단어 雨(あめ)の日(ひ) 비 오는 날 | どうやって 어떻게, 어떻게 해서 | 家(いえ) 집 | 学校(がっこう) 학교 | キロ 킬로미터(km) | ある 있다(사물·식물) | 電車(でんしゃ) 전철 | 駅(えき) 역 | 歩(ある)く 걷다 | 時間(じかん) 시간 | かかる (시간이) 걸리다, (비용이) 들다 | あまり 그다지 | 早(はや)く 빨리, 일찍 | 着(つ)く 도착하다 | バス 버스 | 近(ちか)く 근처 | ~回(かい) ~회, ~번 | 合(あ)う 맞다 | 一番(いちばん) 제일, 가장 | 自転車(じてんしゃ) 자전거 | ちょっと 좀, 조금 | 危(あぶ)ない 위험하다 | 天気(てんき) 날씨 | 悪(わる)い 나쁘다 | 運動(うんどう) 운동

해설 비 오는 날 어떻게 학교에 가는지 수단을 묻는 문제이다. 대사 마지막에 '날씨가 나쁠 때는 걷습니다'라고 했으므로 정답은 4번이다. 「どうやって 어떻게」는 수단·방법을 물을 때 사용하는 표현으로 포인트 이해에서 자주 나오므로 꼭 기억해 두도록 하자.

---

2 24

문제편 186p

男(おとこ)の 学生(がくせい)と 女(おんな)の 学生(がくせい)が 話(はな)して います。女(おんな)の 学生(がくせい)は 兄弟(きょうだい)が 何人(なんにん) いますか。

남학생과 여학생이 이야기하고 있습니다. 여학생은 형제가 몇 명 있습니까?

男 ミキさんは 兄弟(きょうだい)が いますか。

女 はい、兄(あに)が 二人(ふたり) います。

男 そうですか。二人(ふたり)は 何(なに)を して いますか。

女 兄(あに)たちは 大学生(だいがくせい)です。どちらも とても やさしくて、おもしろいですよ。

남 미키 씨는 형제가 있습니까?

여 네, 오빠가 두 명 있습니다.

남 그래요? 두 사람은 무엇을 하고 있습니까?

여 오빠들은 대학생입니다. 둘 다 매우 다정하고 재밌어요.

女(おんな)の 学生(がくせい)は 兄弟(きょうだい)が 何人(なんにん) いますか。

1 おにいさんが ひとり
2 おにいさんが ふたり
3 おねえさんが ひとり
4 おねえさんが ふたり

여학생은 형제가 몇 명 있습니까?

1 오빠가 한 명
2 오빠가 두 명
3 언니가 한 명
4 언니가 두 명

정답 2

단어 兄弟(きょうだい) 형제 | 何人(なんにん) 몇 명 | いる 있다(사람·동물) | 兄(あに) 오빠, 형 | 二人(ふたり) 두 명 | 大学生(だいがくせい) 대학생 | どちらも 둘 다, 양쪽 다 | とても 매우, 굉장히 | やさしい 다정하다, 착하다, 상냥하다 | おもしろい 재미있다 | お兄(にい)さん 형, 오빠 | お姉(ねえ)さん 누나, 언니

해설 여학생의 형제는 몇 명인지 묻고 있다. 여자는 오빠가 2명이고, 대학생에 둘 다 다정하고 재미있다고 말하고 있으므로 정답은 2번이다.

3 🎧25 문제편 186p

電話で 女の 学生と 男の 学生が 話して います。二人は 今日 いっしょに 何を しますか。

전화로 여학생과 남학생이 이야기하고 있습니다. 두 사람은 오늘 함께 무엇을 합니까?

女 もしもし、あきらさん？

男 あ、おはよう ございます。

女 今日 うちで いっしょに 映画を 見ませんか。

男 ああ。いいですね。でも、今日は 午前中、友だちと いっしょに サッカーを して、それから みんなと いっしょに 食事に 行きます。だから、夕方でも いいですか。

女 いいですよ。じゃ、夕方に うちに 来て ください。

男 わかりました。行く 前に また 電話します。

女 はい、ありがとうございます。

여 여보세요, 아키라 씨?

남 아, 안녕하세요.

여 오늘 우리집에서 같이 영화 보지 않을래요?

남 네, 좋아요. 하지만 오늘 오전 중에는 친구들과 함께 축구를 하고, 그다음에 다 함께 식사를 하러 갈 거예요. 그래서 저녁이라도 괜찮을까요?

여 좋아요. 그럼 저녁에 우리집으로 오세요.

남 알겠습니다. 가기 전에 다시 전화할게요.

여 네, 고맙습니다.

二人は 今日 いっしょに 何を しますか。

두 사람은 오늘 함께 무엇을 합니까?

정답 3

단어 電話 전화 | いっしょに 함께 | もしもし 여보세요 | うち (우리) 집 | 一緒に 같이, 함께 | 映画 영화 | 見る 보다 | 午前中 오전 중 | 友だち 친구 | サッカー 축구 | それから 그다음에, 그러고 나서 | みんな 모두 | 食事 식사 | 夕方 저녁, 해질녘 | 前 전(시간), 앞(공간)

해설 두 사람이 함께 하는 일을 묻는 문제이다. 여자가 집에서 영화를 보자고 제안하고 이에 남자가 좋다고 대답했으며, 대화 마지막에 여자가 저녁에 집으로 오라고 했으므로 집에서 영화를 보는 3번이 정답이다. 축구를 하고 친구들과 함께 식사를 하는 것은 남자의 저녁 전까지의 일정이므로 답으로는 적절하지 않다.

---

4 🎧26 문제편 187p

男の 人と 女の 人が 話しています。女の 人は 先週の 日曜日、何を しましたか。日曜日です。

남자와 여자가 이야기하고 있습니다. 여자는 지난주 일요일에 무엇을 했습니까? 일요일입니다.

男 木村さん、週末、どこか 行きましたか。

남 기무라 씨, 주말에 어딘가 갔었나요?

女 はい。土曜日に 図書館へ 行きました。一日中、いろいろな 本を 読みました。

男 へえ。いいですね。

女 そして、つぎの 日は、図書館で 借りた 本を うちで 読みました。

男 そうですか。疲れたでしょう。

女 いいえ。楽しかったです。

女の 人は 先週の 日曜日、何を しましたか。

1 ほんを かりに いきました

2 ほんを かいに いきました

3 としょかんで ほんを よみました

4 うちで ほんを よみました

여 네. 토요일에 도서관에 갔어요. 하루 종일 다양한 책을 읽었어요.

남 와, 좋네요.

여 그리고 다음날은 도서관에서 빌린 책을 집에서 읽었어요.

남 그래요? 피곤하겠네요.

여 아니요. 즐거웠어요.

여자는 지난주 일요일에 무엇을 했습니까?

1 책을 빌리러 갔습니다

2 책을 사러 갔습니다

3 도서관에서 책을 읽었습니다

4 집에서 책을 읽었습니다

정답 4

단어 図書館 도서관 | 週末 주말 | どこか 어딘가 | 一日中 하루 종일 | いろいろな 다양한, 여러 가지의 | 本 책 | 読む 읽다 | へえ 흠, 와(감동, 놀람 등을 나타내는 감탄사) | いい 좋다 | つぎ 다음 | 借りる 빌리다 | 疲れる 피로해지다, 지치다 | 楽しい 즐겁다

해설 여자는 지난주 토요일에 도서관에 갔고, 다음 날(일요일)에는 도서관에서 빌린 책을 집에서 읽었다고 하였으므로 정답은 4번이다. 도서관에 간 것은 토요일이므로 도서관에서 하는 일인 1번과 3번은 답이 될 수 없다. 책을 사러 간 내용은 언급이 없으므로 2번 역시 오답이다.

---

5 27

문제편 187p

女の 人と 男の 人が 話して います。二人は 夏休みに どこで 何を しますか。

女 夏休みは、海と 山、どちらに 行きましょうか。

男 そうですね…。

女 去年は 海で 釣りを しましたね。今年は 山へ 行きませんか。山で キャンプを しましょう。川で 泳ぐ ことも できますよ。

男 ああ、いいですね。でも、みんな 山登りが できますか。いつもは あまり 歩きませんから。

女 だから、歩きやすい 道を 歩きましょう。楽しいと 思いますよ。

男 わかりました。

여자와 남자가 이야기하고 있습니다. 두 사람은 여름휴가 때 어디서 무엇을 합니까?

여 여름휴가는 바다와 산 중 어느 쪽으로 갈까요?

남 글쎄요….

여 작년에는 바다에서 낚시를 했잖아요. 올해는 산에 가지 않을래요? 산에서 캠핑을 합시다. 강에서 수영도 할 수 있어요.

남 네, 좋아요. 근데 다들 등산을 할 수 있을까요? 평소에는 잘 걷지 않으니까요.

여 그러니까 걷기 쉬운 길을 걸읍시다. 즐거울 거예요.

남 알겠습니다.

二人は 夏休みに どこで 何を しますか。

두 사람은 여름휴가 때 어디서 무엇을 합니까?

정답 3

단어 夏休み 여름휴가, 여름 방학 | どこ 어디 | 海 바다 | 山 산 | どちら 어느 쪽, 어는 것 | 去年 작년 | 釣り 낚시 | 今年 올해 | キャンプ 캠핑 | 川 강 | 泳ぐ 수영을 하다, 헤엄치다 | 山登り 등산 | できる 할 수 있다 | いつも 늘, 항상 | あまり 그다지 | 歩く 걷다 | 楽しい 즐겁다, 신나다

해설 여름휴가 때 어디에서 무엇을 할지 묻고 있다. 수영을 하는 것이 바다가 아니라 강이라고 하였으므로 1번은 오답이며, 바다에서 낚시를 한 것은 작년 여름이었으므로 2번 역시 답이 될 수 없다. 남자가 '다들 등산을 할 수 있을까요? 평소에는 잘 걷지 않으니까요.'라고 하자 여자가 '그러니까 걷기 쉬운 길을 걸읍시다'라고 대답한다. 따라서 힘들게 암벽을 타는 느낌의 4번 역시 답으로는 적절하지 않다. 정답은 산에서 캠핑을 하는 3번이다.

---

6 28

문제편 188p

男の 人と 女の 人が 話して います。女の 人は どうして ケーキを 買いませんか。

남자와 여자가 이야기하고 있습니다. 여자는 어째서 케이크를 사지 않습니까?

男 あそこの お店の ケーキ おいしいですね！

女 本当に おいしいです。

男 来週の 土曜日は 田中さんの 誕生日だから あの ケーキを あげるのは どうですか。

女 私も 買いたいけど、今回は 無理です。

男 え、どうしてですか。高いからですか？ 買う 人が 多いからですか？

女 きのう 田中さんに 聞きましたが 今年は 自分で 作ると 言いました。

男 そうですか。じゃ、ほかに 何か おいしい ものを 買いましょう。

남 저기 가게 케이크가 맛있네요!

여 정말 맛있어요.

남 다음 주 토요일은 다나카 씨 생일이니까 저 케이크를 주는 게 어때요?

여 저도 사고 싶은데 이번에는 무리예요.

남 앗, 왜요? 비싸서 그래요? 사는 사람이 많아서요?

여 어제 다나카 씨에게 물어봤는데 올해는 직접 만들거라고 했어요.

남 그래요? 그럼 다른 뭔가 맛있는 것을 삽시다.

女の 人は どうして ケーキを 買いませんか。

1 たかいから
2 かう ひとが おおいから
3 たなかさんが じぶんで つくるから
4 ほかに おいしい ものを かうから

여자는 어째서 케이크를 사지 않습니까?

1 비싸기 때문에
2 사는 사람이 많기 때문에
3 다나카 씨가 직접 만들기 때문에
4 다른 맛있는 것을 사기 때문에

정답 3

단어 どうして 왜, 어째서 | ケーキ 케이크 | 買(か)う 사다 | あそこ 저기, 저곳 | お店(みせ) 가게 | おいしい 맛있다 | 本当(ほんとう)に 정말로 | 来週(らいしゅう) 다음 주 | 誕生日(たんじょうび) 생일 | あげる 주다 | 今回(こんかい) 이번 | 無理(むり)だ 무리이다, 어렵다, 힘들다 | 高(たか)い 비싸다, 높다 | 多(おお)い 많다 | 昨日(きのう) 어제 | 聞(き)く 듣다, 묻다 | 今年(ことし) 올해 | 自分(じぶん)で 직접, 스스로 | 作(つく)る 만들다

해설 케이크를 사지 않는 이유를 묻고 있다. 여자는 세 번째 대사에서 '어제 다나카 씨에게 물어봤는데 올해는 직접 만들겠다고 했어요' 라고 하고 있으므로 정답은 3번이다. 선택지 1, 2번 모두 남자의 추측이므로 답이 될 수 없고, 4번도 케이크를 사지 않는 이유가 아니므로 오답이다.

もんだい 3 발화 표현

연습문제 정답 및 해설

정답

연습문제 1 3 2 2 3 3 4 2 5 1

연습문제

もんだい 3 문제 3에서는 그림을 보면서 질문을 들으세요. ➡(화살표)의 사람은 뭐라고 말합니까? 1에서 3 중에서 가장 적당한 것을 하나 고르세요.

1 29

문제편 190p

同じ クラスの 友だちと 昼ごはんを 食べたいです。友だちに 何と 言いますか。

男 1 いっしょに 行きましょうか。
2 ごはん、食べましたか。
3 ごはん 食べに 行きませんか。

같은 반 친구와 점심을 먹고 싶습니다. 친구에게 뭐라고 합니까?

남 1 같이 갈까요?
2 밥 먹었어요?
3 밥 먹으러 가지 않을래요?

정답 3

단어 同じだ 같다, 동일하다 | クラス 클래스, 반, 학급 | 友だち 친구 | 昼ごはん 점심밥 | 何と 뭐라고 | 一緒に 함께

해설 친구에게 점심밥을 먹으러 가자고 권하는 상황이다. 남에게 뭔가를 권할 때 쓰는 표현인 「동사 ます형 + ませんか」를 사용해서 「ごはん 食べに 行きませんか」라고 말한 3번이 정답이다. 1번 「一緒に 行きましょうか 같이 갈까요?」처럼 어디로 무엇을 하러 가자는 것인지 모호한 대답은 정답이 될 수 없다.

2 🎧30 문제편 191p

二人で 友だちを 待って います。いくら 待っても 来ません。何と 言いますか。

女 1 大変ですね。
2 遅いですね。
3 もう 少しですね。

둘이서 친구를 기다리고 있습니다. 아무리 기다려도 오지 않습니다. 뭐라고 합니까?

여 1 큰일이네요.
2 늦네요.
3 앞으로 조금 남았네요.

정답 2

단어 待つ 기다리다 | いくら～ても 아무리 ~해도, 아무리 ~할 지라도 | 大変だ 큰일이다, 힘들다 | 遅い 늦다, 느리다 | もう少し 조금 더

해설 기다리고 있는 친구가 안 올 때 하는 말로는 2번「遅いですね 늦네요」가 적당하다.

---

3 🎧31 문제편 191p

タクシーで 駅に 行きます。何と 言いますか。

男 1 駅は どこですか。
2 駅の ほうが いいです。
3 駅まで お願いします。

택시로 역에 갑니다. 뭐라고 합니까?

남 1 역은 어디입니까?
2 역 쪽이 좋아요.
3 역까지 부탁합니다.

정답 3

단어 タクシー 택시 | 駅(えき) 역 | どこ 어디 | ～ほう ～쪽 | ～まで ～까지 | お願(ねが)いする 부탁하다

해설 택시 기사님께 역으로 가 달라고 해야 하므로, 3번 「駅(えき)まで お願(ねが)いします 역까지 부탁합니다」가 정답이다. 1번은 역이 어디인지 물을 때 하는 말이며, 2번은 역 쪽이 더 좋다는 비교 표현이므로 상황에 맞지 않는다.

---

4 32 문제편 192p

朝(あさ)、学校(がっこう)に 行(い)く 時(とき) となりの 人(ひと)に 会(あ)いました。何(なん)と 言(い)いますか。

男 1 はじめまして。
2 おはよう ございます。
3 どういたしまして。

아침에 학교에 갈 때 이웃집 사람을 만났습니다. 뭐라고 합니까?

남 1 처음 뵙겠습니다.
2 안녕하세요.
3 천만에요.

정답 2

단어 学校(がっこう) 학교 | となり 이웃, 옆 | 人(ひと) 사람 | はじめまして 처음 뵙겠습니다 | どういたしまして 천만에요, 별말씀을요

해설 1번 「はじめまして 처음 뵙겠습니다」는 누군가를 처음 알게 되었을 때, 3번 「どういたしまして 천만에요, 별말씀을요」는 감사 인사를 들었을 때 대답으로 사용하는 표현이다. 정답은 '아침 인사'인 2번이다. 참고로 회사나 아르바이트 등에서는 실제 아침이 아니더라도 그날 처음 만났을 때에는 시간과 상관없이 「おはよう ございます」를 쓰기도 한다.

---

5 33 문제편 192p

電車(でんしゃ)で 前(まえ)に おばあさんが 立(た)って います。何(なん)と 言(い)いますか。

女 1 こちらに どうぞ。
2 大変(たいへん)ですね。
3 すぐ 着(つ)きます。

전철에서 앞에 할머니가 서 있습니다. 뭐라고 합니까?

여 1 여기에 앉으세요.
2 큰일이네요.
3 곧 도착합니다.

정답 1

단어 電車(でんしゃ) 전철 | 前(まえ) 앞 | おばあさん 할머니 | 立(た)つ 서다, 일어서다 | こちら 이쪽 | どうぞ 아무쪼록, 부디 | 大変(たいへん)だ 힘들다, 큰일이다 | すぐ 곧, 바로, 금방 | 着(つ)く 도착하다

해설 전철에서 앞에 서 있는 할머니에게 자리를 양보하는 상황이므로, 정답은 1번 「こちらに どうぞ」이다. 2번과 3번은 상황과 맞지 않는 표현이다.

もんだい 4 즉시 응답

연습문제 정답 및 해설

정답

연습문제 1 2 2 2 3 3 4 1 5 3 6 1

연습문제

もんだい 4 문제 4는 그림 등이 없습니다. 문장을 듣고 1부터 3 중에서 가장 적당한 것을 하나 고르세요.

문제편 194p

1 34

男 週末は 何を しましたか。

女 1 旅行しましょう。
2 何も しませんでした。
3 いいえ、勉強は しませんでした。

남 주말에 무엇을 했습니까?

여 1 여행합시다.
2 아무것도 하지 않았습니다.
3 아니요, 공부는 하지 않았습니다.

정답 2

단어 週末 주말 | 旅行 여행 | 何も 아무것도 | 勉強 공부

해설 주말에 무엇을 했냐는 질문에 대한 적절한 대답은 2번 「何も しませんでした 아무것도 하지 않았습니다」이다. 선택지 1번은 「週末、何を しましょうか 주말에 무엇을 할까요?」에 대한 대답. 3번은 「週末は 勉強しましたか 주말에는 공부 했습니까?」에 대한 대답으로 적당하다. 「はい/いいえ」로 대답할 필요가 없는 질문에 대해 「はい/いいえ」로 대답하는 3번과 같은 표현은 전형적인 오답 유형이므로 주의해야 한다.

2 35

女 どうして 学校を 休みましたか。

男 1 ええ、ちょっと 休みましょう。
2 風邪を ひきましたから。
3 いいえ、まだです。

여 왜 학교를 쉬었습니까?

남 1 네, 좀 쉽시다.
2 감기에 걸렸기 때문입니다.
3 아니요, 아직이에요.

정답 2

단어 どうして 왜, 어째서 | 休む(やすむ) 쉬다 | ええ 네, 예(「はい」를 편하게 한 말) | ちょっと 좀, 조금 | 風邪(かぜ)をひく 감기에 걸리다 | まだ 아직

해설 학교를 왜 쉬었는지 묻고 있으므로, 이유를 말한 2번 「風邪(かぜ)を ひきましたから 감기에 걸렸기 때문입니다」가 답으로 적절하다. 「休む(やすむ) 쉬다」라는 동사만을 듣고 1번을 답으로 고르지 않도록 주의하자.

---

3 36

男 トイレは どちらですか。

女 1 とても 広い(ひろい)です。
2 こちらに います。
3 階段(かいだん)の うしろです。

남 화장실은 어디입니까?

여 1 매우 넓습니다.
2 이쪽에 있습니다.
3 계단 뒤입니다.

정답 3

단어 トイレ 화장실 | どちら 어느 쪽, 어느 것 | とても 매우, 대단히 | 広い(ひろい) 넓다 | こちら 이쪽, 이것 | いる 있다(사람·동물) | 階段(かいだん) 계단 | うしろ 뒤, 뒤쪽

해설 화장실이 어디에 있는지 묻고 있으므로, 구체적인 위치를 말한 3번 「階段(かいだん)の うしろです 계단 뒤입니다」가 정답이다. 2번 「こちらに います 이쪽에 있습니다」의 「いる」는 사람이나 동물의 존재 유무를 말할 때 쓰는 동사이므로 '화장실은 이쪽에 있습니다'라고 하려면 「こちらに あります」라고 해야 한다.

---

4 37

男 おかえりなさい。

女 1 ただいま。
2 こんばんは。
3 行って(いって) きます。

남 잘 다녀왔어요?

여 1 다녀왔습니다.
2 안녕하세요.
3 다녀오겠습니다.

정답 1

단어 おかえりなさい 잘 다녀왔어요? 어서 와요 | ただいま 다녀왔습니다 | こんばんは 안녕하세요 | 行って(いって) きます 다녀오겠습니다

해설 「おかえりなさい 잘 다녀왔어요? 어서 와요」는 가정 또는 직장 등의 장소에서 상대방이 외출 후 다시 돌아왔을 때 맞이하는 인사 표현이다. 이에 대한 대답으로는 「ただいま 다녀왔습니다」가 가장 적절하다. 선택지 2번은 저녁이나 밤 인사말이고, 3번은 아침에 학교나 회사에 갈 때 '다녀 오겠습니다'라고 하는 인사 표현이다. 참고로 배웅할 때는 「行って(いって)らっしゃい 다녀오세요」라고 말한다.

---

5 38

女 いっしょに、ごはんを 食べ(たべ)ましょうか。

男 1 はい、もう 食べ(たべ)ました。
2 いいえ、まだ 食べ(たべ)て いません。
3 ええ、そうしましょう。

여 같이 밥을 먹을까요?

남 1 네, 벌써 먹었어요.
2 아니요, 아직 안 먹었어요.
3 네, 그렇게 합시다.

정답 3

단어 いっしょに 함께 | ごはん 밥 | もう 이미, 벌써 | まだ 아직 | そうする 그렇게 하다

해설 같이 밥을 먹자는 제안에 대한 대답으로 알맞은 것은 3번「ええ、そうしましょう 네, 그렇게 합시다」이다. 선택지 1번과 2번은「もう ごはんは 食べましたか 벌써 밥은 먹었습니까?」에 대한 대답으로 적당하다.

---

6 39

女 図書館に 何で 来ますか。

男 1 自転車で 来ます。

2 一人で 来ます。

3 毎日 来ます。

여 도서관에 무엇으로 옵니까?

남 1 자전거로 옵니다.

2 혼자 옵니다.

3 매일 옵니다.

정답 1

단어 図書館 도서관 | 自転車 자전거 | 毎日 매일

해설 「何で」의 조사「~で」는 수단·방법·도구를 묻는 용법으로 사용한 것이다. 따라서 자전거를 이동 수단으로 사용해서 온다고 답한 1번「自転車で 来ます 자전거로 옵니다」가 정답이다.

もんだい 1 과제 이해

실전문제 정답 및 해설

정답

실전문제　1 2　2 3　3 4　4 4　5 1　6 3　7 2

실전문제

もんだい 1　문제 1에서는 우선 질문을 들으세요. 그리고 이야기를 듣고 문제지의 1에서 4 중에서 가장 적당한 것을 하나 고르세요.

1　40

문제편 196p

男の 人と 女の 人が 話して います。女の 人の 髪は どう なりましたか。

男　今日は どの ぐらい 切りますか。
女　そうですね。暑いですから、短く 切って ください。
男　耳の 下ぐらい？
女　はい、お願いします。
男　前髪は どうします？
女　前は 切らないで ください。長く したいですから…。
男　今 目に 入りませんか。
女　そうですね。じゃあ、少しだけ 切って ください。

女の 人の 髪は どう なりましたか。

남자와 여자가 이야기하고 있습니다. 여자의 머리(헤어스타일)는 어떻게 되었습니까?

남　오늘은 어느 정도 자를까요?
여　글쎄요. 더우니까 짧게 잘라 주세요.
남　귀 밑 정도?
여　네, 부탁드려요.
남　앞머리는 어떻게 할까요?
여　앞(머리)은 자르지 말아 주세요. 기르고 싶으니까….
남　지금 눈에 들어가지 않나요?
여　그렇네요. 그럼, 조금만 잘라 주세요.

여자의 머리(헤어스타일)는 어떻게 되었습니까?

1

2

3

4

정답 2

단어 髪 머리카락 | 切る 자르다 | 暑い 덥다 | 短い 짧다 | 耳 귀 | 下 밑 | 前髪 앞머리 | 長い 길다 | 目 눈 | 入る 들어가다 | 少しだけ 조금만

해설 미용실에서 점원이 여자에게 어떤 스타일로 머리를 자를 것인지 묻고 있다. 더우니까 짧게 잘라 달라는 여자의 요청에 남자는 '귀 밑 정도(耳の 下ぐらい)'라는 구체적인 길이를 제안하고 이에 여자가 동의한다. 따라서 긴 머리인 4번은 답이 될 수 없다. 또한 앞머리에 대해 여자는 처음에는 자르지 말라고 하지만 남자가 지금 앞머리가 눈에 들어가지 않냐고 묻자, '그럼 조금만 잘라 주세요(じゃあ、少しだけ 切って ください)'라고 하므로 앞머리는 눈에 들어가지 않는 정도의 길이로 자르는 것임을 알 수 있다. 따라서 정답은 2번이다.

---

2 🎧41

문제편 197p

男の 人と 女の 人が 話して います。男の 人は どこへ 行きますか。

남자와 여자가 이야기하고 있습니다. 남자는 어디로 갑니까?

男 すみません。本屋の 近くに ある ふじや食堂は どこでしょうか。

女 はい。この 道を まっすぐ 行って 左に まがって ください。すぐ 信号が ありますから そこを わたって ください。そこに 本屋が あります。

男 左に 行って、信号ですね。

女 はい。本屋と カフェの 間の 道を 入って すぐ 右に 食堂が ありますよ。

男 ありがとう ございます。

男の 人は どこへ 行きますか。

남 실례합니다. 서점 근처에 있는 후지야 식당은 어디인가요?

여 네. 이 길로 쭉 가셔서 왼쪽으로 도세요. 바로 신호가 있으니까 그곳을 건너세요. 거기에 서점이 있습니다.

남 왼쪽으로 가서 신호등이죠.

여 네. 서점과 카페 사잇길로 들어서자마자 오른쪽에 식당이 있어요.

남 감사합니다.

남자는 어디로 갑니까?

정답 3

단어 どこへ 어디로, 어디에 | 本屋 서점 | 近く 근처 | ある 있다(사물·식물) | 食堂 식당 | 道 길 | まっすぐ 곧장, 똑바로 | 左 왼쪽 | 曲がる 돌다, 꺾다 | すぐ 곧, 바로, 금방 | 信号 신호, 신호등 | そこ 거기, 그곳 | わたる 건너다 | カフェ 카페 | 間 사이 | 入る 들어가(오)다 | 右 오른쪽

해설 목적지를 묻는 문제로, 남자는 서점 근처 후지야 식당을 찾고 있다. 길을 곧장 가다가 왼쪽을 돌면 신호가 있고, 그 신호를 건너면 서점이 있다. 그런 다음 서점과 카페 사잇길로 들어서면 바로 오른쪽에 식당이 있다고 했으므로 정답은 3번이다. 길 찾기 문제는 현재 위치를 가장 먼저 확인한 후 방향, 건물 위치 등의 내용을 꼼꼼하게 체크하는 것이 중요하다.

---

3 42 문제편 197p

日本語学校で 先生が 話して います。学生は あした、何を 持って きますか。

일본어 학교에서 선생님이 이야기하고 있습니다. 학생은 내일 무엇을 가지고 옵니까?

男 あしたは、となりの さくら中学の 2年生の 生徒たちと いっしょに 授業を します。授業は 朝の 10時から始まります。教科書は 使わないから 持って こなくても いいです。でも メモが 必要ですから 書くものと ノートは 持って きて ください。それから自分の 飲み物も 持って きて ください。昼ごはんは 学校から 出ますから いりません。では、みなさん、あした 遅れないで ください。

남 내일은 옆의 사쿠라 중학교 2학년 학생들과 함께 수업을 합니다. 수업은 아침 10시부터 시작됩니다. 교과서는 안 쓰니까 가지고 오지 않아도 됩니다. 하지만 메모가 필요하니까 쓸 것과 노트는 가지고 와 주세요. 그리고 자신의 음료(자신이 마실 음료)도 가지고 와 주세요. 점심은 학교에서 나오니 필요 없습니다. 그럼 여러분, 내일 늦지 마세요.

学生は あした、何を 持って きますか。

학생은 내일 무엇을 가지고 옵니까?

1

2

3

4

정답 4

단어 日本語学校 일본어 학교, 일본어 학원 | 持って くる 가지고 오다, 들고 오다 | あした 내일 | となり 옆, 이웃 | 中学 중학교 | ～年生 ～학년 | 生徒 학생 | 授業 수업 | 朝 아침 | 始まる 시작되다 | 教科書 교과서 | 使う 사용하다 | メモ 메모 | 必要だ 필요하다 | 書く もの 쓸 것, 필기구 | ノート 노트 | それから 그리고, 그러고 나서 | 自分 자기, 자신 | 飲み物 마실 것, 음료 | 昼ごはん 점심밥 | 出る 나오다 | いらない 필요 없다 | では 그럼, 그러면 | みなさん 여러분 | 遅れる 늦다, 늦어지다

해설 선생님은 내일 있을 사쿠라 중학교와의 합동 수업에서 메모가 필요하니까 쓸 것, 즉 필기구와 노트, 그리고 자신이 마실 음료를 가지고 오라고 하고 있으므로 정답은 4번이다. 교과서는 사용하지 않는다고 했으므로 1번은 답이 아니며, 점심은 학교에서 나와서 도시락은 필요 없기 때문에 2번과 3번 역시 오답이다.

4 43

문제편 198p

病院で 女の 人と 男の 人が 話して います。女の 人は 何曜日に 病院へ 来ますか。

女 すみません。田中先生は 何曜日に 来ますか。

男 田中先生は、毎週 月曜日、火曜日、水曜日、土曜日です。

女 夜でも いいですか。

男 月曜日と 土曜日は 午前だけですが、火曜日と 水曜日は 夜も います。

女 そうですか。火曜日と 水曜日は 仕事で 遅く なりますから、むずかしいです。

男 あっ、土曜日は 1か月に 2回、夜の 時間、ありますね。

女 じゃあ、その 日に 来ます。

女の 人は 何曜日に 病院へ 来ますか。

1 げつようび

2 かようび

3 すいようび

4 どようび

병원에서 여자와 남자가 이야기하고 있습니다. 여자는 무슨 요일에 병원에 옵니까?

여 실례합니다. 다나카 선생님은 무슨 요일에 옵니까?

남 다나카 선생님은 매주 월요일, 화요일, 수요일, 토요일입니다.

여 밤이라도 괜찮아요?

남 월요일과 토요일은 오전에만 있지만, 화요일과 수요일은 밤에도 있습니다.

여 그래요? 화요일과 수요일은 일 때문에 늦어지기 때문에 어려워요.

남 앗, 토요일은 한 달에 두 번, 밤 시간이 있네요.

여 그럼 그날 올게요.

여자는 무슨 요일에 병원에 옵니까?

1 월요일

2 화요일

3 수요일

4 토요일

정답 4

단어 病院 병원 | 何曜日 무슨 요일 | 来る 오다 | 毎週 매주 | 夜 밤 | 午前 오전 | 仕事 일, 업무 | 遅く なる 늦어지다 | 難しい 어렵다, 힘들다 | 1か月 한 달, 1개월 | ～回 ～회 | 時間 시간

해설 여자는 다나카 선생님의 진찰을 받으러 왔고, 밤 시간을 원하고 있다. 다나카 선생님은 화요일과 수요일, 그리고 토요일 중 한 달에 두 번 밤에 진료를 본다. 여자는 화요일과 수요일은 일 때문에 오기 어려우므로, 진료를 받을 수 있는 날은 토요일뿐이다. 따라서 정답은 4번이다.

5 44

문제편 198p

会社で 男の人と 女の人が 話して います。女の人は 来週の 土曜日に 何を しますか。

男 来週の 日曜日に いっしょに 映画を 見ませんか。

女 すみません。日曜日は 母と 買い物に 行きます。

회사에서 남자와 여자가 이야기하고 있습니다. 여자는 다음 주 토요일에 무엇을 합니까?

남 다음 주 일요일에 같이 영화 보지 않을래요?

여 죄송해요. 일요일은 어머니와 쇼핑하러 갑니다.

男 では 土曜日は どうですか。本にも なった、とても おもしろい 映画ですよ。

女 その 本は 私も 読みました。土曜日なら 大丈夫です。

男 いっしょに 昼ごはんを 食べてから 見ましょうか。

女 いいですね。そう しましょう。

女の人は 来週の 土曜日に 何を しますか。

남 그럼 토요일은 어때요? 책으로도 된(나온) 아주 재미있는 영화예요.

여 그 책은 저도 읽었어요. 토요일이면 괜찮아요.

남 같이 점심을 먹고 나서 볼까요?

여 좋네요. 그렇게 하죠.

여자는 다음 주 토요일에 무엇을 합니까?

정답 1

단어 会社 회사 | 来週 다음 주 | 映画 영화 | 母 어머니, 엄마 | 買い物 쇼핑, 장보기 | 本 책 | とても 굉장히, 매우 | おもしろい 재미있다 | 読む 읽다 | 大丈夫だ 괜찮다 | 昼ごはん 점심밥 | いい 좋다 | そう する 그렇게 하다

해설 함께 영화를 보자는 남자의 제안에 대해 여자는 「土曜日なら 大丈夫です 토요일이라면 괜찮아요」라고 대답을 했으므로, 여자가 토요일에 할 일은 1번이다. 어머니와 쇼핑하는 것은 일요일이므로 2번은 답이 될 수 없다. 책으로 나온 영화의 원작을 여자가 읽은 것은 과거의 일이며, 토요일에 식사를 함께 하는 것은 남자와 여자이므로 3번과 4번 역시 대화 내용과 맞지 않는다.

---

6 45

문제편 199p

学校で 男の 学生と 女の 学生が 話して います。男の 学生は この あと どこに 行きますか。

男 きのう 授業の あと ここに スマホが ありませんでしたか。

女 え？ スマホが なく なったんですか。

男 はい、家にも ないし 学校では 教室の 他には…。

女 トイレも 見ましたか？

男 1階から 5階まで 全部 見ました。

女 学校の 学生課は？

男 あ、そこは まだです。

女 そこにも ない 時は 電話の 会社に 連絡して ください。

학교에서 남학생과 여학생이 이야기하고 있습니다. 남학생은 이다음에 어디로 갑니까?

남 어제 수업 후 여기에 스마트폰이 없었습니까?

여 네? 스마트폰이 없어졌어요?

남 네, 집에도 없고 학교에서는 교실 말고는….

여 화장실도 보셨나요?

남 1층부터 5층까지 전부 다 봤어요.

여 학교 학생과는?

남 아, 거긴 아직이에요.

여 거기에도 없을 때는 전화 회사(통신사)에 연락하세요.

男の 学生は この あと どこに 行きますか。

1 トイレ

2 きょうしつ

3 がくせいか

4 でんわの かいしゃ

남학생은 이다음에 어디로 갑니까?

1 화장실

2 교실

3 학생과

4 전화 회사

정답 3

단어 学校 학교 | 授業 수업 | ～あと ～후, ～뒤 | スマホ 스마트폰 | なく なる 없어지다, 사라지다 | 家 집 | ない 없다 | 教室 교실 | 他に 그 밖에, 그 외에 | トイレ 화장실 | ～階(かい·がい) ～층 | 全部 전부, 모두 | 学生課 학생과 | 電話 전화 | 会社 회사 | 連絡 연락

해설 남학생이 이다음에 어디로 가는지 묻고 있다. 스마트폰을 분실했다는 남자의 말에 여자가 학교 학생과도 찾아봤는지 묻자 남자는 「そこはまだです 거긴 아직이에요」라고 대답했으므로, 정답은 3번이다. 1번과 2번은 이미 찾아 봤으므로 오답이며, 전화 회사는 학생과에도 없을 경우 연락할 예정이므로 4번 역시 답이 될 수 없다.

---

7 46

문제편 199p

女の 人と 男の 人が 話して います。二人は 今から 何を しますか。

女 もう 12時ですね。おなかが すきました。昼ごはんを 食べましょうか。

男 何を 食べますか。

女 今日は いっしょに 昼ごはんを 作りませんか。

男 いいですね。何を 作りますか。

女 冷蔵庫に 何が ありますか。それを 見てから 考えましょう。

男 あれ？ 何も ありません。

女 じゃあ、先に 買い物に 行きましょう。

男 そうですね。

二人は 今から 何を しますか。

여자와 남자가 이야기하고 있습니다. 두 사람은 지금부터 무엇을 합니까?

여 벌써 12시네요. 배가 고파요. 점심을 먹을까요?

남 뭘 먹을까요?

여 오늘은 같이 점심을 만들지 않을래요?

남 좋네요. 뭘 만들까요?

여 냉장고에 뭐가 있죠? 그것을 보고 나서 생각해요.

남 어라? 아무것도 없어요.

여 그럼 먼저 장 보러 가요.

남 그래요.

두 사람은 지금부터 무엇을 합니까?

1 

2 

3 

4 

정답 2

단어 今(いま)から 지금부터 | おなかが すく 배가 고프다 | 昼(ひる)ごはん 점심밥 | 一緒(いっしょ)に 함께 | 作(つく)る 만들다 | 冷蔵庫(れいぞうこ) 냉장고 | 考(かんが)える 생각하다 | あれ 어라, 앗(놀랍거나 의외임을 표현하는 감탄사) | じゃあ 그럼 | 先(さき)に 먼저, 우선 | 買(か)い物(もの) 쇼핑, 장보기

해설 점심 식사를 만들어 먹기로 한 두 사람은 냉장고가 비어 있는 것을 확인한 후, 「先(さき)に 買(か)い物(もの)に 行(い)きましょう 먼저 장 보러 가요」라고 하고 있다. 따라서 정답은 2번이다. 청해에서 「じゃあ、～ましょう 그럼 ~합시다」나 「じゃあ、～ませんか 그럼 ~하지 않을래요?」와 같이 제안하는 표현은 정답의 힌트가 되는 경우가 많다는 것을 기억해 두자.

もんだい 2 포인트 이해

실전문제 정답 및 해설

정답

실전문제 1 4 2 2 3 4 4 3 5 2 6 2

실전문제

もんだい 2 문제 2에서는 우선 질문을 들으세요. 그다음에 이야기를 듣고, 문제지의 1에서 4 중에서 가장 적당한 것을 하나 고르세요.

1 47

문제편 200p

テレビで 女の 人が これからの 天気の ことを 話して います。あしたの 天気は どう なると 言って いますか。

텔레비전에서 여자가 앞으로의 날씨에 대해 이야기하고 있습니다. 내일 날씨는 어떻게 된다고 말하고 있습니까?

女 天気予報です。朝と 夜は たいへん 涼しく なりました。今日の 夜から 雲が 多くなり、あしたの 朝は 雨が 降るでしょう。雨は 一日 続きますが、夜には やむでしょう。雨が 降って いる 間は 寒く ないですが、あさってからは 昼も 寒く なります。風邪を ひかないように 気を つけて ください。

여 일기 예보입니다. 아침과 밤은 매우 시원해졌습니다. 오늘 밤부터 구름이 많아져 내일 아침에는 비가 내리겠습니다. 비는 하루 종일 계속되지만 밤에는 그칠 것입니다. 비가 오는 동안은 춥지 않지만, 모레부터는 낮에도 추워집니다. 감기에 걸리지 않도록 조심하십시오.

あしたの 天気は どう なると 言って いますか。

1 くもが おおく なって すずしい
2 よるまで あめが ふる
3 あめが ふって さむく なる
4 あめが ふるが さむくは ない

내일 날씨는 어떻게 된다고 말하고 있습니까?

1 구름이 많아져서 시원하다
2 밤까지 비가 내린다
3 비가 내려서 추워진다
4 비는 내리지만 춥지는 않다

정답 4

단어 天気予報 일기 예보 | 朝 아침 | 夜 밤 | 大変 매우, 대단히 | 涼しい 시원하다, 선선하다 | 雲 구름 | 多い 많다 | 降る (눈·비가) 내리다 | 一日 하루, 하루 종일 | 続く 계속되다, 이어지다 | やむ (눈·비가) 그치다 | ~間 ~사이, ~동안 | 寒い 춥다 | あさって 내일모레 | 風邪を ひく 감기에 걸리다 | 気を つける 조심하다, 주의하다

해설 내일 날씨에 대해 묻고 있다. 내일은 아침부터 비가 내리고 하루 종일 비가 내리다가 밤에는 그치며 비가 오는 동안은 춥지 않을 것이라고 말하고 있으므로 정답은 4번이다. 일부 키워드만 들어서는 해결할 수 없는 문제이므로, 전체적인 흐름을 파악하면서 들어야 한다.

---

2 🎧48 문제편 200p

会社で 男の 人と 女の 人が 話して います。女の 人は 何を 使って 会社に 来て いますか。

男 吉田さん、吉田さんの うちは どこですか。

女 北山駅の 近くです。

男 あ、私もです。いつも 何時ごろの 電車に 乗って いますか。

女 ああ、私は、自転車です。前は 電車でしたが、人も 多いし お金も かかりますから。

男 そうですか。でも、大変でしょう？

女 そうですね。時間は ちょっと かかりますが、楽しくて、気持ちいいですよ。

女の 人は 何を 使って 会社に 来て いますか。

1 でんしゃ
2 じてんしゃ
3 じどうしゃ
4 あるいて

회사에서 남자와 여자가 이야기하고 있습니다. 여자는 무엇을 이용해서 회사에 오고 있습니까?

남 요시다 씨, 요시다 씨의 집은 어디입니까?

여 기타야마역 근처입니다.

남 아, 저도요. 항상 몇 시쯤 전철을 타나요?

여 아, 저는 자전거입니다. 전에는 전철이었지만, 사람도 많고 돈도 드니까요.

남 그래요? 그런데 힘들죠?

여 글쎄요. 시간은 좀 걸리지만 즐겁고 기분이 좋아요.

여자는 무엇을 이용해서 회사에 오고 있습니까?

1 전철
2 자전거
3 자동차
4 걸어서

정답 2

단어 会社 회사 | 使う 이용하다, 사용하다 | うち 집 | 駅 역 | 近く 근처 | いつも 항상, 늘 | 何時 몇 시 | ～ごろ ~경, ~쯤 | 電車 전철 | 乗る (탈 것을) 타다 | 人 사람 | 多い 많다 | お金 돈 | かかる (비용이) 들다, (시간이) 걸리다 | 大変だ 힘들다, 큰일이다

해설 여자가 회사에 오는 수단을 묻고 있다. 여자는 「私は 自転車です 저는 자전거입니다」라고 말하며 전철은 사람도 많고 돈이 든다며 자전거를 타는 이유를 명확하게 설명하고 있다. 따라서 정답은 2번이다.

---

3 🎧49 문제편 201p

電話で 女の 人と 男の 人が 話して います。二人は 来週 何を しますか。

女 もしもし、田中さん。

男 こんばんは。今日は 楽しかったですね。

전화로 여자와 남자가 이야기하고 있습니다. 두 사람은 다음 주에 무엇을 합니까?

여 여보세요, 다나카 씨.

남 안녕하세요. 오늘은 즐거웠어요.

女 本当に 楽しかったです。映画も とても おもしろかったです。

男 いっしょに 食べた ラーメンも とても おいしかったです。来週も、いっしょに 出かけませんか。

女 ぜひ、行きましょう。何が したいですか。

男 そうですね。山に 行きませんか。

女 いいですね。私が おべんとうを 作って、持って行きます。

二人は 来週 何を しますか。

여 정말 즐거웠어요. 영화도 매우 재미있었고요.

남 같이 먹었던 라멘도 너무 맛있었어요. 다음 주에도 함께 어딘가 가지 않을래요?

여 꼭 가요. 뭘 하고 싶어요?

남 글쎄요. 산에 가지 않을래요?

여 좋아요. 제가 도시락을 싸서 가져갈게요.

두 사람은 다음 주에 무엇을 합니까?

정답 4

단어 電話 전화 | 来週 다음 주 | もしもし 여보세요 | こんばんは 안녕하세요 | 本当に 정말로 | 楽しい 즐겁다 | 映画 영화 | とても 매우, 굉장히 | おもしろい 재미있다 | 一緒に 함께 | ラーメン 라멘(일본 라멘) | 出かける 외출하다 | ぜひ 꼭, 부디 | 山 산 | お弁当 도시락 | 作る 만들다 | 持って いく 가지고 가다, 들고 가다

해설 두 사람이 다음 주에 무엇을 하는지 묻는 문제이다. 영화를 보고 라면을 먹은 것은 오늘이므로 2번과 3번은 답이 될 수 없다. 대화 뒷부분에서 여자가 '제가 도시락을 싸서 가져갈게요'라고 하므로 1번은 남녀 함께가 아닌 여자가 할 일이다. 따라서 정답은 4번이다.

---

4 🎧50

문제편 201p

電話に メッセージが 入って います。あした、みんなで 会った あと、はじめに 何を しますか。

전화에 메시지가 들어와 있습니다. 내일 다 같이 만난 후에 먼저 무엇을 합니까?

男 もしもし、佐藤です。あしたの バーベキューの ことですが、天気予報で、あしたは 午前中 雨が 降るって 言って いました。ですから、みんなで 公園で 会ってから、午後の 予定を 考えます。それから、スーパーや ホームセンターの 買い物に 行きましょう。これから みんなに 連絡します。では、あした 12 時に 公園の 前で 会いましょう。

남 여보세요, 사토입니다. 내일 바비큐 말인데요, 일기 예보에서 내일은 오전 중에 비가 온다고 했어요. 그러니까 모두 공원에서 만난 후에 오후 일정을 생각할게요. 그다음에 슈퍼마켓이나 홈 센터로 장을 보러 갑시다. 지금부터 모두에게 연락할게요. 그럼 내일 12시에 공원 앞에서 만나요.

あした、みんなで 会った あと、はじめに 何を しますか。

1 バーベキューを します

2 かいものに いきます

3 よていを かんがえます

4 みんなに れんらくを します

내일 다 같이 만난 후에 먼저 무엇을 합니까?

1 바비큐를 합니다

2 장을 보러 갑니다

3 일정을 생각합니다

4 모두에게 연락을 합니다

정답 3

단어 電話 전화 | メッセージ 메시지, 전언 | 入る 들어가(오)다 | みんなで 다 함께, 모두 다 같이 | 会う 만나다 | はじめに 먼저, 우선 | もしもし 여보세요 | バーベキュー 바비큐 | 天気予報 일기 예보 | 午前中 오전 중 | 雨 비 | 降る (눈·비가) 내리다 | ですから 그러니까, 그래서 | 公園 공원 | 午後 오후 | 予定 예정, 일정 | 考える 생각하다 | それから 그다음에, 그리고 | スーパー 슈퍼 | ホームセンター 홈 센터(목공·원예·자동차 용품 등의 생활용품을 다양하게 갖춘 종합 마트) | 買い物 쇼핑, 장보기 | 連絡 연락 | 前 앞 | 会う 만나다

해설 '그러니까 모두 공원에서 만난 후에 오후 일정을 생각할게요(ですから、みんなで 公園で 会ってから、午後の 予定を 考えます)'라고 하고 있으므로, 정답은 3번이다. 이처럼 일의 순서를 묻는 문제에서는 「ですから 그래서」, 「それで 그래서」, 「だから 그래서」와 같이 인과 관계를 순접으로 접속하는 접속사에 유의하며 들어야 한다.

---

5 51

문제편 202p

女の 人と 男の 人が 電話で 話して います。男の 人は どこで 女の 人を 待って いましたか。

女 もしもし、今 どこに いるの？ 入りぐちで もう 15 分も 待って いるよ。

男 あれ、入りぐちじゃなくて 3階で かばんを 買うから エレベーターの 前で 待つって 言ったでしょう？

女 3階じゃなくて 入りぐちで 会ってから どこに 行くか 決めましょうって…。7階で セールも あるし。

男 じゃ、今から おりて 行こうか。

女 もう おなか すいたから 先に レストランに 行きましょう！

男 じゃ、8階の エレベーターの 前で。

男の 人は どこで 女の 人を 待って いましたか。

여자와 남자가 전화로 이야기하고 있습니다. 남자는 어디서 여자를 기다리고 있었습니까?

여 여보세요, 지금 어디에 있어? 입구에서 벌써 15분이나 기다리고 있어.

남 어라, 입구가 아니라 3층에서 가방을 살 거니까 엘리베이터 앞에서 기다린다고 했잖아?

여 3층이 아니라 입구에서 만난 다음에 어디로 갈지 정하자고 (했잖아)…. 7층에서 세일도 있고.

남 그럼 지금부터 내려갈까?

여 이제 배고프니까 먼저 레스토랑에 가자!

남 그럼 8층 엘리베이터 앞에서.

남자는 어디서 여자를 기다리고 있었습니까?

정답 2

단어 電話 전화 | 待つ 기다리다 | もしもし 여보세요 | 今 지금 | どこ 어디 | いる 있다(사람·동물) | 入りぐち 입구 | もう 이미, 벌써 | ~階(かい·がい) ~층 | かばん 가방 | 買う 사다 | エレベーター 엘리베이터 | 会う 만나다 | 決める 정하다, 결정하다 | セール 세일, 할인 | ある 있다(사물·식물) | じゃ(=では) 그럼, 그러면 | 今から 지금부터 | 降りる 내리다 | おなかが すく 배가 고프다 | 先に 먼저 | レストラン 레스토랑 | 前 앞

해설 남자가 어디에서 기다리고 있었는지 묻고 있다. 남자는 첫 번째 대사에서 '입구가 아니라 3층에서 가방을 살 거니까 엘리베이터 앞에서 기다린다고 했잖아(入りぐちじゃ なくて 3階で かばんを 買うから エレベーターの 前で 待つって 言ったでしょう)'라고 하므로, 3층 엘리베이터 앞에서 기다리고 있었다는 것을 알 수 있다. 따라서 정답은 2번이다. 대화 마지막에서 두 사람이 지금부터 만나기로 한 장소를 언급하고 있으므로 혼동하지 않도록 주의해야 한다.

---

6 52 문제편 202p

男の 学生と 女の 学生が 話して います。二人は いつ 映画を 見ますか。

男 今、おもしろい 映画を やって いますよ。今週 いっしょに 見に 行きませんか。

女 わあ、行きたいです。でも 土曜日、日曜日は アルバイトです。

男 じゃあ、金曜日は どうですか。

女 いいですよ。時間は 夜ですか。

男 チケットを 買ってから、木曜日に 連絡します。

女 お願いします！

二人は いつ 映画を 見ますか。

1 もくようび
2 きんようび
3 どようび
4 にちようび

남학생과 여학생이 이야기하고 있습니다. 두 사람은 언제 영화를 봅니까?

남 지금 재미있는 영화를 하고 있어요. 이번 주에 같이 보러 가지 않을래요?

여 와, 가고 싶어요. 하지만 토요일, 일요일은 아르바이트예요.

남 그럼 금요일은 어때요?

여 좋아요. 시간은 밤이에요?

남 티켓을 사고 나서 목요일에 연락할게요.

여 부탁해요!

두 사람은 언제 영화를 봅니까?

1 목요일
2 금요일
3 토요일
4 일요일

정답 2

단어 いつ 언제 | 映画 영화 | 今 지금 | おもしろい 재미있다 | やる (영화·연극 등을) 상연하다, 하다, (아랫사람에게) 주다 | 今週 이번 주 | 一緒に 함께 | でも 하지만, 그러나 | アルバイト 아르바이트 | じゃあ 그러면, 그럼, 그렇다면(=じゃ) | どう 어떻게 | いい 좋다 | 時間 시간 | 夜 밤 | チケット 티켓, 표 | 買う 사다 | 連絡 연락 | お願いする 부탁하다

해설 두 사람이 언제 영화를 보는지 묻는 문제이다. 남자가 「じゃあ、金曜日は どうですか 그럼 금요일은 어때요?」라고 제안하였고, 이에 여자가 좋다고 긍정적인 반응을 보였으므로 정답은 2번이다.

もんだい 3 발화 표현

실전문제 정답 및 해설

정답

실전문제	1	2	3	4	5
	2	1	2	3	2

실전문제

もんだい 3 문제 3에서는 그림을 보면서 질문을 들으세요. ➡(화살표)의 사람은 뭐라고 말합니까? 1에서 3 중에서 가장 적당한 것을 하나 고르세요.

1 🎧53

문제편 203p

家に 来た 人に お茶を 飲むか 聞きます。何と 言いますか。

男 1 これは お茶ですか。
2 お茶は どうですか。
3 お茶は 何ですか。

집에 온 사람에게 차를 마실지 물어봅니다. 뭐라고 말합니까?

남 1 이것은 차입니까?
2 차는 어떻습니까?
3 차는 무엇입니까?

정답 2

단어 家 집 | 来る 오다 | 人 사람 | お茶 차, 녹차 | 飲む 마시다 | 聞く 듣다, 묻다

해설 집으로 방문한 사람에게 차를 권하는 상황이므로, 제안의 표현인 2번 「お茶は どうですか 차는 어떻습니까?」가 답으로 적당하다.

2 54

문제편 204p

ホテルの 人(ひと)が 私(わたし)の かばんを 持(も)って きました。何(なん)と 言(い)いますか。

女 1 ありがとう ございます。
2 どういたしまして。
3 よろしく お願(ねが)いします。

호텔 사람이 내 가방을 가지고 왔습니다. 뭐라고 말합니까?

여 1 감사합니다.
2 별말씀을요.
3 잘 부탁드립니다.

정답 1

단어 ホテル 호텔 | かばん 가방 | どういたしまして 천만에요, 별말씀을 다 하십니다

해설 호텔 직원이 가방을 가져다 준 것에 대해 감사의 마음을 표현한 1번 「ありがとう ございます 감사합니다」가 정답이다. 2번 「どういたしまして 천만에요, 별말씀을요」는 감사 인사에 대해 대답할 때 사용하는 표현이며, 3번 「よろしくお願(ねが)いします 잘 부탁드립니다」는 부탁의 표현이므로 답으로는 적절하지 않다.

---

3 55

문제편 204p

友(とも)だちと いっしょに 公園(こうえん)で さくらを 見(み)て います。とても きれいです。何(なん)と 言(い)いますか。

男 1 これは 花(はな)ですか。
2 きれいですね。
3 きらいじゃ ないですよ。

친구와 함께 공원에서 벚꽃을 보고 있습니다. 굉장히 예쁩니다. 뭐라고 말합니까?

남 1 이것은 꽃인가요?
2 예쁘네요.
3 싫지 않아요.

정답 2

단어 友だち 친구 | 一緒に 함께 | 公園 공원 | さくら 벚꽃 | とても 매우, 상당히, 굉장히 | きれいだ 예쁘다, 깨끗하다 | 花 꽃 | きらいだ 싫어하다

해설 공원에서 벚꽃을 본 후 감탄·감동의 감정을 표현한 2번「きれいですね 예쁘네요」가 정답이다. 3번은「きれいだ 예쁘다, 깨끗하다」와「きらいだ 싫어하다」를 혼동한 대답으로, 〈발화 표현〉 및 〈즉시 응답〉 파트에서는 이러한 유사 발음의 어휘를 사용한 오답 선택지가 빈번히 출제된다는 점도 기억해 두자.

---

4 56 문제편 205p

遊びに 来て いた 友だちが 帰ります。友だちは 何と 言いますか。

女 1 おつかれさまです。
2 気を つけて。
3 おじゃましました。

놀러 왔던 친구가 돌아갑니다. 친구는 뭐라고 말합니까?

여 1 수고하십니다.
2 조심해.
3 실례했습니다.

정답 3

단어 遊びに 来る 놀러 오다 | 友だち 친구 | 帰る 귀가하다, 돌아가다 | お疲れさまです 수고하십니다 | 気を つける 조심하다, 주의하다 | おじゃましました 실례 많았습니다

해설 개인적인 공간(집, 방 등)을 방문한 후 귀가할 때 하는 인사 표현으로는 3번「おじゃましました 실례했습니다」가 가장 적절하다. 타인의 공간에 들어감으로 인해 방해를 해서 죄송하다는 뜻을 담아 '방해'라는 의미의「じゃま」를 사용한 것으로 일상생활에서 자주 사용하는 표현이다. 회의실 등의 공적인 공간에서 나올 때는 보통「失礼しました 실례했습니다」를 사용한다. 1번은 일을 하고 있는 사람에게 하는 표현이며, 2번「気を つけて 조심해」는 귀가하는 상대에게 조심해서 가라는 의미로 건네는 말이다.

---

5 57 문제편 205p

バスに 乗ります。駅まで 行くか 聞きたいです。何と 言いますか。

男 1 駅まで 行って くれますか。
2 駅まで 行きますか。
3 駅まで 行きましょうか。

버스를 탑니다. 역까지 가는지 묻고 싶습니다. 뭐라고 말합니까?

남 1 역까지 가 주시겠어요?
2 역까지 갑니까?
3 역까지 갈까요?

정답 **2**

단어 バス 버스 | 乗る (탈 것을) 타다 | 駅 역 | 聞く 묻다, 듣다

해설 버스가 역까지 가는지 묻는 표현은 2번 「駅まで 行きますか 역까지 갑니까?」이다. 선택지 1번은 택시에서 행선지를 말할 때 사용하는 것이 자연스러우며, 3번은 함께 역까지 가자고 제안하는 표현이다.

もんだい 4 즉시 응답

실전문제 정답 및 해설

정답

실전문제 1 3 2 2 3 3 4 1 5 1 6 3

실전문제

もんだい 4 문제 4는 그림 등이 없습니다. 문장을 듣고 1부터 3 중에서 가장 적당한 것을 하나 고르세요.

문제편 206p

1 58

女 この かさは だれのですか。

男 1 日本(にほん)のです。
2 去年(きょねん)のです。
3 田中(たなか)さんのです。

여 이 우산은 누구의 것입니까?

남 1 일본 것입니다.
2 작년 것입니다.
3 다나카 씨 것입니다.

정답 3

단어 傘(かさ) 우산 | だれ 누구 | 日本(にほん) 일본 | 去年(きょねん) 작년

해설 우산이 누구 것인지 묻고 있으므로, 우산의 소유주를 대답한 3번 「田中(たなか)さんのです 다나카 씨 것입니다」가 정답이다. 1번은 「どこのですか 어디 것입니까?」, 2번은 「いつのですか 언제 것입니까?」라는 질문에 대한 대답으로 적당한 표현이다.

2 59

男 歌(うた)が 上手(じょうず)ですね。

女 1 いいえ、けっこうです。
2 そんな こと ありません。
3 はい、わかりました。

남 노래를 잘하시네요.

여 1 아니요, 괜찮습니다.
2 그렇지 않습니다.
3 네, 알겠습니다.

정답 2

단어 歌(うた) 노래 | 上手(じょうず)だ 잘하다, 능숙하다 | けっこうだ 훌륭하다, 좋다, 괜찮다

해설 노래를 잘한다는 칭찬의 말에 「そんな こと ありません 그렇지 않습니다」라고 겸손하게 대답한 2번이 정답이다. 일본에서는 남에게 칭찬받았을 때 「そんな こと ありません 그렇지 않습니다, 당치도 않습니다」, 「まだまだです 아직 멀었어요」처럼 스스로를 낮추는 겸양 표현을 사용하여 대답하는 경우가 많다. 물론 「ありがとう ございます 감사합니다」처럼 단순한 감사 표현도 자주 사용한다. 1번 「けっこうです 괜찮습니다」는 훌륭하고 좋다는 의미도 있지만, '괜찮습니다'라며 정중하게 사양하는 뜻으로 쓰는 경우도 많다. 이처럼 인사 표현은 뉘앙스의 차이로 뜻이 달라지기도 하므로 다양한 상황과 함께 기억해 두는 것이 좋다.

---

3 60

女 宿題(しゅくだい)は いつまでですか。

男 1 あそこまでです。
2 来年(らいねん)の 5月(ごがつ)までです。
3 金曜日(きんようび)までです。

여 숙제는 언제까지입니까?

남 1 저기까지입니다.
2 내년 5월까지입니다.
3 금요일까지입니다.

정답 3

단어 宿題(しゅくだい) 숙제 | いつ 언제 | ～まで ~까지 | あそこ 저기, 저곳 | 来年(らいねん) 내년

해설 숙제는 언제까지 제출하는지 묻고 있으므로 3번 「金曜日(きんようび)までです 금요일까지입니다」라고 제출 시기를 대답한 3번이 정답이다. 1번은 「どこまでですか 어디까지 입니까?」라는 질문에 대한 대답이며, 2번은 숙제 제출 시기로는 너무 막연하고 긴 기간이기 때문에 문맥상 대답으로는 적절하지 않다.

---

4 61

女 どうしましたか。

男 1 ちょっと 頭(あたま)が 痛(いた)くて…。
2 はい、そう しました。
3 どうでしょうか。

여 무슨 일이에요?

남 1 머리가 좀 아파서….
2 네, 그렇게 했습니다.
3 어떨까요?

정답 1

단어 ちょっと 좀, 조금 | 頭(あたま) 머리 | 痛(いた)い 아프다 | そう する 그렇게 하다

해설 「どうしましたか」는 어딘가 아픈지 물어볼 때나 긴급 상황 또는 응급 상황에서 '무슨 일입니까?'라며 물을 때 사용하는 표현이므로 이에 대한 응답으로는 1번 「ちょっと頭(あたま)が痛(いた)くて… 좀 머리가 아파서…」가 적당하다. 「どうしましたか」와 비슷한 표현으로는 「どうしたんですか?」, 「どうされましたか?」 등이 있다. 주로 병원에서 의사와 환자 사이에서 접할 수 있는 대화로 질문과 답을 함께 기억해 두도록 하자.

---

5 62

女 日本(にほん)は はじめてですか。

男 1 いいえ、去年(きょねん)も 来(き)ました。
2 いいえ、はじめてです。
3 はい、よく 来(き)ます。

여 일본은 처음인가요?

남 1 아니요, 작년에도 왔습니다.
2 아니요, 처음이에요.
3 네, 자주 옵니다.

정답 1

단어 日本(にほん) 일본 | 初(はじ)めて 처음, 처음으로 | 去年(きょねん) 작년 | よく 자주, 잘

해설 일본에 처음으로 왔는지 묻는 말에 대한 적절한 대답은 1번 「いいえ、去年(きょねん)も 来(き)ました 아니요, 작년에도 왔습니다」이다. 2번은 문장의 앞뒤가 맞지 않으므로 「はい、初(はじ)めてです 네, 처음입니다」나 「いいえ、初(はじ)めてじゃ ありません 아니요, 처음이 아닙니다」가 되어야 한다. 2번처럼 질문의 어휘가 선택지에서 똑같이 반복되어서 나오면 오답인 경우가 많다. 3번은 「いいえ、よく 来(き)ます 아니요, 자주 옵니다」가 되어야 한다.

---

6 63

男 この ペン、ちょっと いいですか。	남 이 펜, 잠깐 괜찮을까요?
女 1 ええ、とても いいです。	여 1 네, 아주 좋아요.
2 それ、あなたのですか。	2 그거 당신 거예요?
3 どうぞ、使(つか)って ください。	3 네, 쓰세요.

정답 3

단어 ペン 펜 | ちょっと 좀, 조금, 약간 | いい 좋다, 괜찮다 | ええ 네(「はい」를 편하게 한 말) | とても 매우, 대단히 | どうぞ 부디, 어서, 아무쪼록 | 使(つか)う 사용하다

해설 「この ペン、ちょっと いいですか」는 직역하면 '이 펜 잠깐 괜찮을까요?'로, '펜을 잠시 빌려 달라'라는 뜻을 내포하고 있다. 따라서 대답으로는 3번 「どうぞ、使(つか)って ください 네, 쓰세요」가 적당하다. 1번은 「この ペンは どうですか 이 펜은 어떻습니까?」에 대한 대답으로 적절한 표현이며, 2번은 상대방의 펜인지 확인할 때 쓰는 표현이므로 답으로는 적당하지 않다.

Part 4 청해

실전문제

JLPT N5

Test

모의고사

모의고사

정답 및 해설

정답

1교시

문자・어휘

もんだい1 [1] 4 [2] 2 [3] 4 [4] 3 [5] 2 [6] 4 [7] 2
もんだい2 [8] 2 [9] 4 [10] 3 [11] 4 [12] 1
もんだい3 [13] 2 [14] 4 [15] 3 [16] 2 [17] 2 [18] 1
もんだい4 [19] 4 [20] 2 [21] 3

2교시

문법

もんだい1 [1] 4 [2] 1 [3] 4 [4] 1 [5] 1 [6] 3 [7] 3 [8] 2 [9] 4
もんだい2 [10] 2 [11] 3 [12] 4 [13] 2
もんだい3 [14] 2 [15] 4 [16] 1 [17] 4 [18] 2

독해

もんだい4 [19] 4 [20] 3
もんだい5 [21] 2 [22] 4
もんだい6 [23] 2

3교시

청해

もんだい1 [1ばん] 1 [2ばん] 3 [3ばん] 1 [4ばん] 3 [5ばん] 4 [6ばん] 3 [7ばん] 1
もんだい2 [1ばん] 4 [2ばん] 3 [3ばん] 1 [4ばん] 3 [5ばん] 4 [6ばん] 4
もんだい3 [1ばん] 1 [2ばん] 1 [3ばん] 2 [4ばん] 2 [5ばん] 2
もんだい4 [1ばん] 1 [2ばん] 2 [3ばん] 2 [4ばん] 3 [5ばん] 3 [6ばん] 2

もんだい 1 ＿＿＿＿의 단어는 히라가나로 어떻게 씁니까? 1・2・3・4에서 가장 적당한 것을 하나 고르세요. 문제편 213p

1 山が　きれいです。

1 さん　　2 そら　　3 かわ　　4 やま

정답 4 산이 아름답습니다.

단어 山 산 | きれいだ 예쁘다, 깨끗하다 | 空 하늘 | 川 강

해설 「山 메 산」의 훈독은 「やま」이므로 정답은 4번이다. 「山」을 음독으로 읽는 예로는 일본에서 가장 높은 산인 「富士山 후지산」이 있다. 「空 하늘」, 「川 강」, 「海 바다」, 「雲 구름」, 「石 돌」과 같은 자연과 관련된 한 글자 한자 문제는 빈번하게 출제되므로 꼭 외워 두자.

---

2 わたしの　はなしを　よく　聞いて　ください。

1 かいて　　2 きいて　　3 はいて　　4 ひいて

정답 2 저의 이야기를 잘 들어 주세요.

단어 私 나, 저 | 話 이야기 | よく 잘 | 聞く 듣다, 묻다 | 書く 쓰다 | はく (치마・바지를) 입다, (신발을) 신다 | ひく 끌다, 당기다

해설 「聞 들을 문」의 훈독은 「聞く」로, '①(소리나 이야기를) 듣다, ②(남에게) 묻는다'라는 두 가지 뜻이 있다. 음독 명사인 「新聞 신문」도 함께 기억해 두자. 선택지의 다른 동사는 「名前を 書く 이름을 쓰다」, 「絵を 描く 그림을 그리다」, 「ズボンを はく 바지를 입다」, 「くつを はく 신발을 신다」, 「風邪を ひく 감기에 걸리다」, 「ピアノを 弾く 피아노를 치다」 등의 예시를 통해 기억해 두자.

---

3 つくえの　上に　えんぴつが　あります。

1 よこ　　2 した　　3 なか　　4 うえ

정답 4 책상 위에 연필이 있습니다.

단어 つくえ 책상 | 上 위 | えんぴつ 연필 | ある 있다(사물・식물) | 横 옆 | 下 아래 | 中 안, 속

해설 「上 위 상」의 훈독은 「うえ」이므로 정답은 4번이다. 이 밖에도 「下 아래」, 「中 가운데」, 「隣 옆, 이웃」, 「横 옆」, 「後ろ 뒤」, 「前 앞」 등의 위치를 나타내는 표현도 함께 익혀두자.

---

4 この　ふくは　白いです。

1 あかい　　2 くろい　　3 しろい　　4 あおい

정답 3 이 옷은 하얀색입니다.

단어 服 옷 | 白い 희다 | 赤い 빨갛다 | 黒い 검다 | 青い 파랗다

해설 「白 흰 백」의 훈독은 「白い 하얗다, 희다」, 「白 흰색, 하양」이므로 정답은 3번이다. 「白色 백색, 흰색」이라는 표현도 많이 사용하니 함께 기억해 두자. 다른 선택지의 「赤い 빨갛다」, 「黒い 검다」, 「青い 파랗다」뿐만 아니라 「黄色い 노랗다」, 「茶色 갈색」, 「緑 녹색」과 같은 색상을 나타내는 표현도 함께 기억해 두자.

5 ともだちが 十人 います。

1 じゅうじん　2 じゅうにん　3 ちゅうにん　4 とおひと

정답 2 친구가 10명 있습니다.

단어 友だち 친구 | 十人 열 명 | いる 있다(사람·동물)

해설 숫자는 읽는 법이 다양한데, 사람을 셀 때는 음독「にん」으로 읽는다. 따라서 정답은 2번이다.「十 열 십」의 훈독은「とお」이며 음독은「じゅう」로,「十日 열흘, 10일」,「十時 열 시」처럼 사용한다.「人 사람 인」의 훈독은「人 사람」이며 음독은「じん·にん」두 가지가 있는데,「四人 네 사람, 네 명」처럼 사람을 셀 때나「人気 인기」,「人形 인형」같은 단어는「にん」으로 읽고「日本人 일본인」,「韓国人 한국인」처럼 국적을 나타낼 때는「じん」으로 읽는다. 이 외에도「一人 한 사람, 한 명」,「二人 두 사람, 두 명」은 기본 발음과는 다른 특수한 경우이므로 반드시 기억해 두자.

---

6 きょうは 天気が いいです。

1 げんき　2 でんき　3 けんき　4 てんき

정답 4 오늘은 날씨가 좋습니다.

단어 今日 오늘 | 天気 날씨 | いい 좋다 | 元気 원기, 기력, 건강한 모양 | 人気 인기

해설 「天気 날씨」를 정확하게 읽은 것은 4번이다. 비슷한 발음인 선택지 2번「電気 전기」와 혼동하지 않도록 주의해야 한다. 관련 단어인「天気予報 일기 예보」도 함께 기억해 두자. 선택지 1번「元気」는 '건강, 원기, 활력, 기운, 힘'이라는 뜻으로,「今日は元気がいいですね 오늘은 활력이 넘치시네요」처럼 사용한다.

---

7 この ペンは 三百円です。

1 さんひゃくえん　2 さんびゃくえん　3 さんびゅくえん　4 さんぴゃくえん

정답 2 이 펜은 300엔입니다.

단어 ペン 펜 | 円 엔(일본 화폐 단위)

해설 '300엔'을 정확하게 발음한 것은 2번이다. 금액의 발음을 묻는 문제는 자주 출제가 된다.「百円 100엔」을 비롯하여,「三百円 300엔」,「六百円 600엔」,「八百円 800엔」과 같은 예외 발음은 출제 빈도가 높으므로 반드시 기억해야 한다. 이 밖에「千円 천 엔」,「三千円 3,000엔」,「一万円 만 엔」도 함께 기억해 두자.

もんだい2 ＿＿＿＿의 단어는 어떻게 씁니까? 1·2·3·4에서 가장 적당한 것을 하나 고르세요. 문제편 215p

8 しゃわーを あびます。

1 ツャワー　2 シャワー　3 ツャウー　4 シャウー

정답 2 샤워를 합니다.

단어 シャワー 샤워 | 浴びる 뒤집어쓰다 | シャワーを 浴びる 샤워를 하다

해설 「しゃわー」를 가타카나로 올바르게 표기한 것은 2번이다. 다른 선택지는 비슷한 모양을 한 가타카나의 잘못된 표기이다. 가타카나의 바른 표기를 고르는 문제는 매회 출제되고 있다.「シャワー 샤워」,「ワイシャツ 와이셔츠」처럼「シ/ツ」,「ウ/ワ」를

구분하는 문제뿐만 아니라 「ソ/ン」을 구분하는 「エアコン 에어컨」, 「パソコン 컴퓨터」, 「レ/ル」를 구분하는 「エレベーター 엘레베이터」, 「プール 풀장」, 「コ/ユ」를 구분하는 「エアコン 에어컨」, 「ユニホーム 유니폼」이나 「デパート 백화점」, 「テーブル 테이블」처럼 탁음·반탁음을 구분하는 문제, 「ビル 빌딩」, 「ビール 맥주」처럼 장단음을 구분하는 문제 등이 출제되므로 꼼꼼하게 공부해 두어야 한다. 「シャワーを 浴(あ)びる 샤워를 하다」와 비슷한 의미의 숙어인 「お風呂(ふろ)に 入(はい)る 목욕을 하다」도 함께 기억해 두자.

---

9 この こうえんは きが おおいです。

1 花(はな)　2 草(くさ)　3 気(き)　4 木(き)

정답 4 이 공원은 나무가 많습니다.

단어 公園(こうえん) 공원 | 木(き) 나무 | 多(おお)い 많다 | 花(はな) 꽃 | 草(くさ) 풀 | 気(き) 기, 기운

해설 「木(き) 나무」를 올바르게 표기한 것은 4번이다. 「木 나무 목」의 음독은 「もく」로, 음독 명사의 예로는 「木曜日(もくようび) 목요일」이 있다. 「本(ほん) 책」, 「体(からだ) 몸」, 「休(やす)む 쉬다」는 한자의 모양이 비슷하여 혼동하기 쉬우므로 주의해야 한다.

---

10 この ほんは ふるいですね。

1 安(やす)い　2 高(たか)い　3 古(ふる)い　4 長(なが)い

정답 3 이 책은 오래되었네요.

단어 本(ほん) 책 | 古(ふる)い 오래되다, 낡다 | 安(やす)い (가격이) 싸다 | 高(たか)い (높이가) 높다, (가격이) 비싸다 | 長(なが)い 길다

해설 「古 예 고」의 훈독인 「古(ふる)い 오래되다」를 올바르게 표기한 것은 3번이다. 반의어인 「新(あたら)しい 새롭다」와 모양이 비슷하여 혼동하기 쉬운 「若(わか)い 젊다」, 「苦(にが)い (맛이) 쓰다」도 함께 기억해 두자.

---

11 こんしゅう くにに かえります。

1 今月(こんげつ)　2 今日(きょう)　3 今年(ことし)　4 今週(こんしゅう)

정답 4 이번 주 고국으로 돌아갑니다.

단어 今週(こんしゅう) 이번 주 | 国(くに) 나라, 본국, 고국 | 帰(かえ)る 돌아가(오)다 | 今月(こんげつ) 이번 달 | 今日(きょう) 오늘 | 今年(ことし) 올해

해설 '이번 주'라는 의미의 「こんしゅう」를 올바르게 표기한 것은 4번이다. 1, 2, 3번의 「今月(こんげつ) 이번 달」, 「今日(きょう) 오늘」, 「今年(ことし) 올해」 외에도 「来週(らいしゅう) 다음 주」, 「先週(せんしゅう) 지난주」, 「毎日(まいにち) 매일」과 같이 시기를 나타내는 단어의 한자 표기를 정확하게 알고 있어야 한다.

---

12 わたしの いえへ あそびに きて ください。

1 来(き)て　2 未て　3 立(た)て　4 本て

정답 1 저희 집에 놀러 와 주세요.

단어 家(いえ) 집 | 遊(あそ)ぶ 놀다 | 来(く)る 오다

해설 '오다'라는 의미의 동사 「来(く)る」를 올바르게 표기한 것은 1번이다. 「来(く)る」의 て형은 「来(き)て」, 부정형은 「来(こ)ない」로 불규칙 활용 동사이므로 반드시 기억해야 하는 필수 동사이다. 「来 올 래」의 음독 명사인 「来週(らいしゅう) 다음 주」, 「来月(らいげつ) 다음 달」, 「来年(らいねん) 내년」도 함께 기억해 두자.

もんだい3 (　　)에 무엇이 들어갑니까? 1・2・3・4에서 가장 적당한 것을 하나 고르세요. 　문제편 216p

13 ほんを 2(　　) かいました。

1 ほん　　2 さつ　　3 だい　　4 まい

정답 2 책을 두 권 샀습니다.

단어 本 책 | 買う 사다 | ～本(ほん·ぼん·ぽん) ～자루, ～병 | ～冊 ～권 | ～台 ～대 | ～枚 ～장, 매

해설 선택지 단어는 모두 수를 세는 단위이다. 책을 세는 단위는 「冊」이므로 정답은 2번이다. 1번 「本(ほん·ぼん·ぽん)」은 연필이나 병과 같이 가늘고 긴 것을 셀 때, 3번 「台」는 자동차나 기계 등을 셀 때, 4번 「枚」는 종이나 판자같이 얇고 평평한 것을 셀 때 사용하는 단위이다.

---

14 (　　) バスが きました。

1 だんだん　　2 ちょっと　　3 いつも　　4 ちょうど

정답 4 때마침 버스가 왔습니다.

단어 バス 버스 | 来る 오다 | だんだん 차차, 점점 | ちょっと 조금, 좀, 약간 | いつも 늘, 항상 | ちょうど 꼭, 정확히, 때마침

해설 '정류장에 도착했을 때에 마침 버스가 왔다'라는 흐름의 문장이므로 괄호 안에는 '때마침'이라는 의미의 4번 「ちょうど」가 들어가야 한다. 「ちょうど」에는 이외에도 '정확히'라는 의미가 있는데, 「10時 ちょうどに 来ました 정확히 10시에 왔습니다, 10시 정각에 왔습니다」처럼 수를 나타내는 표현과 함께 쓰인다. 선택지 모두 부사로, 1번은 「だんだん よく なりました 점점 좋아졌습니다」, 2번은 「ちょっと 待って ください 잠시만 기다려주세요」, 3번은 「いつも ありがとう ございます 늘 감사합니다」처럼 쓰는 것이 자연스럽다.

---

15 まいあさ (　　) を のみます。

1 コピー　　2 カレー　　3 コーヒー　　4 コップ

정답 3 매일 아침 커피를 마십니다.

단어 毎朝 매일 아침 | 飲む 마시다 | コーヒー 커피 | コピー 복사 | カレー 카레 | コップ 컵

해설 선택지 모두 외래어 명사로, 문장의 술어인 「飲む 마시다」와 호응하는 단어는 '커피'뿐이므로 정답은 3번 「コーヒー 커피」이다. 가타카나어를 고르는 문제는 반드시 한 문제씩 나오는데, 「パソコン 컴퓨터」, 「ノート 노트」, 「シーツ 시트」, 「デパート 백화점」와 같이 일상생활에 밀접한 외래어가 자주 출제되는 경향이 있다.

---

16 かぜを ひきましたから (　　) へ いきました。

1 くすり　　2 びょういん　　3 がっこう　　4 こうえん

정답 2 감기가 걸렸기 때문에 병원에 갔습니다.

단어 風邪を 引く 감기에 걸리다 | 行く 가다 | 薬 약 | 病院 병원 | 学校 학교 | 公園 공원

해설 '감기에 걸려서 병원에 다녀왔다'라는 의미의 문장이 되어야 하므로, 괄호 안에 들어가기에 적당한 것은 2번 「病院 병원」이다. 1번은 「薬を 飲む 약을 먹다」, 4번은 「公園を 散歩する 공원을 산책하다」처럼 쓰는 것이 자연스럽다. 3번은 「学校に 行く 학교에 가다」로 괄호 뒤의 동사와는 자연스럽게 연결되지만 문장 앞부분의 '감기에 걸리다'와 호응하지 않으므로 답으로는 적절하지 않다.

17 さむいですから（　　）ふくを　きましょう。

1 ふとい　2 あつい　3 うすい　4 ほそい

정답 2 추우니까 두꺼운 옷을 입읍시다.

단어 寒(さむ)い 춥다 | 服(ふく) 옷 | 着(き)る 입다 | 太(ふと)い 굵다 | 厚(あつ)い 두껍다, 두텁다 | 薄(うす)い 얇다(두께), 연하다(맛·색) | 細(ほそ)い 가늘다

해설 '날씨가 추우니까 두꺼운 옷을 입자'라는 문맥이 되어야 하므로, 괄호 안에는 2번「厚(あつ)い 두껍다」가 들어가야 한다. 선택지 3번의「薄(うす)い 얇다」도 두께에 관련된 말이지만「厚(あつ)い」의 반의어이다. 발음은 같지만 뜻이 다른「熱(あつ)い 뜨겁다」,「暑(あつ)い 덥다」도 함께 기억해 두자.

---

18 こうえんに　はなが　たくさん（　　）います。

1 さいて　2 ふいて　3 さして　4 ないて

정답 1 공원에 꽃이 많이 피어 있습니다.

단어 公園(こうえん) 공원 | 花(はな) 꽃 | たくさん (수나 분량이) 많음 | 咲(さ)く (꽃이) 피다 | 吹(ふ)く (바람이) 불다 | 指(さ)す (사물, 방향 등을) 가리키다, 지목하다 | 泣(な)く 울다

해설 선택지는 모두 동사로,「花(はな) 꽃」과 자연스럽게 연결될 수 있는 것은 1번「咲(さ)く (꽃이) 피다」이다. 2번은「風(かぜ)が 吹(ふ)いて います 바람이 불고 있습니다」, 3번은「指(ゆび)で 指(さ)して います 손가락으로 가리키고 있습니다」, 4번은「子(こ)どもが 泣(な)いて います 아이가 울고 있습니다」처럼 사용하는 것이 자연스럽다.

もんだい 4 ＿＿＿＿의 문장과 거의 같은 의미의 문장이 있습니다. 1・2・3・4에서 가장 적당한 것을 하나 고르세요.

문제편 217p

19 きょうは　てんきが　いいです。

1 きょうは　あめが　ふって　います。
2 きょうは　かぜが　とても　つよいです。
3 きょうは　ゆきです。
4 きょうは　はれです。

정답 4 오늘은 날씨가 맑습니다.

단어 今日(きょう) 오늘 | 天気(てんき) 날씨 | いい 좋다 | 雨(あめ) 비 | 降(ふ)る (눈·비가) 내리다 | 風(かぜ) 바람 | とても 매우 | 強(つよ)い 강하다, 세다 | 雪(ゆき) 눈 | 晴(は)れ 맑음, 날씨가 갬

해설「今日(きょう)は 天気(てんき)がいいです」는 날씨가 좋다, 쾌청하다는 의미이므로 '오늘은 맑습니다'라고 바꿔 표현한 4번이 정답이다. 1번은 '비가 내리고 있습니다', 2번은 '바람이 매우 강합니다', 3번은 '눈이 내립니다'라고 해석하며 모두 날씨를 나타내고 있는 문장으로 일상생활에서 흔히 사용하는 표현이다.

---

20 こうえんを　さんぽしました。

1 こうえんで　とびました。
2 こうえんで　あるきました。
3 こうえんで　はなしました。
4 こうえんで　うたいました。

정답 **2** 공원에서 걸었습니다.

단어 公園 공원 | 散歩する 산책하다 | 飛ぶ 날다 | 歩く 걷다 | 話す 말하다, 이야기하다 | 歌う 노래하다

해설 '공원을 산책했다'는 휴식이나 건강을 위해 천천히 공원을 걸었다는 뜻이므로, 「公園で　歩きました 공원에서 걸었습니다」라고 바꿔 말한 2번이 정답이다. 1번은 '공원에서 날았습니다', 3번은 '공원에서 이야기했습니다', 4번은 '공원에서 노래를 불렀습니다'라고 해석하며 의미상 답이 될 수 없다.

---

21 キムさんは　たなかさんから　ノートパソコンを　かいました。

1 キムさんは　たなかさんに　ノートパソコンを　かしました。
2 たなかさんは　キムさんに　ノートパソコンを　かりました。
3 たなかさんは　キムさんに　ノートパソコンを　うりました。
4 キムさんは　たなかさんに　ノートパソコンを　もらいました。

정답 **3** 다나카 씨는 김 씨에게 노트북을 팔았습니다.

단어 ～さん ～씨(호칭) | ノートパソコン 노트북 | 買う 사다 | 貸す 빌려주다 | 借りる 빌리다 | 売る 팔다 | もらう 받다

해설 제시된 문장은 '김 씨가 다나카 씨에게서 노트북을 샀다'라는 의미이므로 다나카 씨 입장에서는 김 씨에게 노트북을 판 것이 된다. 따라서 '다나카 씨는 김 씨에게 노트북을 팔았습니다'로 바꿔 말한 3번이 정답이다. 1번은 '김 씨는 다나카 씨에게 노트북을 빌려주었습니다', 2번은 '다나카 씨는 김 씨에게 노트북을 빌렸습니다', 4번은 '김 씨는 다나카 씨에게 노트북을 받았습니다'로 제시된 문장과 의미가 다르다.

2교시 언어지식(문법)

もんだい 1 (　　　)에 무엇을 넣습니까? 1・2・3・4에서 가장 적당한 것을 하나 고르세요.

문제편 221p

1 エレベーター（　　　）のって　10かいまで　上がって　ください。

1 で　　2 を　　3 へ　　4 に

정답 **4** 엘리베이터를 타고 10층까지 올라가세요.

단어 エレベーター 엘리베이터 | 乗る (탈 것·교통수단을) 타다 | ～階(かい·がい) ～층 | 上がる 올라가다

해설 「乗る」는 「エレベーターに 乗る 엘리베이터를 타다」, 「バスに 乗る 버스를 타다」와 같이 조사 「に」와 함께 사용하는 동사이다. 이처럼 '～을(를)'이라고 할 때 모두 조사 「を」를 쓸 수 있는 것은 아니며, 동사에 따라 함께 쓰는 조사가 정해져 있는 경우도 있다. 대표적인 예로 「～に 乗る ～을/를 타다」, 「～に 会う ～을/를 만나다」를 기억해 두자. 정답은 4번이다.

---

2 きょう　あねは　風邪（　　　）しごとを　やすみました。

1 で　　2 に　　3 を　　4 が

정답 **1** 오늘 언니(누나)는 감기로 일을 쉬었습니다.

단어 今日 오늘 | 姉 언니, 누나 | 風邪 감기 | 仕事 일 | 休む 쉬다

해설 언니(누나)가 일을 쉰 이유가 감기이므로, '이유나 원인'을 나타내는 조사인 1번「で」가 정답이다. 조사「~で ~로」는 '이유나 원인' 외에도「教室(きょうしつ)で 勉強(べんきょう)する 교실에서 공부하다」처럼 '~에서'라는 뜻으로 ①동작이 행해지는 장소를 나타낼 때와, 「えんぴつで 書(か)く 연필로 쓰다」처럼 '~(으)로'라는 뜻으로 ②수단, 방법을 나타낼 때,「木(き)で 作(つく)った いす 나무로 만든 의자」처럼 '~(으)로'라는 뜻으로 ③재료를 나타낼 때,「全部(ぜんぶ)で 100円(ひゃくえん)です 전부 다해서 100엔입니다」처럼 ④(시간이나 수량의) 범위를 나타낼 때 등 여러 가지 용법으로 사용된다. 예문을 통해 그 쓰임을 구분해서 공부하도록 하자.

---

3 この 中(なか)で いちばん すきな 絵(え)は (　　) ですか。

1 だれ　　2 どこ　　3 どの　　4 どれ

정답 4 이 중에서 가장 좋아하는 그림은 어느 것입니까?

단어 ~の中(なか)で ~중에서 | 一番(いちばん) 가장, 제일 | 好(す)きだ 좋아하다 | 絵(え) 그림 | どれ (여러 개 중) 어느 것, 어떤 것 | だれ 누구 | どこ 어디 | どの 어느

해설 여러 개의 사물 중 하나를 지칭하거나 고를 때는 선택지 4번「どれ 어느 것」을 사용해야 한다.「どれ」는 세 개 이상의 것 중에서 고를 때 사용한다. 이와 의미가 비슷한「どちら 어느 쪽」은「飛行機(ひこうき)と 新幹線(しんかんせん)と どちらが 速(はや)いですか 비행기와 신칸센 중에서 어느 쪽이 빠릅니까?」처럼 둘 중 하나를 선택하는 경우에 사용하므로 혼동하지 않도록 주의해야 한다. 1번「だれ 누구」는 사람, 2번「どこ 어디」는 장소를 물을 때 사용하는 의문사이며, 3번「どの 어느」는 명사와 함께 쓰여 불명확한 것을 가리키는 어휘이다.

---

4 きのうは 学校(がっこう) (　　) 行(い)きましたが、 きょうしつ (　　) 行(い)きませんでした。

1 には／には　　2 とは／とは　　3 では／では　　4 も／も

정답 1 어제는 학교에는 갔습니다만, 교실에는 가지 않았습니다.

단어 きのう 어제 | 学校(がっこう) 학교 | 行(い)く 가다 | 教室(きょうしつ) 교실

해설 「Aは ~が Bは ~ない」는 'A는 ~(지)만 B는 ~(지) 않다'라고 두 가지를 대조·대비·비교할 때 사용하는 표현이다. '학교에는 갔지만 교실에는 가지 않았다'라는 문맥이므로 장소나 방향·도착점을 나타내는 조사「~に ~에」를 함께 사용한 1번이 정답이다. 선택지의 2번은 '~와는', 3번은 '~에서는', 4번은 '~도'라는 의미이다.

---

5 あまい おかしは (　　) すきでは ありません。

1 あまり　　2 とても　　3 すこし　　4 たいへん

정답 1 단 과자는 그다지 좋아하지 않습니다.

단어 甘(あま)い 달다 | おかし 과자 | 好(す)きだ 좋아하다 | ~ではありません ~지 않습니다 | あまり 그다지, 별로 | とても 매우 | 少(すこ)し 조금, 다소, 약간 | 大変(たいへん) 대단히, 매우

해설 「あまり ~ない」는 '그다지 ~하지 않다'라는 의미의 문형이다. '달콤한 과자는 별로 좋아하지 않는다'라는 문맥이므로 정답은 1번이다. 4번「たいへん」은 '대단히, 매우'라는 의미로 2번「とても」와 의미는 같지만 좀 더 딱딱한 느낌의 부사이다. 선택지 3번「少(すこ)し 조금, 약간」과 의미가 비슷한「ちょっと 조금」도 함께 기억해 두자.

6 父は 毎あさ 犬と（　　）あとで かいしゃに 行きます。

1 さんぽします　　2 さんぽする　　3 さんぽした　　4 さんぽし

정답 3 아버지는 매일 아침 개와 산책한 후에 회사에 갑니다.

단어 父 아버지 | 毎朝 매일 아침 | 犬 개 | 散歩 산책 | 会社 회사 | 行く 가다

해설 「동사 た형 + あとで」는 '~한 후에, ~한 뒤에'라는 의미로, 동작이나 행동에 대해 시간적으로 어느 쪽이 먼저 일어나고 어느 쪽이 나중에 일어났는가를 설명하는 표현이다. 접속 형태가 동사인 경우 「た형」에 접속하는 게 원칙이므로 「散歩した」로 접속한 3번이 정답이다.

---

7 （くだものやで）
お店の 人 「いらっしゃいませ。りんごは いかがですか。」
田中 「その 大きい（　　）を 三つ ください。」

1 は　　2 と　　3 の　　4 しか

정답 3 (과일 가게에서) 가게 사람 어서 오세요. 사과는 어떻습니까?
다나카 그 큰 것을 세 개 주세요.

단어 果物屋 과일 가게 | 店 가게 | 人 사람 | いらっしゃいませ 어서 오세요 | りんご 사과 | いかがですか 어떻습니까? | 大きい 크다

해설 문맥상 「大きいの 큰 것」은 「りんご」를 달리 표현한 것으로, 이때 조사 「の」는 보통체 뒤에 붙어서 명사화시키는 용법으로 사용되고 있다. 「の」는 이외에도 「日本語の 先生 일본어 선생님」과 같이 ①명사와 명사를 연결하거나, 「私の かばん 나의 가방」과 같이 ②소유를 의미하기도 하며, 「課長の 山田です 과장인 야마다입니다(課長＝山田)」와 같이 ③동격, 동일함을 나타내는 등 여러 가지 용법이 있다. 정답은 3번이다.

---

8 あした さくらを（　　）行きます。

1 見た　　2 見に　　3 見る　　4 見

정답 2 내일 벚꽃을 보러 갑니다.

단어 あした 내일 | さくら 벚꽃 | 見る 보다 | 行く 가다

해설 「동사 ます형 + に」는 '~하러'라는 의미로 '목적'을 표현하고자 할 때 사용하는 문형이다. 이어지는 술어로는 「行く 가다」, 「来る 오다」, 「帰る 돌아가(오)다」등 이동에 관련된 동사를 주로 사용한다. '벚꽃을 보러 가다'라는 의미의 문장이 되어야 하므로 동사 「見る 보다」를 ます형으로 활용한 2번이 정답이다.

---

9 ラン 「いっしょに ケーキを つくりましょう。れいぞうこに たまごと ぎゅうにゅうが ありますか。」
ナナ 「ぎゅうにゅうは たくさん あります。たまごは 1つ（　　）。」

1 ぐらいです　　2 もあります　　3 しかあります　　4 しかありません

정답 4 란 함께 케이크를 만들어요. 냉장고에 달걀과 우유가 있나요?
나나 우유는 많이 있어요. 달걀은 한 개밖에 없습니다.

단어 一緒に 함께, 같이 | ケーキ 케이크 | 作る 만들다 | 冷蔵庫 냉장고 | たまご 달걀 | 牛乳 우유 | たくさん 많이 | ～く(ぐ)らい ～정도 | ～も ～도 | ～しか ～밖에

해설 「～しか ～ない」는 '～밖에 ～않다(없다)'라는 뜻으로 어떤 일이 제한적임을 나타낼 때 사용하는 문형이다. 뒤에는 반드시 부정 표현이 와야 하므로 선택지 중 4번이 정답이다.

もんだい 2 ＿★＿ 에 들어갈 것은 어느 것입니까? 1・2・3・4에서 가장 적당한 것을 하나 고르세요. 문제편 223p

10 父が ＿＿ ＿＿ ＿＿ ＿★＿ 大きいです。

1 会社の　2 りっぱで　3 つとめる　4 たてものは

정답 2 (3→1→4→2) 아버지가 근무하는 회사의 건물은 훌륭하고 큽니다.

단어 父 아버지 | 大きい 크다 | 会社 회사 | 立派だ 훌륭하다, 근사하다 | 勤める 근무하다 | 建物 건물

해설 문장의 주어인 밑줄 바로 앞의 「父が 아버지가」와 호응하는 술어인 「つとめる 근무하는」이 첫 번째 밑줄에 오고, 선택지에서 '명사の 명사'의 형태가 되는 1번과 4번을 연결하면 「父が つとめる 会社の 建物は 아버지가 근무하는 회사 건물은(3→1→4)」이 된다. 선택지 2번 「りっぱで」는 '～하고'라는 의미로 형용사를 연결하는 활용 형태이므로 맨 마지막 밑줄에 들어가 「大きい」와 연결되는 것이 자연스럽다. 따라서 올바른 순서는 3→1→4→2이다. 문장 만들기 문제는 제시문의 앞뒤에 연결되어 문형을 이루거나 선택지끼리 연결되어 하나의 문형이 되는 세트 표현을 먼저 찾아 두면 쉽게 풀린다. 또한 ★의 위치에 따라 정답이 달라지므로 위치를 확인하고 정답을 체크하는 연습도 중요하다.

---

11 近くの 公園で ＿＿ ＿＿ ＿★＿ ＿＿でした。

1 にぎやか　2 子どもたちは　3 げんきで　4 会った

정답 3 (4→2→3→1) 근처 공원에서 만난 아이들은 씩씩하고 활기찼습니다.

단어 近く 근처 | 公園 공원 | 会う 만나다 | 子どもだち 아이들 | 元気だ 씩씩하다, 기력이 넘치다, 건강하다 | にぎやかだ 활기차다, 번화하다

해설 선택지 1번과 3번은 な형용사끼리의 연결이므로 3→1의 순서로 한 묶음이며, 밑줄 뒤의 「でした」는 과거를 나타내는 문말 표현이므로 선택지 중 연결될 수 있는 것은 1번밖에 없다. 따라서 3→1은 뒤쪽 밑줄에 들어가야 한다. 4번 「会った」는 2번 「こどもたちは」를 수식하는 형태이므로 둘을 묶어서 의미가 통하도록 나열하면 '근처 공원에서 만난 아이들은 씩씩하고 활기찼습니다(4→2→3→1)'가 된다.

---

12 あぶないから メール ＿＿ ＿★＿ ＿＿ ＿＿ 乗らないで ください。

1 じてんしゃ　2 に　3 を　4 見ながら

정답 4 (3→4→1→2) 위험하니까 메일을(휴대폰 문자를) 보면서 자전거를 타지 마세요.

단어 危ない 위험하다 | メール 메일, 휴대폰 문자 | 自転車 자전거 | 見る 보다 | 乗る (탈 것・교통수단을) 타다

해설 마지막 밑줄 뒤의 「乗る 타다」는 조사 「に」와 함께 사용하는 동사이며 이때 대상인 '탈 것'은 선택지 1번의 「自転車 자전거」이다. 따라서 1→2의 순서로 밑줄 뒷부분에 들어가야 한다. 3번 「を」는 목적격 조사이므로 맨 처음 밑줄에 와야 한다. 전체 선택지를 의미가 통하도록 나열하면 3→4→1→2가 된다.

13 きのう 買った ＿＿ ＿＿ ＿★＿ ＿＿ なりました。

1 はいて　　2 足が　　3 いたく　　4 くつを

정답 2 (4→1→2→3) 어제 산 신발을 신고 발이 아파졌습니다.

단어 きのう 어제 | 買う 사다 | くつ 신발 | はく 신다 | 足 발 | 痛い 아프다

해설 '신발을 신다'라고 할 때에는 동사「はく」를 사용하므로 4→1의 순서로 맨 앞의 밑줄에 들어가야 한다. 또한「い형용사 어간 + くなる ~(해)지다」는 상태의 변화를 나타내는 문형이므로 3번이 맨 마지막 밑줄에 들어가야 한다. 전체 선택지를 의미가 통하도록 나열하면 4→1→2→3이 된다.

もんだい 3 14 부터 18 에 무엇을 넣습니까? 문장의 의미를 생각하여 1・2・3・4에서 가장 적당한 것을 하나 고르세요.

문제편 224p

조지 씨와 린 씨는 '어제 (있었던) 일'을 작문으로 썼습니다.

(1) 조지 씨의 작문

아침 6시에 일어나서 바로 샤워를 했습니다. 14 그러고 나서 근처 가게에 아침에 먹을 것을 사러 갔습니다. 빵 두 개와 우유를 샀습니다. 날씨 15 가 좋았기 때문에 공원에서 먹었습니다. 공원에는 꽃이 많이 있어서 예뻤습니다. 천천히 공원을 산책한 후 집으로 돌아왔습니다. 다음 주도 그 공원에 16 가고 싶습니다.

(2) 린 씨의 작문

어제 엘리 씨와 동물원에 갔습니다. 동물원에는 많은 동물이 17 있었습니다. 그중에서도 판다가 가장 귀여웠습니다. 판다 사진을 많이 찍었습니다. 동물원에는 레스토랑이 있어서 점심을 먹었습니다. 그 후 근처 백화점에 가서 옷을 보거나 차를 18 마시거나 했습니다. 매우 즐거웠습니다.

단어 きのう 어제 | 作文 작문 | 書く 쓰다 | 朝 아침 | 起きる 일어나다 | すぐに 바로, 곧, 즉시 | シャワーを 浴びる 샤워를 하다 | 近く 근처, 근방 | お店 가게 | 食べる もの 먹을 것, 먹거리 | 買いに 行く 사러 가다 | パン 빵 | 牛乳 우유 | 天気 날씨 | よかった 좋았다(「いい」의 과거형) | 公園 공원 | たくさん 많음 | 花 꽃 | きれいだ 예쁘다, 깨끗하다 | ゆっくり 천천히, 마음 편히, 느긋하게 | 散歩する 산책하다 | 家 집 | 帰る 돌아가(오)다 | 来週 다음 주 | 動物園 동물원 | 中でも 그 중에서도 | パンダ 판다 | 一番 가장, 최고 | かわいい 귀엽다 | 写真 사진 | とる (사진을) 찍다 | レストラン 레스토랑 | 昼ご飯 점심밥 | 食べる 먹다 | その あと 그 후, 그 뒤 | デパート 백화점 | 服 옷 | 見る 보다 | お茶 차 | 飲む 마시다 | とても 매우 | 楽しい 재미있다

14 1 しかし　　2 それから　　3 それでは　　4 そのまえ

정답 2

해설 이 문제처럼 글의 문법에서는 적절한 접속사를 고르는 문제가 주로 나온다. 14 에는 '일어나서 샤워를 했다'와 '근처 가게에 아침에 먹을 것을 사러 갔다'라는 두 가지 동작의 순서를 나타내는 접속사인 2번「それから 그러고 나서, 그다음에, 그리고」가 들어가야 한다. 선택지 1번은 '그러나', 3번은 '그렇다면', 4번은 '그 전에'라는 뜻으로 의미가 맞지 않는다.

15 1 の 2 に 3 を 4 が

정답 4

해설 '날씨가 좋아서 공원에서 먹었다'고 말하려면 4번의 주격 조사 「～が ～이/가」가 들어가야 한다. 1번은 '날씨의', 2번은 '날씨에', 3번은 '날씨를'이 되므로 글의 흐름과 맞지 않는다.

---

16 1 行きたいです 2 行ってください 3 行きました 4 行きませんか

정답 1

해설 문장 맨 앞에 「来週 다음 주」라는 미래 시제를 나타내는 표현이 있으므로 과거 표현인 3번은 답이 될 수 없다. 문맥상 '다음 주에도 공원에 가고 싶다'라는 바람을 나타내는 표현이 들어가는 것이 적절하므로 「동사 ます형 + たい ～하고 싶다」를 사용한 선택지 1번이 정답이다. 2번은 '가 주세요', 3번은 '갔습니다', 4번은 '가지 않겠습니까?'라는 뜻으로 답으로는 적절하지 않다.

---

17 1 ありました 2 きました 3 みました 4 いました

정답 4

해설 사람이나 동물의 존재 유무를 나타낼 때는 동사 「いる 있다」를 사용한다. 이 문장의 주어는 '동물'이므로 「いる」를 과거형으로 활용한 4번 「いました 있었습니다」가 정답이다. 1번은 「ある 있다(사물・식물)」의 과거 활용이며, 2번은 '왔습니다', 3번은 '봤습니다'이므로 의미가 맞지 않는다.

---

18 1 飲んで 2 飲んだり 3 飲んだ 4 飲み

정답 2

해설 「～たり ～たりする ～하기도 하고, ～하기도 하다」는 여러 가지 동작이나 상태를 열거할 때 쓰는 문법 기능어로, 「동사 た형」에 접속한다. 따라서 「飲む 마시다」를 「飲んだり 마시거나」로 활용한 2번이 정답이다.

2교시 독해

もんだい 4 다음 (1)부터 (3)의 글을 읽고 질문에 답하세요. 답은 1・2・3・4에서 가장 적당한 것을 하나 고르세요.

(1) 문제편 226p

4월부터 혼자 아파트에 삽니다. 새 방에는 에어컨과 침대가 있습니다. 부엌에 냉장고는 있습니다만, 전자레인지나 접시는 없습니다. 나는 요리를 좋아하기 때문에 내일 사러 갈 겁니다.

단어 一人 혼자, 한 사람 | アパート 아파트 | 住む 살다 | 新しい 새롭다 | 部屋 방 | エアコン 에어컨 | ベッド 침대 | 台所 부엌 | 冷蔵庫 냉장고 | 電子レンジ 전자레인지 | お皿 접시, 그릇 | 料理 요리 | 好きだ 좋아하다 | あした 내일 | 買う 사다 | 行く 가다

19 내일 무엇을 사러 갑니까?

1 냉장고
2 에어컨
3 요리
4 전자레인지

정답 4

해설 내일 '무엇을' 사러 가는지 묻고 있다. 방에는 에어컨과 침대, 부엌에는 냉장고가 있지만, 전자레인지나 접시는 없으므로 요리를 좋아하는 글쓴이가 내일 사러 갈 것은 요리와 관련된 접시나 전자레인지인데, 선택지에 접시는 없으므로 정답은 4번 전자레인지이다.

(2) (회사에서)

무라타 씨의 책상 위에 이 메모가 있습니다.

문제편 227p

무라타 씨

10:25에 니시니혼 전자의 노다 씨로부터 전화가 있었습니다. 전화를 걸어 주세요. 노다 씨는 지금 외출 중이니까 점심시간이 끝난 뒤가 좋을 겁니다. 전화(를 걸기) 전에 어제 받은 메일의 답장도 부탁드립니다.

야마모토
6월 20일 10:30

단어 机(つくえ) 책상 | 上(うえ) 위 | メモ 메모 | ある 있다(사물·식물) | 電子(でんし) 전자 | 電話(でんわ)を かける 전화를 걸다 | 出(で)かける 외출하다, 나가다 | 昼休(ひるやす)み 점심시간 | 後(あと) 후, 나중 | いい 좋다 | 前(まえ)に ~전에 | きのう 어제 | もらう 받다 | メール 메일, 휴대폰 문자 | 返事(へんじ) 답장, 대답 | お願(ねが)いします 부탁합니다 | 待(ま)つ 기다리다 | すぐに 곧바로, 곧 | 午後(ごご) 오후

20 이 메모를 읽고 무라타 씨는 먼저 무엇을 합니까?

1 노다 씨의 전화를 기다립니다.
2 곧바로 외출합니다.
3 노다 씨의 메일에 대한 답장을 합니다.
4 오후에 전화 겁니다.

정답 3

해설 메모 형식의 지문으로, 가장 먼저 해야 하는 일을 찾는 문제이다. '전화를 걸기 전에 어제 받은 메일 답장을 부탁한다'라고 하고 있으므로 전화를 거는 것보다 먼저 할 일은 '노다 씨 메일에 답장을 한다'이다. 따라서 정답은 3번이다. 노다 씨로부터 전화를 기다리는 것이 아니라 전화를 해야 하므로 1번은 답이 될 수 없고, 외출한 것은 노다 씨이므로 2번 역시 오답이다. 일의 우선순위를 묻는 문제는 글에 서술된 순서와 해야 할 일의 순서가 다른 경우가 있다. 「その 前(まえ)に 그 전에」, 「~た後(あと)で ~한 뒤에」, 「~てから ~고 나서」와 같은 순서를 나타내는 표현에 주의하여 답을 고르도록 하자.

もんだい 5 다음 글을 읽고 질문에 답하세요. 답은 1・2・3・4에서 가장 적당한 것을 하나 고르세요. 문제편 228p

이것은 김 씨가 쓴 작문입니다.

장래의 직업

김정호

저는 장래에 컴퓨터 게임을 만드는 일을 하고 싶습니다. 저는 어렸을 때부터 여러 가지 게임을 했습니다. 그래서 게임 아이디어가 다양하게 있습니다. 재미있고 즐거운 게임을 더 많이 만들고 싶습니다.

이 일은 ①회사에 가지 않아도 됩니다. 집에서도 혼자서 일을 할 수가 있습니다. 그리고 어느 곳에서나 살 수 있습니다. 자기 나라든 외국이든 괜찮습니다. 큰 동네든 작은 동네든 괜찮습니다. 저는 ②작은 시골 마을에 살고 싶습니다. 가족과 함께 조용한 곳에서 느긋하게 생활하고 싶습니다.

단어 ぼく 나(남자가 자신을 지칭하는 말) | 将来(しょうらい) 장래 | コンピューター(コンピュータ) 컴퓨터 | ゲーム 게임 | 作(つく)る 만들다 | 仕事(しごと) 일, 업무, 직업 | 子(こ)ども 아이 | 時(とき) ~때 | いろいろ 여러 가지, 가지각색 | アイディア 아이디어 | おもしろい 재미있다 | 楽(たの)しい 즐겁다 | もっと 더, 더욱 | たくさん 많음, 많이 | 会社(かいしゃ) 회사 | 行(い)く 가다 | 一人(ひとり)で 혼자서 | 所(ところ) 곳, 장소 | 住(す)む 살다 | 自分(じぶん) 자기, 자신 | 国(くに) 나라, 국가 | 外国(がいこく) 외국 | 大(おお)きい 크다 | 町(まち) 마을, 거리 | 小(ちい)さい 작다 | いなか 시골 | 家族(かぞく) 가족 | 一緒(いっしょ)に 함께 | 静(しず)かだ 조용하다 | ゆっくり 느긋하게, 천천히 | 生活(せいかつ) 생활

21 왜 ①회사에 가지 않아도 됩니까?

1 자신의 회사이기 때문에
2 집에서도 혼자서 일을 할 수 있기 때문에
3 작은 시골 마을이기 때문에
4 느긋한 생활을 하고 싶기 때문에

정답 **2**

해설 밑줄 친 부분에 대해 묻는 문제는 보통 답이 밑줄 바로 뒤 문장이나 앞 문장에 나오는 경우가 많다. '회사에 가지 않아도 되는' 이유는 밑줄 바로 뒤에서 「家(いえ)でも 一人(ひとり)で 仕事(しごと)を する ことが できます 집에서도 혼자서 일을 할 수가 있습니다」라고 설명하고 있으므로 정답은 2번이다.

22 김 씨는 어째서 ②작은 시골 마을에 살고 싶다고 말합니까?

1 컴퓨터 게임을 만들고 싶기 때문에
2 자신의 회사를 만들고 싶기 때문에
3 다양한 곳에서 살고 싶기 때문에
4 가족과 조용히 생활하고 싶기 때문에

정답 **4**

해설 밑줄 바로 뒤 문장에 「家族(かぞく)と いっしょに しずかな 所(ところ)で、ゆっくり 生活(せいかつ)が したいです 가족과 함께 조용한 곳에서 느긋하게 생활하고 싶습니다」라고 서술하고 있으므로 정답은 4번이다.

もんだい6 오른쪽 페이지를 보고 아래의 질문에 답하세요. 답은 1・2・3・4에서 가장 적당한 것을 하나 고르세요. 문제편 230p

23 린 씨는 지금 도자이대학교 앞에서 버스를 기다리고 있습니다. 지금부터 하나하나 쇼핑몰에서 쇼핑을 하고 나서 야마노시타역으로 갑니다. 지금은 5월 6일 금요일 오후 2시 18분입니다. 앞으로 어느 정도 버스를 기다립니까?

1 5분

2 15분

3 17분

4 35분

정답 **2**

해설 지금은 5월 6일 금요일 오후 2시 18분이고, 린 씨는 버스로 하나하나 쇼핑몰에 들렀다가 야마노시타역으로 이동해야 하는 상황이다. 먼저 표 아래를 보면 '※ 4월 29일(금) ～ 5월 8일(일) 사이는 휴일이므로 토·일요일용 시간으로 운행됩니다'라고 했으므로 5월 6일인 오늘은 토/일요일용 시간표를 봐야 한다. 또한 현재는 오후 2시 18분이므로 토/일요일의 14시 시간대를 보면, 이미 지나간 '5분' 차를 제외하고 남은 것은 '23분', '33분', '53분' 셋 중 하나이다. 시간표 아래의 ※에 '●는 하나하나 쇼핑몰에 가지 않습니다'라고 적혀 있으므로 '23분'은 탈 수 없다. 따라서 '33분'과 '53분' 버스 중 먼저 오는 '33분' 버스를 타야 하므로 기다리는 시간은 '33분 – 18분 = 15분'이 된다. 따라서 정답은 2번이다. 정보 검색 문제는 제시문에 나오는 정보가 모두 중요하고, ※와 같은 부호가 있는 부분은 예외 사항을 나타내는 경우가 많으므로 꼼꼼히 살펴봐야 한다.

단어 今(いま) 지금 | 大学(だいがく) 대학(교) | 前(まえ) 앞 | バス 버스 | 待(ま)つ 기다리다 | ショッピングモール 쇼핑몰 | 買(か)い物(もの) 쇼핑, 장보기 | 午後(ごご) 오후 | あと 앞으로 | ～行(ゆ)き (전철, 버스 등의) ～행(목적지) | ～用(よう) ～용 | 間(あいだ) 사이, 기간 | 休(やす)みの 日(ひ) 휴일 | 時間(じかん) 시간

버스 시간표

시간	하나하나 쇼핑몰 ~ 야마노시타역 행	
	분 (월요일~금요일용)	분 (토·일요일용)
7:00	●8 24 ●38 51	11 27 59
8:00	●3 14 ●29 44	16 38 56
9:00	●1 16 ●19 33 57	8 21 39
10:00	●23 43	5 ●23 33 53
11:00	3 ●23 35	5 ●23 33 53
12:00	3 ●23 35	5 ●23 33 53
13:00	3 ●23 35	5 ●23 33 53
14:00	3 ●23 35	5 ●23 33 53
15:00	3 ●23 35 59	5 ●23 33 53
16:00	18 ●27 39 59	1 19 ●39 49
17:00	19 40	1 19 ●39 49
18:00	0 12 30 42	1 19 ●39 49
19:00	0 11 29 41 59	1 19 ●39 49
20:00	11 29 ●41 59	0 18 36 54
21:00	11 29 ●41	●12 23 53

※ 4월 29일(금)~5월 8일(일) 사이는 휴일이므로 토·일요일용 시간으로 운행됩니다.

※ ●는 하나하나 쇼핑몰에 가지 않습니다.

3교시 청해

もんだい 1　문제 1에서는 우선 질문을 들으세요. 그리고 이야기를 듣고 문제지의 1부터 4 중에서 가장 적당한 것을 하나 고르세요. 그럼 연습해 봅시다.

れい　64_01

문제편 234p

教室で 男の 人と 女の 人が 話して います。宿題は どこに 何を 書きますか。

女 今日の 宿題は 何でしたか。

男 漢字の 宿題です。教科書の 3ページですね。

女 教科書に 書きますか。

男 いいえ、紙に 書きますよ。

女 全部、ですか。

男 1番と 2番だけです。

宿題は どこに 何を 書きますか。

교실에서 남자와 여자가 이야기하고 있습니다. 숙제는 어디에 무엇을 씁니까?

여 오늘 숙제는 뭐였어요?

남 한자 숙제예요. 교과서 3페이지네요.

여 교과서에 쓰나요?

남 아니요, 종이에 씁니다.

여 전부인가요?

남 1번과 2번만이요.

숙제는 어디에 무엇을 씁니까?

1
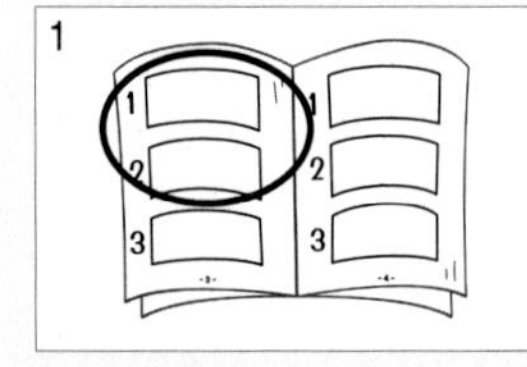

2
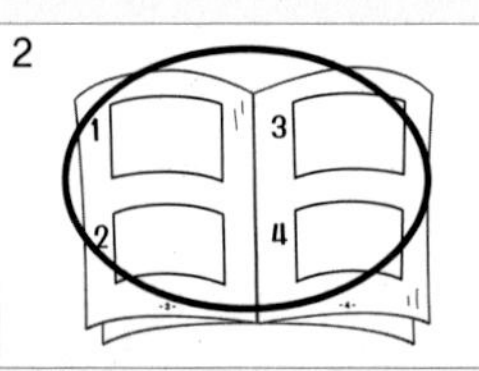

3
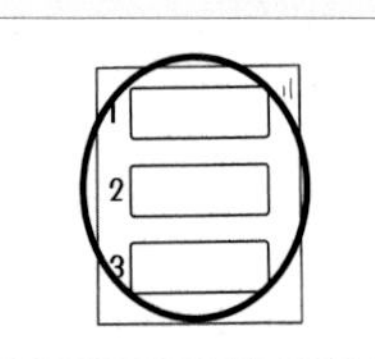

4
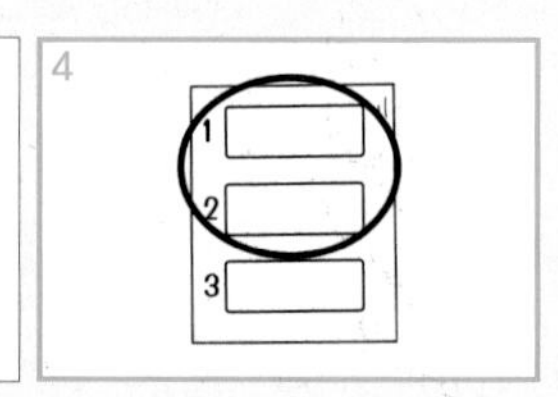

いちばん いいものは 4番です。解答用紙の 問題1の れいの ところを 見て ください。いちばん いいものは 4番ですから こたえは このように 書きます。では、始めます。

가장 적당한 것은 4번입니다. 답안지의 문제 1의 예 부분을 보십시오. 가장 적당한 것은 4번이므로 답은 이렇게 적습니다. 그럼 시작하겠습니다.

정답 4

단어 教室 교실 | 男 남자 | 女 여자 | 話す 이야기하다 | 宿題 숙제 | どこ 어디 | 書く 쓰다 | 今日 오늘 | 漢字 한자 | 教科書 교과서 | ページ 페이지 | 紙 종이 | 全部 전부 | ～番 ～번 | ～だけ ～만, ～뿐

해설 여자가 한자 숙제를 교과서에 적는지 묻자 남자가 「紙に 書きますよ 종이에 써요」라고 대답하고, 전부 다 쓰냐는 질문에 남자가 「1番と 2番だけです 1번과 2번만이요」라고 하므로 4번이 정답이다.

1ばん 64_02 문제편 235p

女の 人と 男の 人が 話して います。女の 人は 今から どこに 行きますか。

女 すみません。みどり銀行は どこですか。

男 みどり銀行ですね。ここから、遠いですよ。まっすぐ、10分 歩いて ください。

女 遠いですね。近くに 銀行は ありませんか。

男 さくら銀行が ありますよ。さくら銀行は、ここを 左に 曲がって ください。右側に 大きい ホテルが あります。ホテルの となりが さくら銀行です。

女 わかりました。ありがとう ございます。

女の 人は 今から どこに 行きますか。

여자와 남자가 이야기하고 있습니다. 여자는 이제부터 어디로 갑니까?

여 죄송합니다. 미도리 은행은 어디입니까?

남 미도리 은행이요? 여기서 멀어요. (이 길을) 곧장 10분 걸어가세요.

여 멀군요. 근처에 은행은 없나요?

남 사쿠라 은행이 있습니다. 사쿠라 은행은 여기를 왼쪽으로 꺾어 주세요. 오른편에 큰 호텔이 있어요. 호텔 옆이 사쿠라 은행이에요.

여 알겠습니다. 감사합니다.

여자는 이제부터 어디로 갑니까?

정답 1

단어 銀行 은행 | 遠い 멀다 | まっすぐ 곧장, 똑바로 | 歩く 걷다 | 近く 근처 | 左 왼쪽 | 曲がる 꺾다, (방향을) 돌다 | 右側 오른편, 우측 | 大きい 크다 | ホテル 호텔 | となり 옆, 이웃

해설 여자가 미도리 은행으로 가는 길을 물었는데, 남자가 멀어서 10분은 걸어가야 한다고 대답한다. 여자가 너무 멀다며 가까운 곳에 은행이 없냐고 물었고, 남자가 근처에 있는 사쿠라 은행 가는 길을 안내하자 여자는 이를 듣고 감사 인사를 한다. 따라서 여자가 가는 곳은 1번 사쿠라 은행이다.

2ばん 64_03

문제편 235p

学校で 先生が 話して います。テストは いつですか。

학교에서 선생님이 이야기하고 있습니다. 시험은 언제입니까?

男 みなさん。もう すぐ テストですね。その 前に 休みが あります。3月 2日から 4日まで 休みです。次の 日が テストです。休まないで くださいね。休みの 三日間、勉強して くださいね。

남 여러분, 이제 곧 시험이네요. 그 전에 휴일이 있습니다. 3월 2일부터 4일까지 휴일입니다. 다음 날이 시험입니다. 결석하지 마세요. 휴일 3일 동안 공부해 주세요.

テストは いつですか。

1 ふつか
2 みっか
3 いつか
4 ようか

시험은 언제입니까?

1 2일
2 3일
3 5일
4 8일

정답 3

단어 テスト 테스트, 시험 | いつ 언제 | みなさん 여러분 | もうすぐ 이제 곧 | 休み 휴일, 휴식, 휴가 | 次の 日 다음 날 | 休む 쉬다 | 勉強 공부

해설 시험 날짜를 묻는 문제이다. 휴일은 3월 2일부터 3월 4일까지이고, 연휴 다음 날이 시험이라고 말했으므로 3번의 5일이 시험일이다. 4일(よっか)과 8일(ようか)의 발음에 주의하자.

3ばん 64_04

문제편 236p

会社で 女の 人と 男の 人が 話して います。女の 人の ペットは 何ですか。

회사에서 여자와 남자가 이야기하고 있습니다. 여자의 반려동물은 무엇입니까?

女 田中さん、何か ペットが いますか。
男 はい。犬が います。かわいいですよ。
女 私の うちにも、小さい 時に 犬が いました。
男 今も いますか。
女 いいえ、今は 猫が います。ほんとうは 鳥も 好きですけど…。
男 そうですか。うちにも 猫が います。

여 다나카 씨, 반려동물이 있나요?
남 네. 개가 있어요. 귀엽답니다.
여 저희 집에도 어릴 때 개가 있었어요.
남 지금도 있어요?
여 아니요, 지금은 고양이가 있어요. 사실은 새도 좋아하지만….
남 그래요? 우리 집에도 고양이가 있어요.

女の 人の ペットは 何ですか。

여자의 반려동물은 무엇입니까?

1

2

3

4

정답 1

단어 会社 회사 | ペット 반려동물 | 犬 개 | うち (우리) 집 | 小さい 時 어릴 때 | 猫 고양이 | 本当 정말, 사실, 진짜 | 鳥 새 | 好きだ 좋아하다

해설 여자가 어렸을 때 개를 길렀다고 하자 지금도 기르고 있는지 물었고, 여자는 '아니요. 지금은 고양이가 있어요. 사실은 새도 좋아하지만…' 하고 말을 흐렸다. 즉, 여자가 현재 기르고 있는 것은 고양이뿐이라는 것을 알 수 있으므로 정답은 1번이다.

4ばん 64_05 문제편 236p

本屋で 女の 人と 男の 人が 話して います。女の 人は 何の 本を 買いましたか。

서점에서 여자와 남자가 이야기하고 있습니다. 여자는 무슨 책을 샀습니까?

女 すみません。料理の 本は ありますか。

男 たくさん ありますよ。どんな 本が いいですか。肉料理ですか。

女 いいえ。魚料理の 本は ありますか。

男 魚料理の 本ですか。今、ありませんね。

女 そうですか。じゃあ、お弁当の 本は ありますか。

男 これです。

女 ありがとう ございます。それ、ください。

女の 人は 何の 本を 買いましたか。

여 실례합니다. 요리책 있나요?

남 많이 있습니다. 어떤 책이 좋으세요? 육류 요리요?

여 아니요. 생선 요리책 있어요?

남 생선 요리책이요? 지금 없네요.

여 그래요? 그럼 도시락 책은 있어요?

남 여기요.

여 감사합니다. 그거 주세요.

여자는 무슨 책을 샀습니까?

1

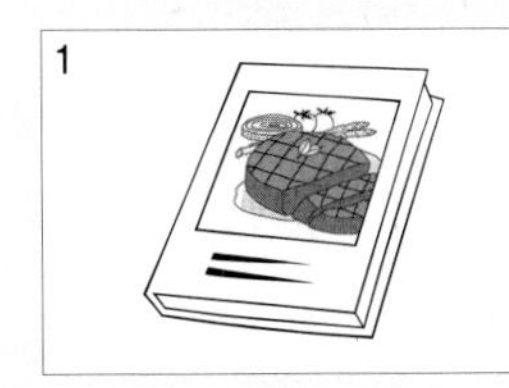

2

3

4

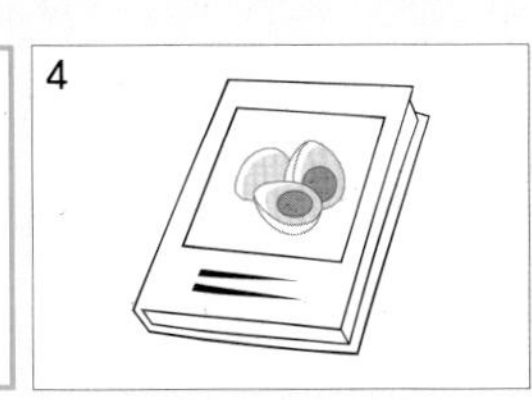

정답 3

단어 本屋 서점, 책방 | 本 책 | 買う 사다 | 料理 요리 | 肉 고기 | 魚 생선, 물고기 | お弁当 도시락

해설 대화 뒷부분에서 여자가 도시락 책은 있냐고 묻고, 남자가 책을 보여주자 '그거 주세요(それ、ください)'라고 했으므로 여자가 구매한 책은 3번이다.

5ばん 64_06 문제편 237p

学校で 先生が 学生に 話して います。学生は あしたの 午後、どこへ 行きますか。

학교에서 선생님이 학생에게 이야기하고 있습니다. 학생은 내일 오후에 어디로 갑니까?

女 みなさん、あしたは みんなで 公園へ 行きます。いつもは 2階の 教室で 授業しますが、あしたの 朝は、1階の 玄関へ 来て ください。午後は 3階の 教室で 勉強します。

여 여러분, 내일은 다 같이 공원에 갑니다. 평소에는 2층 교실에서 수업합니다만, 내일 아침에는 1층 현관으로 와 주세요. 오후에는 3층 교실에서 공부합니다.

学生は あしたの 午後、どこへ 行きますか。

1 こうえん
2 げんかん
3 2かい
4 3がい

학생은 내일 오후에 어디로 갑니까?

1 공원
2 현관
3 2층
4 3층

정답 4

단어 学校 학교 | 午後 오후 | みんなで 다 같이, 모두 함께 | 公園 공원 | ～階(かい·がい) ～층 | 教室 교실 | 授業 수업 | あした 내일 | 朝 아침 | 玄関 현관 | 勉強 공부

해설 학생은 내일 '오후'에 어디로 가는지 묻는 문제이다. 선생님이 내일은 다 같이 공원에 가는데 아침에는 1층 현관에서 모이고, '오후에는 3층 교실에서 공부를 합니다(午後は 3階の 教室で 勉強します)'라고 했기 때문에 '내일 오후'에 학생이 가야 하는 곳은 4번의 3층이다.

6ばん 64_07 문제편 237p

女の 人と 男の 人が 話して います。男の 人は 何を 持って 行きますか。

여자와 남자가 이야기하고 있습니다. 남자는 무엇을 가지고 갑니까?

女 あしたは、学校で パーティーが ありますね。
男 そうですね。何か 持って 行きますか。
女 自分の コップと フォークを 持って 行きます。
男 そうですか。食べ物は？
女 食べ物は いりませんが、飲み物が いります。
男 わかりました。

여 내일은 학교에서 파티가 있죠?
남 그렇네요. 뭔가 가지고 가나요?
여 자기 컵과 포크를 가지고 갑니다.
남 그래요? 음식은요?
여 음식은 필요 없지만, 마실 것이 필요해요.
남 알겠습니다.

男の 人は 何を 持って 行きますか。

남자는 무엇을 가지고 갑니까?

정답 3

단어 持って行く 가지고 가다, 들고 가다 | 学校 학교 | パーティー 파티 | 自分 자기, 자신 | コップ 컵 | フォーク 포크 | 食べ物 먹을 것, 음식 | 飲み物 마실 것, 음료

해설 여자가 '자기 컵과 포크'를 가지고 간다고 했으므로 2번은 답이 될 수 없다. 이어서 '음식은 필요없고, 마실 것이 필요하다'고 했으므로 컵, 포크, 차(마실 것)로 이루어진 3번이 정답이다.

7ばん 64_08 문제편 238p

男の 人と 女の 人が 話して います。二人は、あした、どこに 何を しに 行きますか。

남자와 여자가 이야기하고 있습니다. 두 사람은 내일 어디에 무엇을 하러 갑니까?

男 あした、休みですね。どこか 行きませんか。

女 いいですね。どこか 遠くに 行きたいです。

男 暑いですから、泳ぎに 行きませんか。プールや 海は どうですか。

女 海が いいですね。でも、私、泳ぐのは ちょっと…。

男 そうですか。じゃあ、公園で 散歩は どうですか。

女 うーん。やっぱり、海に 行きたいです。

男 じゃあ、海を 見に 行きましょう。海の 近くを 散歩しましょう。

女 いいですね。そう しましょう。

二人は、あした、どこに 何を しに 行きますか。

남 내일 휴일이네요. 어딘가 가지 않을래요?

여 좋네요. 어딘가 먼 곳으로 가고 싶어요.

남 더우니까, 수영하러 가지 않을래요? 수영장이나 바다는 어때요?

여 바다가 좋겠어요. 하지만, 저는 수영은 좀….

남 그래요? 그럼 공원에서 산책하는 건 어때요?

여 음. 역시 바다에 가고 싶어요.

남 그럼 바다를 보러 갑시다. 바다 근처를 산책하죠.

여 좋아요. 그렇게 해요.

두 사람은 내일 어디에 무엇을 하러 갑니까?

정답 1

단어 休み 휴일, 휴가 | 遠く 먼 곳 | 暑い 덥다 | 泳ぐ 수영하다, 헤엄치다 | プール 풀장, 수영장 | 海 바다 | 公園 공원 | 散歩 산책 | やっぱり 역시 | 近く 근처, 가까이

해설 '어디'에서 '무엇'을 하는지 두 가지가 모두 나타난 그림을 골라야 한다. 여자가 '바다가 좋겠어요. 하지만 수영은 좀…'이라고 말을 흐리며 내키지 않는다는 뜻을 내비치고 있다. 따라서 수영을 하고 있는 2번과 4번은 오답이다. 남자가 '바다 근처를 산책해요'라고 하고 여자도 이에 동의하고 있으므로 정답은 1번이다.

もんだい 2　문제 2에서는 우선 질문을 들으세요. 그다음에 이야기를 듣고 문제지의 1부터 4 중에서 가장 적당한 것을 하나 고르세요. 그럼 연습해 봅시다.

れい 64_09

문제편 239p

女の 人と 男の 人が 話して います。女の 人は 何で フレンチトーストを 作りましたか。

여자와 남자가 이야기하고 있습니다. 여자는 무엇으로 프렌치토스트를 만들었습니까?

女 おはよう。今日は フレンチトーストを 作りました。どうぞ。

男 ありがとう。いい においですね。いただきます。

女 はちみつも、この パンと いっしょに どうぞ。

男 これ、おいしいですね。何で 作りますか。

女 たまごと 牛乳、そして、砂糖です。

여 좋은 아침이에요. 오늘은 프렌치토스트를 만들었어요. 드셔 보세요.

남 고마워요. 냄새가 좋네요. 잘 먹겠습니다.

여 꿀도 이 빵과 함께 드세요.

남 이거 맛있네요. 무엇으로 만들어요?

여 달걀과 우유, 그리고 설탕이요.

女の 人は 何で フレンチトーストを 作りましたか。

여자는 무엇으로 프렌치토스트를 만들었습니까?

1

2

3

4

いちばん　いいものは　4番です。解答用紙の 問題 2の れいの　ところを　見て　ください。いちばん　いいものは　4番ですから　こたえは　このように　書きます。では、始めます。

가장 적당한 것은 4번입니다. 답안지의 문제 2의 예 부분을 보십시오. 가장 적당한 것은 4번이므로 답은 이렇게 적습니다. 그럼 시작하겠습니다.

정답 4

단어 フレンチトースト 프렌치토스트 | 作る 만들다 | におい 냄새 | はちみつ 꿀 | パン 빵 | たまご 달걀 | 牛乳 우유 | 砂糖 설탕

해설 여자가 무엇으로 프렌치토스트를 만들었는지 묻는 문제이다. 무엇으로 만들었냐는 남자의 질문에 '달걀과 우유, 그리고 설탕이요'라고 대답했으므로 정답은 4번이다. 이처럼 주로 재료나 식품의 종류를 알아야 풀 수 있는(그림에서 고를 수 있는) 문제가 종종 출제되므로 관련 단어를 함께 정리해 두는 것이 좋다.

1ばん 64_10

문제편 240p

女の 人と 男の 人が 話して います。男の 人は 昨日 どこへ 行きましたか。

女 木村さん、昨日 どこかへ 行きましたか。

男 ええ、喫茶店へ 行きましたよ。

女 病院の 隣の 喫茶店ですか。

男 ええ、そうです。田中さんは？

女 私は、病院へ 行ってから、駅の 近くの デパートへ 行きました。

男の 人は 昨日 どこへ 行きましたか。

1 びょういん
2 デパート
3 えき
4 きっさてん

여자와 남자가 이야기하고 있습니다. 남자는 어제 어디에 갔습니까?

여 기무라 씨, 어제 어딘가에 다녀오셨어요?

남 네, 찻집에 갔어요.

여 병원 옆 찻집이요?

남 네, 맞아요. 다나카 씨는요?

여 저는 병원에 갔다가 역 근처 백화점에 갔어요.

남자는 어제 어디에 갔습니까?

1 병원
2 백화점
3 역
4 찻집

정답 4

단어 喫茶店 찻집 | 病院 병원 | 隣 옆, 이웃 | 駅 역 | 近く 근처, 가까이 | デパート 백화점

해설 도입부에 어제 어디 다녀왔냐는 질문에 남자는 '찻집에 갔어요'라고 정확히 대답하고 있으므로 정답은 4번이다. 찻집은 병원 옆에 있고, 병원에 갔다가 역 근처 백화점에 간 것은 여자이므로 나머지 선택지는 답이 될 수 없다.

2ばん 64_11

문제편 240p

男の 先生と 女の 先生が 話して います。今、教室には 学生が 何人 いますか。

女 授業が 終わりましたね。

男 ええ、つかれました。みんな 帰りましたか。

女 えーっと、男の 人は もう いませんね。女の 人は まだ 二人 います。

男 あれ、でも、佐藤さんの かばんが ありますよ。

女 あっ。佐藤さん、5分前に、パンを 買いに 行きました。

남자 선생님과 여자 선생님이 이야기하고 있습니다. 지금 교실에는 학생이 몇 명 있습니까?

여 수업이 끝났네요.

남 네, 피곤해요. 다들 돌아갔어요?

여 음, 남자는 이제 없네요. 여자는 아직 두 명 있어요.

남 어라, 하지만 사토 씨의 가방이 있어요.

여 아, 사토 씨는 5분 전에 빵을 사러 갔어요.

今、教室には 学生が 何人 いますか。

1 0

2 1

3 2

4 3

지금 교실에는 학생이 몇 명 있습니까?

1 0

2 1

3 2

4 3

정답 3

단어 授業 수업 | 終わる 끝나다 | 疲れる 피곤하다, 지치다 | 帰る 돌아가(오)다 | もう 이미, 벌써 | まだ 아직 | かばん 가방 | パン 빵 | 買いに 行く 사러 가다

해설 현재 남아 있는 남자는 없지만 '여자는 아직 두 명 있다(女の 人は まだ 二人 います)'고 했으므로 지금 교실에 있는 학생의 수는 두 명이다. 사토 씨도 아직 돌아가지 않았지만 빵을 사러 가서 없으므로 '지금 교실에 있는 학생 수'에서 제외해야 한다. 따라서 정답은 3번이다.

3ばん 64_12 문제편 241p

みんなの 前で 書いた 作文を 読んで います。女の 人は、何の ジュースが 一番好きですか。

모두의 앞에서 작성한 작문을 읽고 있습니다. 여자는 무슨 주스를 가장 좋아합니까?

女 私の 好きな ジュースは 果物の ジュースです。いろいろな 果物の ジュースが あります。みかんや りんごや バナナなどの ジュースも あります。果物の ジュースの 中で 私の 大好きな ジュースは りんごの ジュースです。みなさんは、どんな ジュースが 好きですか。

여 제가 좋아하는 주스는 과일 주스입니다. 다양한 과일 주스가 있습니다. 귤이나 사과나 바나나 등의 주스도 있습니다. 과일 주스 중에서 제가 매우 좋아하는 주스는 사과 주스입니다. 여러분은 어떤 주스를 좋아합니까?

女の 人は、何の ジュースが 一番好きですか。

여자는 무슨 주스를 가장 좋아합니까?

1

2

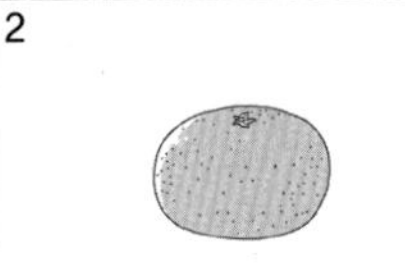

3

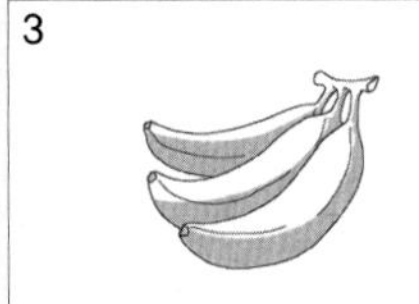

4

정답 1

단어 作文 작문 | ジュース 주스 | 一番 가장, 제일 | 果物 과일 | いろいろな 다양한, 여러 가지의 | みかん 귤 | りんご 사과 | バナナ 바나나 | ～など ～등 | 大好きだ 매우 좋아하다

해설 여자는 먼저 귤이나 사과나 바나나 등 다양한 과일 주스가 있다고 말한 후 그 중에서 '제가 매우 좋아하는 주스는 사과 주스입니다(私の 大好きな ジュースは りんごの ジュースです)'라고 말한다. 따라서 정답은 1번이다.

4ばん 64_13 문제편 241p

女の 人と 男の 人が 話して います。男の 人は 何を 使って 学校に 来ますか。

여자와 남자가 이야기하고 있습니다. 남자는 무엇을 이용해 학교에 옵니까?

女 吉田さん、うちから 学校まで どの くらい かかりますか。

男 30 分です。

女 へー。電車で ３０分ですか。

男 いいえ。自転車で ３０分です。うちから 駅が 遠いですから 電車は 使いません。リンさんは？

女 私は バスで 10 分です。歩いて 30 分ですが、いつも、バスで 来ます。

여 요시다 씨, 집에서 학교까지 얼마나 걸려요?

남 30분이요.

여 어머, 전철로 30분이요?

남 아니요. 자전거로 30분이에요. 집에서 역이 멀어서 전철은 이용하지 않아요. 린 씨는요?

여 저는 버스로 10분이에요. 걸어서 30분이지만, 항상 버스로 와요.

男の 人は 何を 使って 学校に 来ますか。

남자는 무엇을 이용해 학교에 옵니까?

정답 3

단어 使う 이용하다, 사용하다 | 学校 학교 | うち 집 | かかる (시간이) 걸리다, 소요되다 | 電車 전철 | 自転車 자전거 | 駅 역 | 遠い 멀다 | 歩く 걷다 | いつも 항상, 늘

해설 집에서 학교까지 전철로 30분 걸리는지 묻는 여자에게 남자는 '자전거로 30분이에요. 집에서 역이 멀어서 전철은 이용하지 않아요'라고 대답했으므로 정답은 3번이다.

5ばん 64_14 문제편 242p

大学で 女の 学生と 男の 学生が 話して います。東京から 大阪まで、飛行機で 何時間 かかりますか。

대학에서 여학생과 남학생이 이야기하고 있습니다. 도쿄에서 오사카까지 비행기로 몇 시간 걸립니까?

女 木村さんの 両親の うちは 大阪ですよね。

男 はい。

女 来週、大阪へ 行きます。新幹線で、どの くらい かかりますか。

여 기무라 씨의 부모님 댁은 오사카지요?

남 네.

여 다음 주에 오사카에 가요. 신칸센으로 어느 정도 걸려요?

男 そうですね。2時間 半ぐらいです。

女 そうですか。飛行機で どの くらいですか。2時間か 3時間ですか。

男 もっと 速いです。新幹線の ちょうど 半分の 時間しか かかりません。

女 それは 速いですね。

남 글쎄요. 2시간 반 정도입니다.

여 그래요? 비행기로 어느 정도예요? 두 시간이나 세 시간 걸리나요?

남 더 빨라요. 신칸센의 딱 반 정도의 시간밖에 걸리지 않아요.

여 그거 빠르군요.

東京から 大阪まで、飛行機で 何時間 かかりますか。

1 3じかん

2 2じかん はん

3 1じかん はん

4 1じかん 15ふん

도쿄에서 오사카까지 비행기로 몇 시간 걸립니까?

1 3시간

2 2시간 반

3 1시간 반

4 1시간 15분

정답 4

단어 大学 대학 | 飛行機 비행기 | 何時間 몇 시간 | 両親 부모님 | 新幹線 신칸센(일본 고속철도) | どの くらい 어느 정도 | かかる (시간이) 걸리다, 소요되다 | ～半 ～반(30분) | 速い (속도가) 빠르다 | ちょうど 딱 맞게, 꼭, 정확히 | 半分 절반

해설 대화 중반 도쿄에서 오사카까지 비행기로 얼마나 걸리냐는 여자의 질문에 남자는 '신칸센의 딱 반 정도의 시간밖에 걸리지 않는다고 대답한다. 대화 초반에서 신칸센(고속 철도)으로는 두 시간 반 정도 걸린다고 했으므로 비행기로는 그 절반인 1시간 15분 정도가 소요됨을 알 수 있다. 따라서 정답은 4번이다.

6ばん 64_15 문제편 242p

電話で 男の 人が 話して います。今晩、どこで ご飯を 食べますか。

전화로 남자가 이야기하고 있습니다. 오늘 밤 어디에서 밥을 먹습니까?

男 もしもし。田中さん？小川です。今日の 晩ご飯ですが、仕事で 少し 遅く なります。だから、さくらホテルの 前の デパートじゃなくて、会社の 近くの 喫茶店で 軽く 食べませんか。7時 半に そこで 待って いますね。

남 여보세요? 다나카 씨? 오가와입니다. 오늘 저녁 식사 말인데요, 일 때문에 조금 늦어집니다. 그래서 사쿠라 호텔 앞의 백화점 말고, 회사 근처의 찻집에서 가볍게 먹지 않을래요? 7시 반에 거기서 기다리고 있을게요.

今晩、どこで ご飯を 食べますか。

1 ホテル

2 かいしゃ

3 デパート

4 きっさてん

오늘 밤 어디에서 밥을 먹습니까?

1 호텔

2 회사

3 백화점

4 찻집

정답 4

단어 電話 전화 | 今晩 오늘 밤 | 食べる 먹다 | もしもし 여보세요 | 晩ご飯 저녁밥 | 遅い 늦다, 늦어지다 | ホテル 호텔 | デパート 백화점 | 会社 회사 | 喫茶店 찻집 | 軽い 가볍다 | 待つ 기다리다

해설 일 때문에 조금 늦어지므로 오늘 저녁밥은 원래 예정된 곳이 아닌 '회사 근처 찻집에서 가볍게 먹자'고 제안하고 있으므로 정답은 4번이다.

もんだい 3 문제 3에서는 그림을 보면서 질문을 들으세요. 화살표 (➡)의 사람은 뭐라고 말합니까? 1부터 3 중에서 가장 적당한 것을 하나 고르세요. 그럼 연습해 봅시다.

れい 64_16 문제편 243p

昨日の 宿題を 忘れました。先生に 何と 言いますか。

어제 숙제를 잊었습니다. 선생님에게 뭐라고 말합니까?

男 1 ありがとう ございます。
　 2 失礼しました。
　 3 すみません。

남 1 감사합니다.
　 2 실례했습니다.
　 3 죄송합니다.

いちばん いいものは 3番です。解答用紙の 問題3の れいの ところを 見て ください。いちばん いいものは 3番ですから こたえは このように 書きます。では、始めます。

가장 적당한 것은 3번입니다. 답안지의 문제 3의 예 부분을 보십시오. 가장 적당한 것은 3번이므로 답은 이렇게 적습니다. 그럼 시작하겠습니다.

정답 3

단어 昨日 어제 | 宿題 숙제 | 忘れる 잊다 | 失礼 실례

해설 어제 내 준 숙제를 깜빡했을 때 학생이 선생님께 하는 말로 적절한 것은 「すみません 죄송합니다」라고 사과하는 3번이다. 1번은 감사 표현이며, 2번은 회의실처럼 공적, 업무적 공간 등에서 나올 때 사용한다.

1ばん 64_17 문제편 244p

友だちと 昼ご飯を 食べに 行きました。この 店に 入りたいです。友だちに 何と 言いますか。

女 1 この 店は どうですか。
2 この 店は いいでしょう？
3 この 店は どこですか。

친구와 점심을 먹으러 갔습니다. 이 가게에 들어가고 싶습니다. 친구에게 뭐라고 합니까?

여 1 이 가게는 어떻습니까?
2 이 가게는 좋겠지요?
3 이 가게는 어디입니까?

정답 1

단어 昼ご飯 점심밥 | 店 가게 | 入る 들어가(오)다

해설 친구와 점심을 먹으러 가서 들어가고 싶은 가게가 있을 때 할 수 있는 표현으로는 「どうですか 어떻습니까?」라고 제안하는 1번이 가장 적당하다.

2ばん 64_18 문제편 244p

喫茶店で、コーヒーが 飲みたいです。店の 人に 何と 言いますか。

男 1 すみません。コーヒーを ください。
2 コーヒーを 持って きますよ。
3 コーヒーを 飲みませんか。

찻집에서 커피를 마시고 싶습니다. 가게 사람에게 뭐라고 합니까?

남 1 저기요. 커피 주세요.
2 커피를 가지고 올게요.
3 커피를 마시지 않겠습니까?

정답 1

단어 喫茶店(きっさてん) 찻집, 카페 | コーヒー 커피 | 飲(の)む 마시다 | 持(も)って くる 가지고 오다

해설 찻집에서 커피를 주문하는 상황이므로 1번이 정답이다. 「すみません」은 '죄송합니다(미안합니다)', '고맙습니다'라는 사과나 감사의 뜻뿐만 아니라 이 문제에서처럼 남에게 말을 걸 때 '실례합니다', '저기요'라는 뜻으로 사용하기도 한다. 2번은 타인에게 커피를 낼 때, 3번은 타인에게 커피를 권할 때 쓰는 표현이므로 상황에 맞지 않는다.

3ばん 64_19 문제편 245p

バスが 来(き)ました。友(とも)だちに 何(なん)と 言(い)いますか。

버스가 왔습니다. 친구에게 뭐라고 말합니까?

女 1 やっと、乗(の)ります。
2 さあ、乗(の)りましょう。
3 乗(の)らなくて いいです。

여 1 겨우 탑니다.
2 자, 탑시다.
3 타지 않아도 됩니다.

정답 2

단어 バス 버스 | やっと 겨우, 가까스로 | 乗(の)る (탈 것·교통수단을) 타다

해설 버스가 온 것을 친구에게 알리는 상황이므로 2번 '자, 탑시다'가 정답이다. 「〜ましょう 〜합시다」는 행동을 함께하도록 권유할 때 사용한다. 반말체는 「동사의 의지형(おう · よう)」이 되며 「乗(の)ろう 타자」, 「食(た)べよう 먹자」, 「来(こ)よう 오자」, 「しよう 하자」와 같이 사용한다. 또한 2번의 「さあ 자」는 대화문에서 타인에게 어떤 행동을 권하거나 재촉할 때 사용하는 표현이다.

4ばん 64_20

문제편 245p

友(とも)だちと 長(なが)い 時間(じかん) 歩(ある)いて つかれました。何(なん)と 言(い)いますか。

친구와 오랫동안 걸어서 피곤해졌습니다. 뭐라고 말합니까?

男 1 今(いま) 休(やす)んで いますか。
2 少(すこ)し 休(やす)みませんか。
3 休(やす)まないです。

남 1 지금 쉬고 있습니까?
2 잠깐 쉬지 않겠습니까?
3 쉬지 않습니다.

정답 2

단어 友(とも)だち 친구 | 長(なが)い 길다, 오래다 | 時間(じかん) 시간 | 歩(ある)く 걷다 | 疲(つか)れる 피곤해지다, 지치다 | 休(やす)む 쉬다 | 少(すこ)し 잠깐, 조금

해설 많이 걸어서 피곤해진 상태이므로 상대방에게 행위를 권유하는 표현인「～ませんか ～지 않을래요?」를 사용하여 '잠깐 쉬지 않겠습니까?'라고 휴식을 제안한 2번이 정답이다. 친한 사이에서 사용하는 반말체인「ちょっと 休(やす)まない? 잠깐 쉬지 않을래?」도 함께 기억해 두자.

5ばん 64_21

문제편 246p

たばこを 吸(す)って いる 人(ひと)が います。何(なん)と 言(い)いますか。

담배를 피우고 있는 사람이 있습니다. 뭐라고 말합니까?

女 1 ここで、たばこを 吸(す)いますよ。
2 ここでは、たばこを 吸(す)わないで ください。
3 たばこを 吸(す)っても いいですか。

여 1 여기에서 담배를 피웁니다.
2 여기에서는 담배를 피우지 말아 주세요.
3 담배를 피워도 됩니까?

정답 2

단어 たばこ 담배 | 吸(す)う (담배를) 피우다, 흡입하다, 빨아들이다

해설 담배를 피우는 사람에게 주의를 주는 상황이다. 금지하거나 원가를 하지 않도록 부탁하는 표현인「～ないで ください ～하지 말아 주세요」를 사용한 2번이 정답이다. 3번은 허가를 구하는 표현이므로 답으로는 적절하지 않다.

もんだい 4　문제 4는 그림 등이 없습니다. 문장을 듣고 1부터 3 중에서 가장 적당한 것을 하나 고르세요. 그럼 연습해 봅시다.

문제편 247p

れい　64_22

女 ありがとう ございます。

男 1 どういたしまして。
2 ちょっと、すみません。
3 おはよう ございます。

여 감사합니다.

남 1 천만에요.
2 잠깐 실례하겠습니다.
3 안녕하세요.

いちばん　いいものは　1番(いちばん)です。解答用紙(かいとうようし)の 問題(もんだい)4の れいの　ところを　見(み)て　ください。いちばん　いいものは　1番(いちばん)ですから　こたえは　このように　書(か)きます。では、始(はじ)めます。

가장 적당한 것은 1번입니다. 답안지의 문제 4의 예 부분을 보십시오. 가장 적당한 것은 1번이므로 답은 이렇게 적습니다. 그럼 시작하겠습니다.

정답 1

단어 ちょっと 조금, 잠깐

해설 '감사합니다'라는 인사말에 대한 적절한 대답으로는「どういたしまして 천만에요」가 적당하다. 정답은 1번이다.

1ばん　64_23

男 どんな かばんが ほしいですか。

女 1 大(おお)きいのです。
2 どれですか。
3 とても かわいいですね。

남 어떤 가방을 원하세요?

여 1 큰 것이요.
2 어느 건가요?
3 매우 귀엽네요.

정답 1

단어 どんな 어떤 | かばん 가방 | ほしい 원하다, 갖고 싶다 | 大(おお)きい 크다 | どれ 어느 것 | とても 매우 | かわいい 귀엽다

해설 어떤 가방을 원하냐는 질문에「大(おお)きいのです 큰 것이요」라고 구체적인 사양을 대답한 1번이 정답이다. 2번처럼 질문에 질문으로 대답하거나 질문에 있는 핵심어를 한 번 더 말하는 경우 오답일 확률이 매우 높다.

2ばん 64_24

男 もう 宿題(しゅくだい)を しましたか。
女 1 そうですか。
2 いえ、まだです。
3 ええ、そう しましょう。

남 벌써 숙제를 했습니까?
여 1 그렇습니까?
2 아니요, 아직입니다.
3 네, 그렇게 합시다.

정답 2

단어 もう 벌써, 이미 | 宿題(しゅくだい) 숙제 | いえ 아니요(「いいえ」의 회화체) | まだ 아직 | ええ 응(「はい」의 회화체) | そう する 그렇게 하다

해설 숙제를 이미 했냐는 질문에 대한 적절한 응답은 2번 「いえ、まだです 아니요, 아직입니다」이다. 「もう ~ましたか 벌써 ~(했)습니까?」라는 질문에 대한 응답으로는 「いいえ、まだです 아니요, 아직입니다」나 「いいえ、まだ ~て いません 아니요, 아직 ~지 않았습니다」로 대답하는 경우가 많다.

3ばん 64_25

女 あしたは どこに 行(い)きたいですか。
男 1 京都(きょうと)へ 行(い)きました。
2 どこへも 行(い)きたく ありません。
3 それは どこですか。

여 내일은 어디에 가고 싶습니까?
남 1 교토에 갔습니다.
2 아무 데도 가고 싶지 않습니다.
3 그것은 어디입니까?

정답 2

단어 あした 내일 | どこ 어디 | どこへも 아무 데도

해설 내일 어디로 가고 싶냐는 질문에 꼭 가고 싶은 곳을 대답하라는 법은 없다. 선택지 중 대화 흐름이 가장 자연스러운 대답은 2번 「どこへも 行(い)きたく ありません 아무 데도 가고 싶지 않습니다」이다. 선택지 1번은 과거 시제로 대답했으므로 '내일 가고 싶은 곳'이라는 질문과 맞지 않으며, 질문에 질문으로 답하고 있는 3번은 답이 될 수 없다.

4ばん 64_26

男 あの 人(ひと)は だれですか。
女 1 はい、立(た)って いますね。
2 ええ、知(し)って います。
3 あ、田中(たなか)さんですね。

남 저 사람은 누구입니까?
여 1 네, 서 있네요.
2 네, 압니다.
3 아, 다나카 씨예요.

정답 3

단어 だれ 누구 | 立(た)つ 서다, 일어서다 | ええ 네(「はい」의 회화체) | 知(し)る 알다

해설 저 사람이 누구인지 묻는 질문에 구체적으로 사람의 이름으로 대답한 3번 「田中(たなか)さんですね 다나카 씨예요」가 정답이다.

5ばん 64_27

男 きれいな 服(ふく)ですね。どこで 買(か)いましたか。	남 예쁜 옷이군요. 어디서 샀습니까?
女 1 私(わたし)も 買(か)いたいです。	여 1 나도 사고 싶습니다.
2 デパートへ 買(か)いに 行(い)きましょう。	2 백화점에 사러 갑시다.
3 友(とも)だちに もらいました。	3 친구에게 받았어요.

정답 3

단어 きれいだ 예쁘다, 깨끗하다 | 服(ふく) 옷 | 買(か)う 사다 | デパート 백화점 | 友(とも)だち 친구 | もらう 받다

해설 옷을 어디서 샀냐고 묻고 있으므로 「友(とも)だちに もらいました 친구에게 받았어요」라고 대답한 3번이 답으로 가장 적절하다. 백화점이라는 장소만 듣고 섣불리 2번을 고르기 쉽지만, 문말 표현이 권유를 나타내는 「~ましょう ~합시다」이므로 답으로는 적절하지 않다. 이처럼 문말 표현에 따라 뉘앙스가 달라지기도 하니 내용을 끝까지 잘 듣고 신중하게 고르도록 하자.

6ばん 64_28

女 いつ、東京(とうきょう)へ 行(い)きますか。	여 언제, 도쿄에 갑니까?
男 1 ぜひ、行(い)きたいです。	남 1 꼭 가고 싶습니다.
2 来週(らいしゅう)です。	2 다음 주입니다.
3 ええ、そう しましょう。	3 네, 그렇게 합시다.

정답 2

단어 いつ 언제 | ぜひ 꼭, 부디 | 来週(らいしゅう) 다음 주

해설 언제 도쿄에 가느냐는 질문에 구체적인 시간을 들어 대답하고 있는 2번 「来週(らいしゅう)です 다음 주입니다」가 정답이다.

MEMO

MEMO

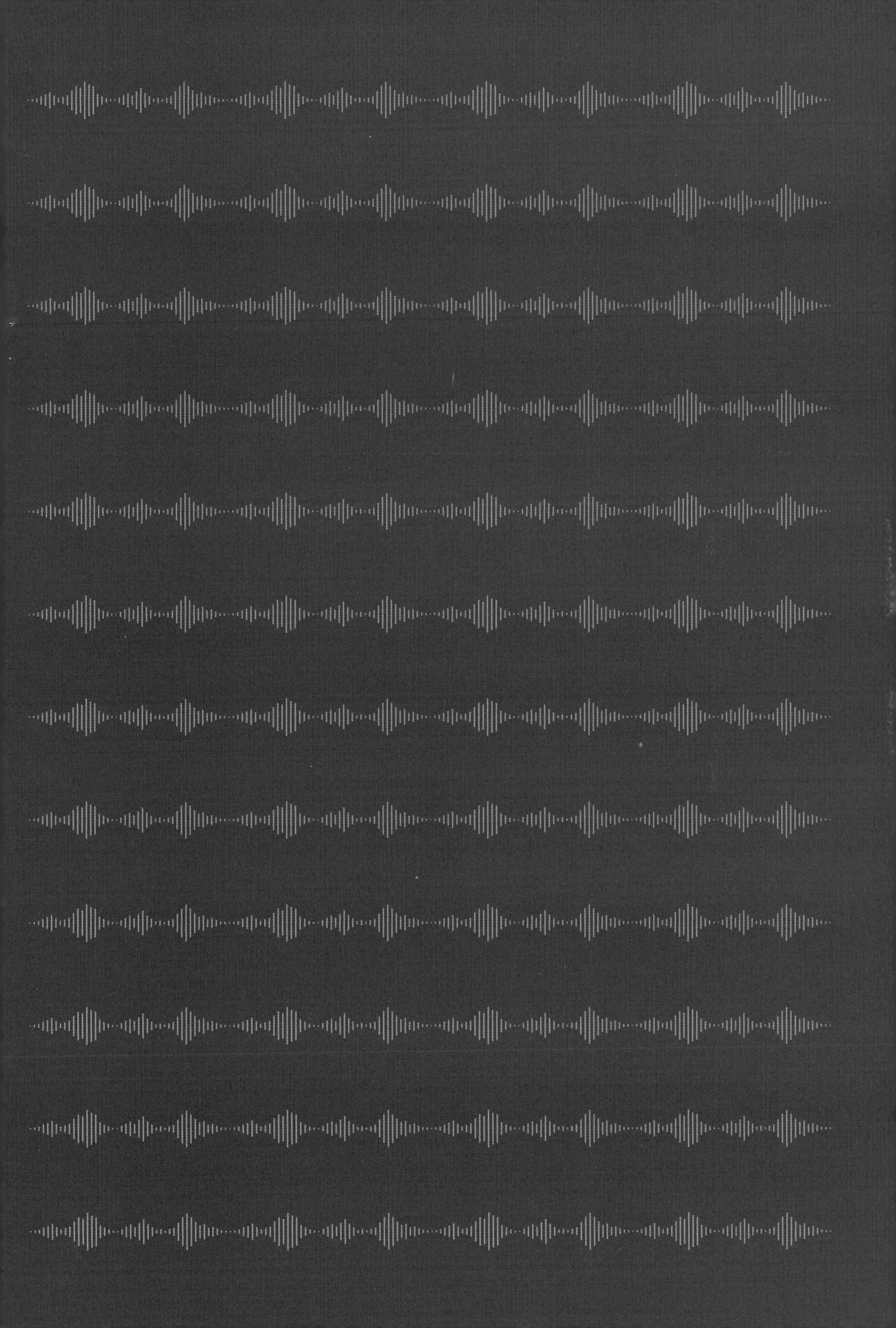

시험직전 **막판뒤집기**

N5

시사일본어사

문자어휘 기출단어

1 한자 읽기
2 표기
3 문맥 규정
4 유의 표현

N5

1 : 한자 읽기

	어휘	발음	의미
□	間	あいだ	사이, 동안
□	会う	あう	만나다
□	足	あし	다리, 발
□	後	あと	후, 뒤, 나중
□	雨	あめ	비
□	言う	いう	말하다
□	五つ	いつつ	다섯, 다섯 개
□	犬	いぬ	개
□	上	うえ	위
□	腕	うで	팔
□	多い	おおい	많다
□	お母さん	おかあさん	어머니
□	お金	おかね	돈
□	お父さん	おとうさん	아버지
□	男の 人	おとこの ひと	남자
□	女の 子	おんなの こ	여자아이
□	女の 人	おんなの ひと	여자
□	外国	がいこく	외국
□	会社	かいしゃ	회사
□	買う	かう	사다, 구입하다
□	書く	かく	쓰다, 적다
□	学校	がっこう	학교

	어휘	발음	의미
□	火よう日	かようび	화요일
□	川	かわ	강
□	北がわ	きたがわ	북쪽
□	北口	きたぐち	북쪽 출구
□	九千円	きゅうせんえん	9,000엔
□	金よう日	きんようび	금요일
□	九月	くがつ	9월
□	九時	くじ	9시
□	国	くに	나라, 고국, 고향
□	来る	くる	오다
□	車	くるま	차, 자동차
□	元気	げんき	건강
□	午後	ごご	오후
□	九つ	ここのつ	아홉, 아홉 개
□	五千円	ごせんえん	5천 엔
□	五分	ごふん	5분
□	今週	こんしゅう	이번 주
□	魚	さかな	물고기, 생선
□	三本	さんぼん	세 자루, 세 병
□	四月	しがつ	4월
□	七時	しちじ	7시
□	新聞	しんぶん	신문

어휘	발음	의미
□ 水よう日	すいようび	수요일
□ 少ない	すくない	적다
□ 少し	すこし	조금
□ 千円	せんえん	천 엔
□ 先月	せんげつ	지난달
□ 先週	せんしゅう	지난주
□ 先生	せんせい	선생님
□ 外	そと	밖
□ 空	そら	하늘
□ 高い	たかい	높다, 비싸다
□ 出す	だす	내다, 내놓다, 제출하다
□ 立つ	たつ	서다
□ 小さい	ちいさい	작다
□ 父	ちち	(나의) 아버지
□ 手	て	손
□ 出口	でぐち	출구
□ 出る	でる	나가다, 나오다
□ 天気	てんき	날씨
□ 電車	でんしゃ	전철
□ 友だち	ともだち	친구
□ 土よう日	どようび	토요일
□ 中	なか	가운데, 속, 안
□ 何か	なんかげつ	몇 개월

어휘	발음	의미
□ 何人	なんにん	몇 명
□ 西がわ	にしがわ	서쪽
□ 二万円	にまんえん	2만 엔
□ 飲む	のむ	마시다, (약을) 먹다
□ 入る	はいる	들어가다, 들어오다
□ 八百円	はっぴゃくえん	팔백 엔
□ 花	はな	꽃
□ 話	はなし	이야기
□ 話す	はなす	이야기하다
□ 半分	はんぶん	반, 절반
□ 東がわ	ひがしがわ	동쪽
□ 左	ひだり	왼쪽
□ 百人	ひゃくにん	백 명
□ 古い	ふるい	낡다, 오래되다
□ 毎月	まいつき	매월
□ 毎週	まいしゅう	매주
□ 毎日	まいにち	매일
□ 前	まえ	전(시간), 앞(공간)
□ 右	みぎ	오른쪽
□ 右がわ	みぎがわ	우측, 오른쪽
□ 水	みず	물
□ 店	みせ	가게
□ 三つ	みっつ	셋, 세 개

	어휘	발음	의미
□	南がわ	みなみがわ	남측, 남쪽
□	耳	みみ	귀
□	見る	みる	보다
□	六つ	むっつ	여섯 개
□	目	め	눈
□	木よう日	もくようび	목요일
□	安い	やすい	싸다, 저렴하다
□	休む	やすむ	쉬다
□	八つ	やっつ	여덟 개
□	山	やま	산
□	四時	よじ	네 시
□	読む	よむ	읽다
□	来年	らいねん	내년
□	六万円	ろくまんえん	6만 엔
□	六本	ろっぽん	여섯 자루, 여섯 병

2 : 표기

어휘	발음	의미
□ 間	あいだ	사이, 동안
□ 会う	あう	만나다
□ 新しい	あたらしい	새롭다
□ 雨	あめ	비
□ 言う	いう	말하다
□ 五日	いつか	5일
□ 上	うえ	위
□ 生まれる	うまれる	태어나다
□ 英語	えいご	영어
□ エレベーター		엘리베이터
□ 多い	おおい	많다
□ 大きい	おおきい	크다
□ 男の 人	おとこのひと	남자
□ 降りる	おりる	(탈 것에서) 내리다
□ 同じだ	おなじだ	같다
□ 会社	かいしゃ	회사
□ 買う	かう	사다, 구입하다
□ 書く	かく	쓰다, 적다
□ 学校	がっこう	학교
□ 火よう日	かようび	화요일
□ 川	かわ	강
□ 聞く	きく	듣다, 묻다

어휘	발음	의미
□ 北がわ	きたがわ	북측, 북쪽
□ 金よう	きんようび	금요일
□ 来る	くる	오다
□ 車	くるま	차, 자동차
□ 午後	ごご	오후
□ 九つ	ここのつ	아홉 개
□ 午前	ごぜん	오전
□ 今週	こんしゅう	이번 주
□ 下	した	아래, 밑
□ シャワー		샤워
□ 新聞	しんぶん	신문
□ 水よう	すいようび	수요일
□ 千円	せんえん	천 엔
□ 先生	せんせい	선생님
□ 高い	たかい	높다, 비싸다
□ タクシー		택시
□ 食べる	たべる	먹다
□ 小さい	ちいさい	작다
□ 父	ちち	(나의) 아버지
□ チョコレート		초콜렛
□ 手	て	손
□ 天気	てんき	날씨

어휘	발음	의미
□ 電車	でんしゃ	전철
□ 電話	でんわ	전화
□ 友だち	ともだち	친구
□ ナイフ		나이프, 칼
□ 七千円	ななせんえん	7천 엔
□ 七万円	ななまんえん	7만 엔
□ 名前	なまえ	이름
□ 西口	にしぐち	서쪽 출구
□ 飲む	のむ	마시다, (약을) 먹다
□ 八時	はちじ	여덟 시
□ 花	はな	꽃
□ 話す	はなす	이야기하다
□ 母	はは	(나의) 어머니
□ 半分	はんぶん	반, 절반
□ 東がわ	ひがしがわ	동쪽
□ 東口	ひがしぐち	동쪽 출구
□ 左	ひだり	왼쪽
□ 古い	ふるい	낡다, 오래되다
□ 右	みぎ	오른쪽
□ 店	みせ	가게
□ 三つ	みっつ	세 개
□ 耳	みみ	귀
□ 見る	みる	보다
□ 目	め	눈(신체)

어휘	발음	의미
□ メートル		미터(단위 m)
□ 木よう日	もくようび	목요일
□ 安い	やすい	싸다, 저렴하다
□ 休み	やすみ	휴식, 휴일
□ 山	やま	산
□ 読む	よむ	읽다
□ ラーメン		라면
□ 来月	らいげつ	다음 달
□ 来年	らいねん	내년
□ レストラン		레스토랑
□ 六番	ろくばん	6번
□ 六分	ろっぷん	6분
□ ワイシャツ		와이셔츠

3 : 문맥 규정

어휘	발음	의미
□ 明るい	あかるい	밝다
□ 開ける	あける	열다
□ アパート		아파트
□ あびる		(샤워를) 하다
□ 甘い	あまい	달다
□ 雨	あめ	비
□ 五つ	いつつ	다섯, 다섯 개
□ いつか		언젠가
□ いっぱいだ		가득 차다, (배가) 부르다
□ 上	うえ	위
□ 薄い	うすい	얇다(두께), 연하다(맛)
□ 生まれる	うまれる	태어나다
□ エアコン		에어컨
□ 駅	えき	역
□ エレベーター		엘리베이터
□ 置く	おく	두다, 놓다
□ 覚える	おぼえる	기억하다
□ 重い	おもい	무겁다
□ 泳ぐ	およぐ	수영하다, 헤엄치다
□ ～階	～かい·がい	～층
□ 階段	かいだん	계단

	어휘	발음	의미
□	かかる		(시간이) 걸리다, (병에) 걸리다
□	かぎ		열쇠
□	かける		(전화를) 걸다, (안경을) 쓰다
□	家族	かぞく	가족
□	角	かど	모퉁이, 구석
□	かるい		가볍다
□	切る	きる	자르다, 끊다
□	きれいだ		예쁘다, 깨끗하다
□	薬	くすり	약
□	暗い	くらい	어둡다
□	消す	けす	지우다, 제거하다
□	困る	こまる	곤란하다, 난처하다
□	さいふ		지갑
□	さく		(꽃이) 피다
□	～冊	～さつ	～권(책을 세는 단위)
□	砂糖	さとう	설탕
□	寒い	さむい	춥다
□	散歩する	さんぽする	산책하다
□	辞書	じしょ	사전
□	質問	しつもん	질문
□	閉まる	しまる	닫히다
□	写真	しゃしん	사진
□	宿題	しゅくだい	숙제
□	上手だ	じょうずだ	능숙하다, 잘하다

	어휘	발음	의미
□	丈夫だ	じょうぶだ	튼튼하다
□	信号	しんごう	신호
□	新聞	しんぶん	신문
□	吸う	すう	(담배를) 피다
□	少し	すこし	조금
□	スーパー		슈퍼(마켓)
□	洗濯	せんたく	세탁, 빨래
□	そうじ		청소
□	～台	～だい	～대(차량 · 기계를 세는 단위)
□	大変だ	たいへんだ	힘들다, 큰일이다
□	高い	たかい	높다, 비싸다
□	食べもの	たべもの	먹을 것, 음식
□	近い	ちかい	가깝다
□	チケット		티켓, 표
□	地図	ちず	지도
□	疲れる	つかれる	지치다, 피곤해지다
□	冷たい	つめたい	차갑다
□	強い	つよい	강하다, 세다
□	手紙	てがみ	편지
□	出る	でる	나가(오)다, 출발하다
□	天気	てんき	날씨
□	ドア		도어, 문
□	遠い	とおい	멀다
□	時計	とけい	시계

	어휘	발음	의미
□	とる		(사진을) 찍다
□	長い	ながい	길다
□	習う	ならう	배우다, 익히다
□	並べる	ならべる	나열하다, 늘어놓다
□	にぎやかだ		번화하다, 활기차다
□	ぬぐ		(옷을) 벗다
□	のぼる		오르다, 올라가다
□	飲む	のむ	마시다, (약을) 먹다, 복용하다
□	歯	は	이, 이빨, 치아
□	～杯	～はい·ばい·ぱい	～잔
□	入る	はいる	들어가(오)다
□	履く	はく	(치마 · 바지를) 입다, (신발을) 신다
□	パスポート		패스포트, 여권
□	～匹	～ひき·びき·ぴき	～마리
□	ひく		(악기를) 치다, 연주하다
□	病院	びょういん	병원
□	プール		수영장
□	ふく		(바람이) 불다
□	下手だ	へただ	잘 못하다, 서투르다
□	便利だ	べんりだ	편리하다
□	帽子	ぼうし	모자
□	ポケット		포켓, 주머니
□	～本	～ほん·ぼん·ぽん	～병, ～자루
□	～枚	～まい	～장(종이 등 얇은 것을 세는 단위)

	어휘	발음	의미
□	毎朝	まいあさ	매일 아침
□	まがる		꺾다, (방향을) 돌리다
□	まっすぐ		쭉, 똑바로, 일직선으로
□	みがく		닦다, 연마하다
□	道	みち	길
□	メートル		미터(단위 m)
□	雪	ゆき	눈
□	旅行	りょこう	여행
□	忘れる	わすれる	잊다

4 : 유의 표현

	어휘	발음	의미
□	いい 天気です	いい てんきです	좋은 날씨입니다
	≒ 晴れです	はれです	맑습니다
□	いすの そば		의자 옆
	≒ いすの よこ		의자 옆
□	うるさい		시끄럽다
	≒ しずかじゃ ない		조용하지 않다
□	お手洗い	おてあらい	화장실
	≒ トイレ		화장실
□	おもしろく なかった		재미있지 않았다
	≒ つまらなかった		따분했다, 재미없었다
□	学校を 休みました	がっこうを やすみました	학교를 쉬었습니다
	≒ 学校へ 行きませんでした	がっこうへ いきませんでした	학교에 가지 않았습니다
□	軽いです	かるいです	가볍습니다
	≒ 重く ありません	おもく ありません	무겁지 않습니다
□	きたないです		더럽습니다
	≒ きれいじゃ ありません		깨끗하지 않습니다
□	きっさてんに 行きました	きっさてんに いきました	찻집에 갔습니다
	≒ コーヒーを 飲みに 行きました	こーひーを のみに いきました	커피를 마시러 갔습니다

어휘	발음	의미
□ 今日は 五日です。あさってから 学校は 休みです	きょうは いつかです。あさってから がっこうは やすみです	오늘은 5일입니다. 내일모레부터 학교는 휴일입니다
≒ 休みは 七日からです	やすみは なのかからです	휴일은 7일부터입니다
□ くだもの		과일
≒ りんごや バナナ		사과나 바나나
≒ りんごや みかん		사과나 귤
□ 暗いです	くらいです	어둡습니다
≒ 明るく ないです	あかるく ないです	밝지 않습니다
□ 今朝	けさ	오늘 아침
≒ 今日の 朝	きょうの あさ	오늘 아침
□ ご飯	ごはん	밥
≒ 料理	りょうり	요리
□ 散歩して います	さんぽして います	산책하고 있습니다
≒ 歩いて います	あるいて います	걷고 있습니다
□ しずかじゃ ありませんでした		조용하지 않았습니다
≒ うるさかったです		시끄러웠습니다
□ 洗濯しました	せんたくしました	세탁(빨래)했습니다
≒ 服を 洗いました	ふくを あらいました	옷을 빨았습니다
□ そうじしました		청소했습니다
≒ 部屋が きれいです	へやが きれいです	방이 깨끗합니다
□ 祖父	そふ	조부, 할아버지
≒ 父の 父	ちちの ちち	아버지의 아버지

어휘	발음	의미
□ 祖母	そぼ	조모, 할머니
≒ おばあさん		할머니
≒ 父の 母	ちちの はは	아버지의 어머니
□ 台どころ	だいどころ	부엌
≒ 料理を する ところ	りょうりを する ところ	요리를 하는 곳
□ たてもの		건물
≒ ビル		빌딩
□ 田中さんは リーさんに 作文を 教えました	たなかさんは リーさんに さくぶんを おしえました	다나카 씨는 리 씨에게 작문을 가르쳤습니다
≒ リーさんは 田中さんに 作文を 習いました	りーさんは たなかさんに さくぶんを ならいました	리 씨는 다나카 씨에게 작문을 배웠습니다
□ 誕生日は 6月15日です	たんじょうびは ろくがつじゅうごにちです	생일은 6월 15일입니다
≒ 6月15日に 生まれました	ろくがつじゅうごにちに うまれました	6월 15일에 태어났습니다
□ ちょっと		조금
≒ 少し	すこし	조금
□ つまらない		재미없다, 따분하다
≒ おもしろく ない		재미있지 않다
□ 動物	どうぶつ	동물
≒ 犬や 猫	いぬや ねこ	개나 고양이
□ 図書館	としょかん	도서관
≒ 本や 雑誌を かりる ところ	ほんや ざっしを かりる ところ	책이나 잡지를 빌리는 곳
≒ 本を 借りる ところ	ほんを かりる ところ	책을 빌리는 곳

어휘	발음	의미
□ 習いました	ならいました	배웠습니다
≒ 勉強しました	べんきょうしました	공부했습니다
□ 二年前	にねんまえ	2년 전
≒ おととし		재작년
□ 飲み物	のみもの	마실 것, 음료
≒ ジュースや ぎゅうにゅう		주스나 우유
□ 働いて いる	はたらいて いる	일하고 있다
≒ 仕事を して いる	しごとを して いる	일을 하고 있다
□ ひまでした		한가했습니다
≒ いそがしく なかった です		바쁘지 않았습니다
□ 広い	ひろい	넓다
≒ 大きい	おおきい	크다
□ 二日前	ふつかまえ	이틀 전
≒ おととい		그저께
□ 下手だ	へただ	서툴다
≒ 上手じゃない	じょうずじゃない	능숙하지 않다
□ 毎晩	まいばん	매일 밤
≒ 毎日 夜	まいにち よる	매일 밤
≒ 夜は いつも	よるは いつも	밤에는 항상
□ まずい		맛없다
≒ おいしく ない		맛있지 않다

어휘	발음	의미
□ やさしいです		쉽습니다
≒ かんたんです		간단합니다
□ 郵便局	ゆうびんきょく	우체국
≒ きってや はがきを 売って いる ところ	きってや はがきを うって いる ところ	우표나 엽서를 팔고 있는 곳
□ 有名です	ゆうめいです	유명합니다
≒ みんな 知って います	みんな しって います	모두 알고 있습니다
□ リーさんは もりさんに ペンを 貸しました	りーさんは もりさんに ペンを かしました	리 씨는 모리 씨에게 펜을 빌려주었습니다
≒ もりさんは リーさんに ペンを 借りました	もりさんは りーさんに ペンを かりました	모리 씨는 리 씨에게 펜을 빌렸습니다
□ 両親	りょうしん	양친, 부모님
≒ 父と 母	ちちと はは	아버지와 어머니

필수 문법 총정리

N5

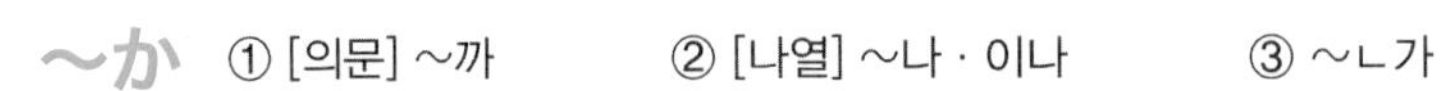

～か ① [의문] ～까　② [나열] ～나 · 이나　③ ～ㄴ가

① これは なんですか。이것은 무엇입니까?

② 午後(ごごにじ)2時か 3時(さんじ)に 電話(でんわ)します。오후 두 시나 세 시에 전화하겠습니다.

③ いつか また 来(き)ます。언젠가 다시 오겠습니다.

が ① [주격] ～이 · 가　② [희망 · 능력] ～을 · 를　③ [역접] ～만 · 지만

① 私(わたし)が 行(い)きます。제가 가겠습니다.

② テニスが 好(す)きです。테니스를 좋아합니다.

③ もう 8時(はちじ)ですが まだ 明(あか)るいです。벌써 8시인데 아직 밝습니다.

～か ～どうか ～지 ～어떤지

今日(きょう)は 雨(あめ)が ふるか どうか わかりません。오늘은 비가 올지 어떨지 모릅니다.

～か ～ないか ～지 ～지 않을지

教室(きょうしつ)に 人(ひと)が いるか いないか よく わかりません。
교실에 사람이 있는지 없는지 잘 모르겠습니다.

～から ① [시간 · 장소 · 출처] ～부터, ～로부터　② [이유 · 원인] ～해서, ～이니까

① 9時(くじ)から 5時(ごじ)まで 仕事(しごと)です。아홉 시부터 다섯 시까지 일입니다(일합니다).

② 時間(じかん)が ないから タクシーで 行(い)きます。시간이 없으니까 택시로 가겠습니다.

～くらい / ～ぐらい ～정도, ～만큼

誕生日(たんじょうび)には 友(とも)だちが 10人(じゅうにん)ぐらい 来(き)ます。생일에는 친구가 열 명 정도 옵니다.

007 ～しか ～밖에

お金(かね)が 1,000円(せんえん)しか ありません。돈이 천 엔밖에 없습니다.

008 ～だけ ～만, ～뿐

私(わたし)に 3,000円(さんぜんえん)だけ ください。저에게 3천 엔만 주세요.

009 ～で ① [장소] ～에서 ② [수단 · 방법] ～로 ③ [이유 · 원인] ～으로, ～해서

① 授業(じゅぎょう)は 教室(きょうしつ)で します。수업은 교실에서 합니다.
② 今日(きょう)は 車(くるま)で 行(い)きます。오늘은 자동차로 갑니다.
③ 病気(びょうき)で 入院(にゅういん)しました。병으로 입원했습니다.

010 ～では ～에서는

家(いえ)では テレビを 見(み)ません。집에서는 텔레비전을 보지 않습니다.

011 ～でも ～에서도

その 人(ひと)は 韓国(かんこく)でも 有名(ゆうめい)です。그 사람은 한국에서도 유명합니다.

012 ～と ～와 · 과

私(わたし)と 山田(やまだ)さんは 学校(がっこう)が 同(おな)じです。나와 야마다 씨는 학교가 같습니다.

013 ～など ～등

郵便局(ゆうびんきょく)は きってや はがきなどを 売(う)る ところです。우체국은 우표나 엽서 등을 파는 곳입니다.

014 ～に ① [시간 · 장소 · 횟수] ～에　② [대상] ～에게　③ ～을 · 를

① 午後(ごご) 7時(しちじ)に 着(つ)きます。오후 일곱 시에 도착합니다.

② 先生(せんせい)に 質問(しつもん)しました。선생님께 질문했습니다.

③ 空港(くうこう)から バスに 乗(の)りました。공항에서 버스를 탔습니다.

015 ～には ～에는

家(いえ)には だれも いません。집에는 아무도 없습니다.

016 ～にも ～에도

この 本(ほん)は コンビニにも あります。이 책은 편의점에도 있습니다.

017 ～の ① [소유격] ～의　② ～의 것　③ ～한 것

① これは 弟(おとうと)の 自転車(じてんしゃ)です。이것은 남동생의 자전거입니다.

② この かばんは 妹(いもうと)のです。이 가방은 여동생의 것입니다.

③ これと 同(おな)じのは あそこに あります。이것과 같은 것은 저기에 있습니다.

018 ～は [주격] ～은 · 는

あの 人(ひと)は 先生(せんせい)です。저 사람은 선생님입니다.

019 ～は ～が、～は [대비] ～은 · 는 ～지만, ～은 · 는

これは 高(たか)いですが、それは あまり 高(たか)くないです。
이것은 비싸지만 그것은 별로 비싸지 않습니다.

020 ～へ [방향 · 장소] ～에, ～로

船(ふね)は 西(にし)の ほうへ 行(い)きました。배는 서쪽 방향으로 갔습니다.

021 ～まで [시간 · 장소] ～까지

コンビニまで 歩(ある)いて 5分(ごふん)ぐらいです。편의점까지 걸어서 5분 정도입니다.

022 ～も ～도

教室(きょうしつ)には だれも いませんでした。교실에는 아무도 없었습니다.

023 ～や ～이나, ～랑

日本(にほん)の アニメや 音楽(おんがく)が 好(す)きです。일본의 애니메이션이나 음악을 좋아합니다.

024 ～より ～보다

お母(かあ)さんは 私(わたし)より 英語(えいご)が 上手(じょうず)です。어머니는 나보다 영어를 잘합니다.

025 ～を [목적격] ～을 · 를

家(いえ)に 帰(かえ)って テレビを 見(み)ます。집에 돌아가서 텔레비전을 봅니다.

026 ～ことが できる ～할 수 있다

カードでも 買(か)う ことが できます。카드로도 살 수 있습니다.

027 ～た 後(あと)(で) ～한 후(에)

おふろに 入(はい)った 後(あと)で 食事(しょくじ)しました。목욕을 한 후에 식사했습니다.

028 ～たい ～하고 싶다

早(はや)く 友(とも)だちに 会(あ)いたい。빨리 친구를 만나고 싶다.

029 ～たから ～했기 때문에

電車(でんしゃ)が 遅(おく)れたから 約束(やくそく)の 時間(じかん)に 間(ま)に合(あ)いませんでした。
전철이 늦어져서 약속 시간에 가지 못했습니다.

030 ～たり ～たり する ～하거나 ～하거나 하다

午後(ごご)は 買(か)い物(もの)したり さんぽしたり します。오후에는 쇼핑하거나 산책하거나 합니다.

031 (～が/は) ～てある [상태] (～이 · 가/～은 · 는) ～해 있다

ドアが 開(あ)けて あります。문이 열려 있습니다.

032 (～を) ～ている ① [진행] (～을 · 를) ～하고 있다 ② [습관] (～을 · 를) ～하고 있다, 한다

① 今(いま)、音楽(おんがく)を 聞(き)いて います。지금 음악을 듣고 있습니다.
② 毎日(まいにち) 運動(うんどう)して います。매일 운동하고 있습니다.

033 ～てから ～하고 나서

コーヒーを 飲(の)んでから 行(い)きましょう。커피를 마시고 나서 갑시다.

034 ～て ください ～해 주세요, ～하세요

来週の 月曜日に 来て ください。다음 주 월요일에 와 주세요.

035 ～て くださいませんか ～해 주시지 않겠습니까?

ここで 写真を とって くださいませんか。여기에서 사진을 찍어 주시지 않겠습니까?

036 ～てくる ～해 오다

スーパーで たまごを 買って きます。슈퍼에서 달걀을 사 오겠습니다.

037 ～時 ～(할) 때

勉強する 時は めがねを かけます。공부할 때는 안경을 씁니다.

038 ～ないで ～하지 않고

家には 帰らないで そのまま 行きました。집에는 돌아가지 않고 그대로 갔습니다.

039 ～ないで ください ～하지 말아 주세요, ～하지 마세요

あついから 手で さわらないで ください。뜨거우니까 손으로 만지지 말아 주세요.

040 ～ながら [동시 동작] ～하면서

先生の 話を 聞きながら メモを します。선생님 이야기를 들으면서 메모를 합니다.

① ～に 行(い)く ～하러 가다

② ～に 来(く)る ～하러 오다

---

① コピーを しに 行(い)きます。복사를 하러 갑니다.

② あとで 友(とも)だちが 会(あ)いに 来(き)ます。나중에 친구가 만나러 옵니다.

～前(まえ)(に) ～하기 전(에)

ご飯(はん)を 食(た)べる 前(まえ)に 手(て)を 洗(あら)います。밥을 먹기 전에 손을 씻습니다.

① ～ましょう ～합시다

② ～ましょうか ～할까요?

---

① 早(はや)く 帰(かえ)りましょう。빨리 돌아갑시다.

② あの 人(ひと)に 聞(き)きましょうか。저 사람에게 물어볼까요?

～ませんか ～하지 않을래요?

いっしょに 映画(えいが)を 見(み)ませんか。함께 영화를 보지 않을래요?

あまり ～ない 별로(그다지) ～하지 않다

本(ほん)は あまり 読(よ)みません。책은 별로 읽지 않습니다.

全然(ぜんぜん) ～ない 전혀 ～하지 않다

図書館(としょかん)は 全然(ぜんぜん) 静(しず)かじゃ なかったです。도서관은 전혀 조용하지 않았습니다.

047

① ～く/に する ～(하)게 하다

② ～に する ～로 하다, ～로 정하다

前(まえ)の かみは もっと 短(みじか)く して ください。앞머리는 좀 더 짧게 해 주세요.

買(か)い物(もの)に 行(い)くのは あしたに します。쇼핑 가는 건 내일로 하겠습니다.

048

① ～く/に なる ～(하)게 되다, ～해지다

② ～に なる ～이 · 가 되다

① ゆっくり 休(やす)んで 元気(げんき)に なりました。푹 쉬어서 건강해졌습니다.

② もう すぐ 春(はる)に なります。이제 곧 봄이 됩니다.

049

① ～中(じゅう) ～(하는) 내내

② ～中(ちゅう) ～중

① ここは 1年中(いちねんじゅう) あたたかいです。여기는 일년 내내 따뜻합니다.

② 授業中(じゅぎょうちゅう)は 静(しず)かに しましょう。수업중에는 조용히 합시다.

050

～でしょう ～(하)지요, ～(하)겠지요

あの 人(ひと)は 歌(うた)が 上手(じょうず)でしょう？ 저 사람은 노래를 잘 하겠지요?

051

～という ～라는

これは フリージアという 花(はな)です。이것은 프리지어라는 꽃입니다.

052

～を ください ～을 · 를 주세요

もう 少(すこ)し 時間(じかん)を ください。조금 더 시간을 주세요.

053 そして　그리고

2年前(にねんまえ)に 日本(にほん)から 帰(かえ)りました。そして 来年(らいねん)、また 行(い)きます。
2년 전에 일본에서 돌아왔습니다. 그리고 내년에 다시 갑니다.

054 それから　그 다음에, 그리고, 그러고 나서

シャワーを あびます。それから ご飯(はん)を 食(た)べます。샤워를 합니다. 그 다음에 밥을 먹습니다.

055 だから　그래서, 그러니까

きのう おそくまで 勉強(べんきょう)しました。だから テストは むずかしく なかったです。
어제 늦게까지 공부했습니다. 그래서 시험은 어렵지 않았습니다.

056 では／じゃ　그럼

では 明日(あした) また 来(き)ます。그럼 내일 다시 오겠습니다.

057 でも　하지만

この おかしが 好(す)きです。でも これは 日本(にほん)には ありません。
이 과자를 좋아합니다. 하지만 이건 일본에는 없습니다.

058 いくら　얼마

この ネクタイは いくらですか。이 넥타이는 얼마입니까?

059 いくつ　몇 살

娘(むすめ)さんは いくつに なりましたか。따님은 몇 살이 되었나요?

060 **どうして** 어째서, 왜

どうして 日本語(にほんご)を 習(なら)って いますか。어째서 일본어를 배우고 있습니까?

061 **なぜ** 왜, 어째서

なぜ そんなに 怒(おこ)って いるのですか。왜 그렇게 화내고 있나요?

062 **おはようございます。** [아침] 안녕하세요.

063 **こんにちは。** [낮] 안녕하세요.

064 **こんばんは。** [저녁] 안녕하세요.

065 **おやすみなさい。/ おやすみ。** 안녕히 주무세요. / 잘 자.

066 **さようなら。** [작별·이별] 안녕히 가세요, 안녕히 계세요, 잘 가.

067 **ありがとう ございます。** 고맙습니다.

068 **すみません。** 죄송합니다, 실례합니다.

069 **どういたしまして。** 천만에요.

070 はじめまして。 처음 뵙겠습니다.

071 どうぞ よろしく おねがいします。 아무쪼록 잘 부탁드립니다.

072 こちらこそ (よろしく おねがいします)。
저야말로 (잘 부탁드립니다).

073 いただきます。 잘 먹겠습니다.

074 ごちそうさまでした。 잘 먹었습니다.

075 もしもし。 [전화] 여보세요.

076 いらっしゃいませ。 어서 오세요.

077 おめでとう ございます。 축하합니다.